OS CENÁRIOS OCULTOS DO CASO BATTISTI

Carlos A. Lungarzo

OS CENÁRIOS OCULTOS DO CASO BATTISTI

*Com entrevista exclusiva de Cesare Battisti*

Copyright © 2012 by Carlos A. Lungarzo

2ª edição — Março de 2013

Grafia atualizada segundo o Acordo Ortográfico da Língua Portuguesa de 1990,
que entrou em vigor no Brasil em 2009

Editor e Publisher
**Luiz Fernando Emediato (licenciado)**

Diretora Editorial
**Fernanda Emediato**

Editor
**Paulo Schmidt**

Produtora Editorial e Gráfica
**Erika Neves**

Capa
**Alan Maia**

Projeto Gráfico e Diagramação
**Futura**

Preparação de Texto
**Sandra Dolinsky**

Revisão
**Valquíria Della Pozza**

**DADOS INTERNACIONAIS DE CATALOGAÇÃO NA PUBLICAÇÃO (CIP)**
**(Câmara Brasileira do Livro, SP, Brasil)**

Lungarzo, Carlos A.
    Os cenários ocultos do caso Battisti / Carlos A. Lungarzo ; com entrevista exclusi-
va de Cesare Battisti. -- São Paulo : Geração Editorial, 2012.

    Bibliografia.
    ISBN 978-85-8130-120-4

1. Ativistas políticos 2. Battisti, Cesare, 1954- 3. Conspiração 4. Direitos humanos
    5. Escritores italianos 6. Extradição 7. Fascismo - Itália - História 8. Julgamentos
    9. Perseguição política 10. Refugiados - Brasil 11. Repressão italiana 12. Terroris-
    mo de Estado - Itália I. Battisti, Cesare. II. Título.

12-14361                                                                CDD-325.2109

**GERAÇÃO EDITORIAL**

Rua Gomes Freire, 225 – Lapa
CEP: 05075-010 – São Paulo – SP
Telefax: (+ 55 11) 3256-4444
E-mail: geracaoeditorial@geracaoeditorial.com.br
www.geracaoeditorial.com.br
twitter: @geracaobooks

Impresso no Brasil

*Printed in Brazil*

*Este livro está dedicado à memória de duas
pessoas que teriam gostado dele:*

Maria Nieve Etorena de O'Connor (1916-1995)
Thereza de Jesus Arato Barolo (1929-2008)

# SUMÁRIO

*Prefácio*   15
*Observação sobre a cronologia*   19
*Reconhecimentos*   21
*Introdução*   25

PRIMEIRA PARTE | O TERRORISMO OFICIAL   37

CAPÍTULO 1 – A ITÁLIA DO PÓS-GUERRA   39
Ressaca do pesadelo   40
A divisão do mundo   43
O fantasma soviético   45
Pactos militares   48
O fascismo italiano   50
A esquerda oficial   56

CAPÍTULO 2 – O TERRORISMO DE ESTADO   59
A continuidade do fascismo   60
Terrorismo pesado   65
Empresários e golpistas   72
Investigações e processos   73

CAPÍTULO 3 – A SOCIEDADE SE DEFENDE   77
Comunismo e nova esquerda   77
Conflitos sociais e ideológicos   81
Poder operário e autonomia   88
O terrorismo legislativo   90

CAPÍTULO 4 – REPRESSÃO LEGAL E JURÍDICA   93
Segue o terror legislativo   94
O terror judicial   96
Impunidade do terror fascista   99
Fogueira de intelectuais   101


SEGUNDA PARTE | DEFESA POPULAR E REPRESSÃO   105

CAPÍTULO 5 – PROLETÁRIOS ARMADOS   107
Comunismo novo   107
*Intermezzo*: Cossiga e Battisti   111
Surgimento dos PAC   112
Ideário político   116
Planejamento e ações   120
Luta armada: impasse   121

CAPÍTULO 6 – OS QUATRO HOMICÍDIOS   123
Fontes documentais   124
A blindagem italiana   126
O carcereiro Santoro   127
O açougueiro Sabbadin   129
O ourives Torregiani   131
Quem era Torregiani?   131
O homicídio de Torregiani   134
O motorista Campagna   135

CAPÍTULO 7 – ESMAGUEM OS MONSTROS!   137
O ambiente de Cesare Battisti   137
Os grupos populares   138
Banho de sangue   141
Os magistrados sabem bater   142

CAPÍTULO 8 – PRIMEIRO JULGAMENTO   147

Os magistrados   147

A Gestapo Spaghetti   149

A sentença de 1981   151

O destino de Battisti   152

Investigações sobre Torregiani   153

A evasão do presídio   154

A sentença de 1983   156

A captura de Mutti   157

CAPÍTULO 9 – ÚLTIMO JULGAMENTO ITALIANO   159

Síntese cronológica   159

Fatos para lembrar   161

A história do carcereiro   163

Acusações contra Mutti   163

O relato de Mutti   164

"Confirmações" da delação   164

A história do ourives   167

Concurso moral   167

A história do açougueiro   168

Onipresença de Battisti   170

A história do motorista   171

Arrependidos e dissociados   173

Delatores ou arrependidos   173

Dissociados   177

Delatores, magistrados e advogados   178

A privacidade dos delatores   181

Testemunhas   182

Provas materiais   187

Onde estão as testemunhas e os delatores?   187

CAPÍTULO 10 – CAÇADA INTERNACIONAL   191

O sequestro da família Battisti   192

México e França    194
*Paris vaut bien une pizza*    196
O circo europeu dos direitos humanos    200
O espírito de 1968    203
Battisti como escritor    205

CAPÍTULO 11 – AS PROCURAÇÕES APÓCRIFAS    209
A descoberta    211
Perícia grafológica    213
Reconstruindo fatos    216

CAPÍTULO 12 – TREVAS SOBRE A DEMOCRACIA    217
Repressão e democracia    218
A condição prisional    218
A aplicação de tormentos    221
"Colaboradores da Justiça"    225
Um salto aos dias de hoje    229

TERCEIRA PARTE | A INQUISIÇÃO TROPICAL    233

CAPÍTULO 13 – A SAGA BRASILEIRA    235
Síntese cronológica    235
Captura e refúgio    238
As bases legais do refúgio    243
Procurando ajuda internacional    249
Sentenças prontas para usar    250

CAPÍTULO 14 – LINCHADORES MIDIÁTICOS E POLÍTICOS    255
A mídia brasileira    256
Mídia impressa    258
A televisão    264
*Italy can do here in Brazil, the same as the USA did in Pakistan*    266

SUMÁRIO

A mídia italiana   267
Os políticos   268

CAPÍTULO 15 – LINCHADORES JURÍDICOS E SEUS AMOS   273
Os operadores jurídicos   274
Militares e diplomatas   277
Alianças linchadoras   277
Os fascistas contra Battisti   278
*Cáritas in falsitate*   280
O circo do Parlamento Europeu   281
A contribuição stalinista   282

CAPÍTULO 16 – OS PROTETORES DE HEREGES   285
Direitos humanos   286
Políticos humanitários   288
Intelectuais e juristas   291
Movimentos e grupos organizados   294
Espártaco e as legiões   297

CAPÍTULO 17 – ACENDENDO A FOGUEIRA   303
O pretoriano chefe   304
O inquisidor mestre   305
O currículo do mestre   305
A voz do amo   308
A preparação do julgamento   309
O processo inquisitorial   311
Anulação do refúgio   312
Votando a extradição   314
Quem decide extraditar?   316

CAPÍTULO 18 – O FRANKENSTEIN JURÍDICO   319
O Sermão geral   320
As teses incompatíveis   321

As afirmações distorcidas    323

Falácias e sofismas    329

O desenlace    332

CAPÍTULO 19 – OUTRA VEZ AS PROCURAÇÕES    337

Os fatos preliminares    337

CAPÍTULO 20 – O DIAGNÓSTICO DO CASO BATTISTI    341

Os motivos práticos    342

Causas políticas na Itália    343

Causas políticas brasileiras    344

Causas econômicas    345

Causas sociais    345

Vingança e linchamento    346

Vingança e vitimismo    349

O direito penal do inimigo    352

A fabricação de um superinimigo    354

*Entrevista exclusiva com Cesare Battisti    357*

*Referências    365*

*Dissertações e artigos    365*

*Livros e coletâneas    365*

*Fontes documentais    367*

*Notas    369*

"A ideia de punir alguém, trinta e dois anos depois, que participou de um embate ideológico, foge um pouco da compreensão política do Brasil."

Luís Roberto Barroso, advogado defensor de Cesare Battisti e notável jurista de causas humanitárias, numa conversa com jornalistas em 8 de junho de 2011


"A lei da ralé [linchadora] é a mais violenta expressão de uma opinião pública insana, e mostra que a sociedade está podre até a medula."

Timothy Thomas Fortune (1856-1928), jornalista afro-americano, militante antirracista e líder dos direitos civis


"Eu tenho uma única paixão: iluminar aqueles que foram mantidos na escuridão [...]. Que se atrevam, então, a levar-me a uma corte e que meu julgamento tenha lugar na ampla luz do dia! Estou esperando."

Émile Zola, em sua célebre alegação em defesa de Dreyfus, *Eu Acuso*, publicada em janeiro de 1898

"Ao longo da história, as pessoas têm vivido na pobreza e na miséria, foram atormentadas, foram degradadas pela fome e a ignorância, e foram conduzidas às guerras. Entretanto, nem tudo ficou igual: *a diferença é que temos adquirido maior conhecimento.*" [Grifo meu.]

Olof Palme (1927-1986), líder do Partido Social-Democrata da Suécia e duas vezes primeiro-ministro

"Se uma vez você precisou começar a mentir, então continue fazendo-o (*Wenn du einmal angefangen hast zu lügen, dann bleibe auch dabei*)."

Joseph Goebbels (1897-1945), ministro da propaganda de Adolf Hitler

# PREFÁCIO

Apesar de minha vivência dos anos 1970, eu nunca havia ouvido falar dos Proletários Armados para o Comunismo, e só em 2007 soube da existência de Cesare Battisti. Integrado em 2008 ao círculo solidário contra sua extradição, escrevi no ano seguinte dois documentos: *Uma breve análise do caso Battisti,* de cinquenta e duas páginas, e um livrinho de cento e quinze páginas: *Os cenários invisíveis do caso Battisti.*

O objetivo era esclarecer nossos ativistas sobre a repressão italiana, as fraudes do julgamento, a legislação e a jurisprudência brasileiras e outros tópicos que municiassem conceitualmente os grupos de apoio ao refúgio. Também sugeri ideias para a organização da defesa do escritor. Na mesma época, publiquei na internet uma centena de artigos diversos referentes ao caso.

Esses artigos, apesar de fornecer informação relevante e nova no Brasil, não davam um panorama articulado. Por sua vez, os dos "livrinhos" serviram de guia aos ativistas, mas não atingiam um público maior, nem tinham a forma "amigável" de um livro convencional. Quando percebi que o caso Battisti intrigava e confundia até pessoas esclarecidas e bem-intencionadas, achei imprescindível escrever uma obra com padrões normais, que circulasse nos meios habituais.

Coloquei-me o problema: *quais são os fatores ocultos* que fazem possível uma maré de linchamento dessas dimensões? Percebi que a ideologia, a mídia e as misteriosas "gratificações" explicavam apenas uma parte do processo. Entendi que devia aplicar as teorias usadas por pesquisadores europeus para descrever os mecanismos de ódio dos nazistas antes e durante a 2ª Guerra Mundial.

Também foi determinante para a compreensão desse fato o terrorismo de estado incubado na Itália já em 1947. Os patrocinadores desse terrorismo, os EUA e a Aliança Atlântica (OTAN), resgataram o antigo fascismo e o adotaram como parceiro na Operação Gladio, que contou com o apoio dos neofascistas, da centro-direita, da Igreja, das Forças Armadas, da máfia e das empresas.

O caso Battisti se desenvolveu, aparentemente, em cenários visíveis, como a corte suprema brasileira, mas os fatos reais foram incubados em *cenários ocultos*, onde se fabricaram as armas psicológicas, midiáticas e jurídicas usadas para forçar a extradição.

Battisti foi um entre milhares de jovens que enfrentaram o terrorismo de estado com métodos que incluíam a luta armada. Essa violência foi um componente da esquerda alternativa, que reagiu quando a direita a colocou contra a parede e lhe deixou as opções: *resistência ou aniquilação*.

A perseguição contra a nova esquerda concentrou as forças conservadoras tradicionais, mas também recrutou o falido neoestalinismo, que se aproximou da direita clássica para "acalmar" os reacionários. O Partido Comunista Italiano mandava um recado: "Não nos persigam, pois agora estamos com vocês". E a ajuda daquele aparato treinado por Moscou não foi desprezada, como o foi, na mesma época, pela ditadura argentina, cujo ódio não lhe permitia aceitar a colaboração do Partido Comunista.

Os stalinistas italianos se aliaram à democracia cristã para não seguir sendo alvo dos fascistas, mas, entre 1977 e 1978, colaboraram ativamente na repressão. Apesar de sua virada à direita, os stalinistas não tiveram participação na Opera-

PREFÁCIO

ção Gladio, pois as profundas feridas abertas pelo fascismo na Itália ainda sangram.

Meu objetivo é provar que, no caso Battisti, tão especial e surpreendente, coincidiram todas as mazelas de nossas sociedades. Analisar essas mazelas com detalhes seria tarefa excessiva. Por isso, cinjo-me apenas a mostrar os cenários onde o linchamento se fabricou e a explicar como sua construção usou as oficinas dos grupos mais vingativos e reacionários da Itália e do Brasil.

Haveria várias maneiras de classificar os cenários ocultos. Mas uma divisão básica mostra, pelo menos, o seguinte:

(a) O cenário do *terrorismo de estado* que uniu a OTAN e a CIA aos fascistas, aos militares e às sociedades secretas.

(b) O cenário *equivalente na América Latina*: a sobrevivência da ditadura brasileira no judiciário, no exército, na polícia e em grande parte do sistema político e empresarial.

(c) O cenário *oculto da mídia*, em ambos os países, que é bem diferente de seu cenário visível. A trama íntima da mídia incluiu distorção da verdade, omissão, autocensura, manipulação, sensacionalismo, difamação, desconstrução pessoal etc.

(d) O cenário *teológico brasileiro*, que é contraditório. Enquanto um pequeno grupo de católicos progressistas e alguns padres e monges marginalizados pela Igreja apoiam a causa do perseguido, a maioria dos fiéis e todo o aparato eclesial põem discretamente, com sua habitual modéstia, combustível na fogueira.

(e) O cenário da *direita "legal"*, especialmente no Brasil. Racistas, neoliberais, fazendeiros, jagunços, comunicadores, empresários, financistas empolgam-se com a esperança de um golpe contra o governo Lula e um megabanho de sangue maior ainda que o cotidiano massacre de populares.

Fracassei totalmente, porém, ao tentar indagar o cenário oculto das *finanças*. Nem os eficientes pesquisadores britânicos e franceses puderam me ajudar. Ele estava realmente oculto, com seus acessos fechados a sete chaves.

Tentei fazer este livro tão ameno quanto possível. Não foi minha intenção dirigi-lo só ao leitor ideológico ou intelectual. Tem como alvo o cidadão comum, aquele que sente como a vida do dia a dia é manipulada pelas elites que exploram seu trabalho, humilham sua dignidade e até podem matar seus filhos numa *blitz* policial.

Entretanto, tive em conta que não estou escrevendo um romance, mas a descrição de uma realidade cujos fatos centrais são perfeitamente verificáveis. Era necessário que o leitor mais inquieto *pudesse consultar* as principais referências, para o qual incluo notas finais no menor número possível. Sua omissão não prejudicará a leitura.

Para redigir este livro utilizei as seguintes fontes:

(a) Documentação oficial italiana, obtida por meio da França.

(b) Documentação oficial brasileira aberta.

(c) Relatórios sobre a Itália produzidos no período 1978-2005 pela ONG Anistia Internacional.

(d) Relatórios de diversas organizações de direitos humanos, abrangendo cerca de vinte anos: Human Rights Watch, Orizzonti Ristretti, Antigone, ONGs francesas, e outras.

(e) Memórias, livros, filmes, jornais e outros documentos públicos que descrevem as torturas e os abusos do estado italiano nas décadas de 1970 e 1980.

PREFÁCIO

(f) Conversas pessoais e por *e-mail* com dúzias de italianos e franceses que foram protagonistas ou espectadores naqueles cenários. Sua identidade é mantida anônima.

A única informação que obtive do próprio Battisti foi a que aparece em forma de diálogo no Apêndice deste livro. Não fiz a ele nenhuma outra pergunta porque pretendi manter minha objetividade e preservar sua intimidade. Esse diálogo foi realizado propositadamente só após o livro estar completo, e nenhuma afirmação do protagonista, por mais respeitável que seja, pode modificar meus pontos de vista.

No caso de fontes viáveis que tivessem versão na internet, coloquei o *link* para tornar a procura mais rápida. É constrangedor perceber que, salvo nos livros técnicos, os autores evitam usar *links* e remetem apenas à tradicional bibliografia impressa, que nem sempre é acessível. Parece que autores de assuntos sociais temem perder sua dignidade se utilizarem um "brinquedo" tão popular quanto um *modem*.

Mas, quando o texto tinha uma versão acessível em papel, indiquei também esta para garantir a confirmação cruzada das informações. Todos os *links* foram conferidos antes de entregar o "manuscrito" aos editores.

## Observação sobre a cronologia

É relevante fazer uma advertência sobre a *organização cronológica* dos fatos. Fiz o possível para manter a sequência temporal, mas dei preferência à proximidade temática sobre a simples sucessão no tempo. Assim, em alguns capítulos "volto atrás" para retomar eventos de uma época que já foi mencionada, mas agora sob outro ângulo. Há numerosos *flashbacks*, mas o leitor poderá ser adaptar facilmente a eles.

Essa disposição pretende fazer justiça à estrutura ramificada dos fenômenos reais, em que política, cultura, sociedade e repressão mantêm interações permanentes.

Finalmente, quero advertir que sou um cientista, um humanista e um ativista social, mas não político, magistrado ou sacerdote. A *verdade* para mim não é subjetiva, produto da "convicção" do juiz, da razão do estado ou da confissão do pecador: é um atributo *objetivo*, emergente da experimentação e do conhecimento empírico. O motivo da procura da verdade é proteger, e não perseguir.

Despeço-me com uma expressão célebre na Itália, introduzida por Alessandro Manzoni em 1821 em sua ode "O Cinco de Maio", dedicada à morte de Napoleão:

*Ai posteri l'ardua sentenza.*

(Aos descendentes [fica] a difícil sentença.)

Ou, melhor ainda, uma expressão cunhada por outro escritor italiano, o próprio Cesare Battisti:

*A história não se julga nos tribunais; ela será sempre matéria de historiadores.*

CARLOS ALBERTO LUNGARZO
*São Paulo, Brasil, agosto de 2012*

# RECONHECIMENTOS

Escrever este livro foi possível graças à ajuda de numerosas pessoas e grupos, e não há espaço para agradecer a todos eles. Então, restrinjo-me àqueles cujo apoio foi mais direto.

Pude entender o problema de Cesare Battisti, a perspectiva de seus inimigos e os interesses ocultos em sua perseguição por causa, em parte, de ter vivido uma situação similar, porém, de uma intensidade e perigo muito menores. Nesse sentido, desejo manifestar minha gratidão aos que protegeram minha vida e a de minha família durante a fúria fascista das ditaduras do Cone Sul. Entre muitos outros:

Ao chefe do Alto Comissionado da ONU, Guy Primm, incumbido da América Latina naquela época. À então presidente da Comissão de Justiça e Paz de São Paulo, Margarida Genevois. Aos amigos e representantes da Anistia Internacional na Suécia, Iza Bleich e Magnus Brejde.

Tenho uma especial dívida para com o lendário Harald Edelstam (1913-1989), o *Pimpinela Preta*, célebre chanceler sueco do governo socialista que salvou milhares de vítimas do fascismo latino-americano, por seu grande apoio nos momentos mais graves.

Também devo ajuda vital ao grupo de amigos da Universidade Estadual de Campinas, em São Paulo, especialmente a Balthazar e Andrea, que me defenderam dos planos de deportação de meus superiores. Pelo mesmo motivo, sou devedor aos colegas que generosa e carinhosamente me acolheram na Universidade de Michoacán, no México, quando a Universidade de Campinas me fez chegar a "sugestão" de sair do Brasil enquanto pudesse.

O principal reforço emocional durante o exílio foi o de meus filhos, então crianças, Guilherme e Fabrizio, e o de sua mãe, Cristina, sem cujo carinho eu não teria sobrevivido, nem no sentido psicológico nem no sentido literal. Muitos anos depois, Fabrizio e sua esposa Patrícia muito me esclareceram sobre problemas técnicos do direito que eram desconhecidos para mim, e me deram apoio moral na luta contra o linchamento do escritor italiano.

Numerosos movimentos de apoio a Battisti e grande quantidade de militantes influíram em minha vontade de escrever. Muitas pessoas de diversos países contribuíram para pôr em ordem minhas ideias, e lamento não poder tornar públicos todos os seus nomes.

Tive meu primeiro acesso ao caso Battisti em 2008, graças ao escritor, jornalista e ex-preso político Celso Lungaretti, com o qual desenvolvi uma cooperação muito positiva.

O consultor Fúlvio Lubisco, da Geração Editorial, fez a mais completa e profunda avaliação do original que já tenha visto. Sua inteligente análise aumentou minha confiança em meu trabalho.

Meus dois primeiros textos longos sobre o caso (escritos em 2009) foram adotados pelo grupo de Fortaleza (Ceará, Nordeste do Brasil) Crítica Radical, um grupo de militantes corajosos e inteligentes que me brindou a primeira oportunidade de testar minha nascente pesquisa sobre o caso. Desejo lembrar Rosa Fonseca, Maria Luiza Fontenele, Jorge, Sandra e outros militantes do grupo.

Devo a Fiona Bolt, gerente de arquivos da Amnesty International, em Londres, o envio de documentos sobre o terrorismo do estado Italiano nos anos 1970.

RECONHECIMENTOS

A professora Amparo Ibáñez me forneceu informação relevante à situação dos refugiados na Europa, e me facilitou acesso a livros e artigos necessários para meu trabalho.

Tanto o trabalho intelectual quanto a ação prática tiveram apoio fundamental da associação italiana Antígone, uma ONG especializada na defesa dos detentos. Seus principais líderes, Patrizio Gonnella e Suzana Marietti, me esclareceram sobre o sistema prisional e jurídico italiano.

Agradeço especialmente o apoio e a confiança recebidos do senador brasileiro Eduardo M. Suplicy, que liderou a maior campanha parlamentar em prol da liberdade de Battisti e me consultou sobre informações delicadas do caso. Sua preocupação serviu de estímulo constante à pesquisa e também à redação deste livro.

Parte dos documentos que constituíram minha principal fonte não teria passado por minhas mãos sem a generosa colaboração do advogado da defesa Luís Roberto Barroso e sua colaboradora, Renata Saraiva.

Recebi informações, comentários, material de vídeos e cópias de documentos relevantes de várias pessoas de diversos países: quero lembrar o artista brasileiro Eliseu de Castro Leão, o jurista italiano Luca Baiada, além de vários membros da intelectualidade francesa e italiana.

No Brasil, contei sempre com a resposta imediata de um dos maiores juristas do continente, Dalmo de Abreu Dallari, que me iluminou nos momentos mais difíceis com sua excelência profissional e seu espírito humanitário.

Além de sua amizade no ativismo, devo à amiga Maria Regina Cunha de Toledo Sader, ex-professora da Universidade de São Paulo, numerosas sugestões e comentários e uma correção completa do terceiro rascunho deste livro. (O texto publicado corresponde ao quinto rascunho.)

Quero lembrar os membros de minha família (Danilo, Júlia, Sueli e Pingo), cujo gentil convívio me forneceu a alegria necessária para a pesada tarefa.

Finalmente, tenho uma dívida toda especial: é para com minha esposa Silvana, cuja deliciosa presença e apurada sensibilidade marcam cada um dos parágrafos do texto. Não saberia dizer qual ideia esteve livre de sua influência criativa, sua inteligência e seu senso crítico. Sua contribuição à minha campanha pela liberdade de Battisti começou com sua parceria na militância, para a qual não hesitou em sacrificar tempo nem esforços e correr os mesmo riscos que eu. Não posso avaliar exatamente quantos erros eu teria cometido sem sua permanente iluminação em todos os aspectos.

Este livro está também dedicado a ela, em prova de gratidão e paixão.

# INTRODUÇÃO

"Você sabe", dizia Napoleão a Fontanes, "o que mais me surpreende no mundo? A impotência da força para fundar alguma coisa. Não há mais que duas potências no mundo: o sabre e o espírito. Afinal, o sabre é sempre vencido pelo espírito."

ALBERT CAMUS, "Les Amandiers", em *L'Eté*

O caso do escritor italiano brinda a oportunidade de analisar também a situação dos direitos humanos na sociedade brasileira e na italiana. O célebre psicólogo alemão Wilhelm Reich identificou os grandes movimentos de massas alienadas defensoras da guerra, do racismo, do nacionalismo, do linchamento e de outras mazelas que envenenam a humanidade. Ele as considerou vítimas do que chamou *praga emocional* (*Emotionale Pest*), um fenômeno percebido também por Erich Fromm, Hanna Arendt, Herbert Marcuse e alguns outros.

Esse conceito se relaciona com a noção de alienação (*Entfremdung*) de Karl Marx. Com efeito, os *fetiches* que conduzem à praga emocional, como o nacionalismo, a tradição, a superstição, a obediência, as hierarquias, transformam os homens e mulheres numa massa mecanizada que pode ser manipulada pelas lideranças da sociedade.

A violência de massas também recebeu uma explicação biologista pouco apreciada ainda. A pesquisadora italiana Rita Levi-Montalcini (Nobel de 1986) atribuiu a miséria moral e emocional da espécie humana a uma defasagem entre a inteligência e a sensibilidade durante o processo evolutivo. Embora essa visão biológica seja mais metafórica que operacional, seu enfoque se complementa com a visão social dos marxistas não leninistas. Tentando fazer uma síntese das duas perspectivas, podemos ter um panorama relativamente claro.

Nosso senso comum nos mostra que as aberrações humanas são produto de um acidente histórico: as pessoas mais doentias tiveram mais força que os humanos normais que procuravam a felicidade e cultuavam a solidariedade. As maiorias pacíficas foram subjugadas pelos guerreiros, que acabaram impondo suas normas. Assim surgiram primeiro o machismo, pois o macho era mais forte que a fêmea, e o patriarcado, pois os velhos eram mais respeitados que os jovens. Eles impuseram em seu entorno a obediência e a repressão sexual.

Consequências imediatas dessa cultura sadomasoquista foram o militarismo, o racismo, a superstição e outras formas de barbárie, cuja legitimação pelos teólogos as tornou quase invencíveis durante séculos. Apenas no século XX esse predomínio do místico, irracional, autoritário e sacralizado começou a enfraquecer, graças à conjunção de diversos fatores sociais, emocionais e cognitivos.

Em todas as épocas houve rebeliões contra os privilégios e as fábulas do militarismo, que tiveram seu apogeu na rebelião dos gladiadores romanos e chegaram até os recrutas dissidentes da Guerra do Vietnã, que não estavam dispostos a morrer pela loucura de seus oficiais. Mas só nos últimos tempos apareceram minorias expressivas que ensinaram às massas a possibilidade e o dever de esvaziar o poder dos repressores, perseguidores e belicistas. Esse progresso é lentíssimo, mas real.

O caso de Battisti tem a ver com todos esses fenômenos. Por um lado, a *vingança*, na forma extrema em que foi difundida pela Itália, é um exemplo nítido de *peste emocional*. Por outro lado, a perseguição de mais de trinta anos, procurando realizar essa vingança, é uma forma de *alienação* animada pelo belicismo que impera nesse país há mais de um século.

Este caso adquiriu dimensões singulares e espantosas que surpreenderam os mais reflexivos e informados. Pergunta-ram-se: "Por que Battisti?". O próprio alvo também se perguntou: "Por que eu?". A pergunta faz pleno sentido.

A resposta é: *por acaso*. Um grande projeto de linchamento precisava de um alvo adequado, e os fascistas, os mafiosos, os stalinistas e os carolas encontraram um. É verdade que todos os fatores que se aglutinaram para realizar a *vendetta* têm uma baixa probabilidade de se combinar num mesmo local, num mesmo momento, numa mesma pessoa. Mas não era impossível de acontecer, e aconteceu com ele, com *esse* Cesare Battisti, como poderia ter acontecido com outro.

Entretanto, houve um aditivo ao *acaso*. Foi a imaginação e a dignidade do perseguido, que nunca se submeteu a seus linchadores e escreveu dezenas de livros retratando a repressão real na forma de ficção. Esses livros chegaram aos cidadãos comuns.

Para compreender a relação entre o calvário de Battisti e o projeto de vingança, era necessária uma clara análise da fraude cometida pela magistratura italiana para culpar o escritor, e de sua repetição pela maioria do Supremo Tribunal Federal (STF) brasileiro.

A metodologia deste livro está baseada no modelo típico de relação entre ciência e ensino. Se você pedir a uma pessoa que *descubra* quais são as leis de movimento dos planetas, não terá sucesso, salvo se encontrar um talento impossível, que some o brilho de Galileu, Newton, Laplace e Einstein numa única mente.

Mas, se você ler as obras desses autores e escrever um manual didático, fornecerá esse conhecimento a qualquer aluno do colegial, como acontece nos países onde a escola é boa. Algo análogo ocorre com o caso Battisti: os autos dos processos italiano e brasileiro são confusos (especialmente estes últimos), mas, quando você os analisa linha por linha, a fraude logo fica em evidência.

Falando em justiça e vingança, reparemos que as crenças irracionais e supersticiosas transformam processos concretos em grandes fábulas. Estas são tratadas por líderes, profetas e embusteiros como se fossem entidades humanas. Militares falam que seu país é nobre, generoso e valente, ao passo que os inimigos são covardes, traiçoeiros e nocivos. Nossa raça é forte e pura e as outras são viciosas e fracas. Nossa fé é a verdadeira, e as outras são fálsas crendices. Símbolos da morte, como fuzis e espadas, são sagrados. Imagens ou estátuas de cadafalsos são objeto de adoração. Entretanto, ferramentas para aumentar nosso conhecimento, como livros e instrumentos de ensino, são alimento das fogueiras.

O processo de extradição (mesmo quando não se apoia na fraude) baseia-se nesse fetichismo. A nação é considerada um ente mágico, acima de governos e organizações sociais, e o perseguido pela nação é tratado como *propriedade* dessa *pátria*, que pretende reavê-lo como se fosse um navio ou uma mercadoria. É interessante perceber isso: alguns magistrados brasileiros usam em seus escritos a expressão medieval "súbdito italiano", em vez de dizer, como faz todo o mundo desde o século XVIII, "*cidadão* italiano".

Desde o começo da humanidade houve inumeráveis fraudes e abusos judiciais, mas apenas alguns viraram célebres. São os que ocorreram nos tempos modernos, quando havia meios de comunicação e *opinião pública*. Dessas fraudes, várias se tornaram paradigmas de intolerância, crueldade e insanidade social.

INTRODUÇÃO

Veja, nestes exemplos, como, dentre as perseguições desumanas que ficaram célebres, a de Cesare Battisti foi a que atingiu a maior loucura de fanatismo e agressividade:

O judeu **Alfred Dreyfus** (1859-1935) foi o único de sua rica família que optou pela vida militar na França, movido por fantasias da pré-adolescência. De fato, aos onze anos assistiu ao desfile triunfal das tropas prussianas em sua cidade e ficou emocionado com o ritmo da marcha e as cores brilhantes dos uniformes.

Em 1894, sendo capitão, o exército o acusou de ter passado informação militar aos alemães. Foi submetido a um julgamento fraudado e condenado à prisão perpétua numa ilha-prisão, mas as tramoias daquele processo foram muito menores que as do caso Battisti. A defesa do capitão uniu muitos intelectuais, entre eles os famosos Émile Zola e Anatole France.

O ativista sueco **Joe Hill**[1], cujo nome original era Joel Emmanuel Hägglund (1879-1915), nasceu na Suécia, mas emigrou para os Estados Unidos em 1902, onde se tornou operário, e percorreu o país trabalhando em diferentes empregos e educando seus companheiros nos princípios do anarquismo e da solidariedade. Em 1910, filiou-se à última grande organização operária radical dos EUA, a Industrial Workers of the World (IWW), adotando o apelido "Joe Hill", e um ano depois virou um grande intelectual do proletariado, que compunha canções e escrevia poesias.

Fugindo do desemprego e da repressão, chegou à cidade de Salt Lake (Utah) em 1914, onde, nesses dias, o açougueiro John Morrison, policial aposentado e paramilitar, havia sido morto por dois mascarados. O *establishment* da cidade não duvidou: Joe, estrangeiro, ateu, pobre e anarquista seria o culpado.

Os magistrados escolheram doze cidadãos para integrar um júri, e em poucas horas os "convenceram" a condenar

Joe. Este se declarou inocente até o último momento; suas acusações não tinham provas e não houve testemunhas. Foi fuzilado em 1915. Com grande coragem, enfrentou o pelotão de matadores e tentou evitar que vendassem seus olhos.

O caso dos dois anarquistas italianos, **Nicola Sacco** (nascido em 1891), artesão sapateiro, e **Bartolomeu Vanzetti** (nascido em 1888),[2] vendedor ambulante de peixe, foi um circo romano para aterrorizar a esquerda da época. Em abril de 1920, dois pagadores de uma fábrica foram assassinados por desconhecidos em Massachusetts. A polícia sabia que Sacco e Vanzetti eram ativos anarquistas, porém não violentos. Todavia, apesar de ter fortes álibis, foram detidos e acusados, sem provas nem testemunhas.

Houve uma diferença com Battisti na Itália: eles tiveram direito de defesa com o famoso jurista de esquerda Fred H. Moore. Outra diferença é que, enquanto Battisti foi acusado de ser o dono das armas dos crimes, Sacco e Vanzetti tiveram direito a um teste balístico; embora, finalmente, o promotor Frederick Katzmann, com a ajuda do corrupto juiz Webster Thyler, falsificasse as perícias.

Eles tiveram três testemunhas de defesa (Kurlansky, Burns e Guidobone), enquanto Battisti não teve nenhuma. Aliás, Battisti nem teve advogados reais, muito menos testemunhas.

As testemunhas de acusação de Sacco e Vanzetti não eram fantasmas como as de Battisti, pois tiveram divulgados seu nome, profissão e outros dados: a bibliotecária Mary E. Splaine, a enfermeira Lola Andrews, o capitão de polícia William Proctor e o sapateiro Lewis Pelser. Tempo depois, os quatro denunciaram que suas declarações haviam sido obtidas por ameaças dos magistrados; mas o juiz não deixou que registrassem sua retratação.

Em 1925, Sacco conheceu na prisão o imigrante português Celestino Madeiros, que confessou ser o responsável pela morte dos pagadores; mencionou seus cúmplices e jurou que não conhecia nem Sacco nem Vanzetti, mas o juiz se recusou a reabrir o caso e a registrar sua confissão. Ambos foram executados em 1927, após sete anos de angustiosa espera no corredor da morte, durante os quais receberam milhares de manifestações de solidariedade. Entre elas estão as dos mais famosos intelectuais da época: John dos Passos, Alice Hamilton, Paul Kellog, Jane Addams, Heywood Broun, William Patterson, Upton Sinclair, Dorothy Parker, Ben Shahn, Edna St. Vincent Millay, Felix Frankfurter, John Howard Lawson, Freda Kirchway, Floyd Dell, Bertrand Russell, George Bernard Shaw e H. G. Wells.

Um célebre crime judicial aconteceu também no Brasil. A vítima foi uma mulher, a ativista **Olga Benário Prestes** (1908-1942), companheira do líder comunista Luís Carlos Prestes, enviada pelo ditador Getúlio Vargas, junto com sua amiga Machla Berger, à Alemanha nazista, onde ambas foram assassinadas. Para sacrificar Olga Benário não foi necessário inventar crimes ou falsas culpas, porque o governo de Vargas e o tribunal que a ele se curvava operavam com total arbítrio.

O caso de Olga foi mais comovente que outros porque ela estava grávida, e sua extradição implicaria colocar uma criança sob o poder nazista. A filha de Olga, Anita Leocádia Prestes, nasceu na Alemanha, mas foi devolvida ao Brasil, onde está até hoje trabalhando como cientista e professora. Olga esteve prisioneira durante seis anos e foi executada no campo de Bernburg. Tanto na Alemanha Oriental quanto na União Soviética sua memória foi muito homenageada e seu nome foi dado a locais públicos. No Brasil, sua figura foi resgatada no livro do escritor brasileiro Fernando Morais,[3] mas, antes dele, não existia literatura sobre o caso.

A primeira grande execução do pós-guerra, antecedida por um julgamento espetacular, aconteceu em 19 de julho de

1953, quando o casal de intelectuais judeus comunistas **Julius** (nascido em 1918) e **Ethel Rosenberg**[4] (nascida em 1915) foi eletrocutado na prisão de Sing-Sing, em Nova Iorque. Eles não morreram com a primeira descarga. Ethel faleceu só depois de receber cinco choques nas têmporas, onde os eletrodos estavam mal grudados e produziram um fogo que consumiu seu crânio quando ainda estava viva. O FBI havia recomendado potencial baixo e eletrodos frouxos sem líquido condutor, para que as vítimas fossem cozinhadas vivas.

Dos casos de linchamento jurídico aleivoso que ganharam ampla notoriedade, só dois se referem aos crimes ditos "comuns". Um deles é o de um operário negro de cinquenta e três ou cinquenta e quatro anos, **Jimmy Wilson**, que foi condenado à morte em 1958 por uma corte de brancos do estado do Alabama.[5] Seu crime foi furtar 1,95 dólar de uma mulher branca!

Em centenas de cidades da Europa, da África e das Américas formaram-se comitês em favor da vítima, e as autoridades estaduais e federais americanas receberam por dia *milhares* de cartas de repúdio. Cinicamente, para se furtar de intervir, o governo de Eisenhower usou os pretextos da autonomia estadual e da separação de poderes, mas a enorme pressão o obrigou a recuar.

O governador do Alabama, James Elisha Folsom, um fazendeiro evangélico e populista, decidiu "perdoar" Jimmy e dar-lhe uma caridosa punição de apenas prisão perpétua. Finalmente, ele saiu em liberdade condicional em 1973.

O outro caso é o de **Caryl Whittier Chessman** (1921-1960), jovem americano acusado pela polícia da Califórnia de furtos e sequestros. Neste caso, como no de Jimmy Wilson, os linchadores não tentaram fraudar o processo. Preferiram se gabar de que mesmo um pequeno infrator merecia a pena de morte, que lhe foi aplicada na prisão de San Quentin.

Isso horrorizou a opinião pública civilizada. Alguns de seus apoiadores foram a esposa do ex-presidente Roosevelt e os escritores Ray Bradbury e Robert Frost. Seu caso abriu uma ampla discussão mundial sobre a pena de morte, que teve influência em sua abolição em vários países.

Nos muitos anos de prisão, Caryl se destacou por sua força de vontade e sua excepcional inteligência. Foi seu próprio advogado, estudando direito penal na cadeia, e conseguiu adiar sua execução durante anos. Nesse período, publicou quatro livros sobre a pena de morte e a hipocrisia judicial, que atingiram enorme repercussão.[6]

O caso Battisti tem muito em comum com todos esses, mas, apesar de seu final diferente, ultrapassa vários deles em tortuosidade e fraude. Embora similar à perseguição que sofreu **Lev Trotsky**, esta não foi decidida por tribunais.

Talvez a história do escritor italiano seja mais parecida à do escritor indiano **Salman Rushdie**, condenado à morte em agosto de 1989 pela teocracia iraniana. Rushdie nunca foi pego, e o esforço para fazer cumprir sua condenação (inclusive um atentado falido num hotel de Londres, executado pelo Hizbollah) acabou se esvaziando. Passaram-se vinte e três anos e já faz tempo que Rushdie não é concretamente perseguido.

Já **Troy Anthony Davis**, executado na Geórgia (sul dos EUA) em 2011, foi o mais famoso caso de linchamento judicial por racismo, mas, mesmo assim, a arbitrariedade de sua condenação é menos sinuosa que a de Cesare Battisti. Observando de fora, não parece ter sido uma gigantesca vingança, mas apenas o desinteresse que o sistema judicial americano tem pela vida dos pobres e afrodescendentes.

O caso do ciberativista australiano **Julian Paul Assange** pode virar um novo exemplo de perseguição longa e patológica, como o de Battisti, mas, por enquanto, não se pode saber quanto tempo durará. Entretanto, pensando a situação do ponto de vista dos protagonistas, e não do cenário geral, Assange é quem mais se parece com Battisti. Ambos são símbolos de luta pela verdade e pela emancipação, e ambos usam as ideias como antídoto contra a força bruta. A maior popularidade de Assange e o tamanho do grupo de apoio tornam-no mais perigoso para a tranquilidade de tiranos, exploradores e beligerantes.

Cesare foi acossado por trinta e dois anos, e, ainda em 2011, seus algozes pensavam estender a perseguição aos tribunais internacionais. Ele é o mais extenso e fanático caso de perseguição que registra a história, e parece muito difícil explicar por quê.

Este livro não trata apenas da perseguição de Battisti: é uma descrição sintética dos personagens que assumiram essa perseguição, e os tenebrosos cenários em que atuaram.

A seguir, apresento um quadro comparativo entre esses processos de linchamento famosos:

| CASO | Duração da pretensão linchadora (realizada ou não) | Tipos de fraudes e fatos irregulares | Países envolvidos | Posição da mídia convencional |
|---|---|---|---|---|
| Dreyfus | | 2 | 1 | Dividida |
| Joe Hill | 1914-15 | 3 | 1 | ? |
| Sacco e Vanzetti | 1920-27 | 3 | 1 | Mais de metade favorável |
| Olga Benário | | 4 | 2 (Brasil e Alemanha) | ? |
| Rosenberg | | 3 | 1 | Dividida |
| Trotsky | | Não houve julgamento | 2 (URSS e México) | ? |
| Rushdie | | | 2 (Irã e Reino Unido) | Favorável |
| Davis | 1991-2011 | 4 | 1 | Favorável |
| BATTISTI | 1979-2011 e continua | 6 | 3 | Itália e Brasil: grande parte contra. França favorável |

As *fraudes* e *os fatos irregulares* são as violações às regras de um processo normal, sem ter em conta a crueldade da pena, a iniquidade das leis, nem outros fatores sociais ou morais. No caso Battisti foram: (1) falta de testemunhas; (2) falta de provas; (3) falta de advogados reais; (4) falta da presença do réu; (5) falsificação das procurações; (6) conflito de interesses (delatores, informantes subornados etc.)

# PRIMEIRA PARTE | O TERRORISMO OFICIAL

# CAPÍTULO 1
## A ITÁLIA DO PÓS-GUERRA

"Eu sou de um país onde a palavra dada é sempre negociável em função das ofertas do mercado [...] Entre nós, a palavra dada serve para elevar o preço da traição. Somos um país mercador que faz comércio com tudo, desde o patrimônio artístico até os presos políticos."

ERRI DE LUCA (escritor italiano): *La parole donnée est-elle négociable?*
*in* Vargas, F.: *La vérité sur Cesare Battisti* (V. Hamy, 2004)

Terminada a 2ª Guerra Mundial (1945), o planeta ficou dividido em dois blocos, o capitalista e o chamado "socialista". Os EUA, que lideravam o bloco capitalista, organizaram-se com recursos militares e de propaganda para combater a esquerda em todas as suas formas, no mundo todo. Na Europa, por causa de sua tradição cultural e sua maior consciência social, a tarefa foi mais complexa, e os americanos procuraram comprometer os países da região com pactos militares. O estado mais estratégico foi sempre a Itália, onde os EUA concentraram suas forças na busca de aliança com os antigos fascistas. Mas, para isso, tentaram neutralizar os comunistas, e, depois, quaisquer outros movimentos de esquerda que aparecessem.

Em 1945 acabou a 2ª Guerra Mundial, na qual a Alemanha nazista e a Itália fascista foram derrotadas. Desde 1948, a Itália foi o estado mais importante para a Organização do Tratado do Atlântico Norte (OTAN) e a principal base militar dos Estados Unidos contra o marxismo e a União Soviética. Como o nazismo havia invadido outros países europeus e assassinado milhões de civis, a opinião pública internacional fez pressão para que a Alemanha fosse dividida e desarmada.

Mas o fascismo italiano teve um destino diferente. O ditador Benito Mussolini não havia conseguido o domínio total sobre a sociedade, e os crimes cometidos pela Itália durante a guerra produziram uma indignação menor. Os aliados ocidentais (especialmente os EUA e a Grã-Bretanha) entenderam que a Itália deveria ser aproveitada, porque o fascismo podia ser um aliado muito útil contra o comunismo e qualquer outra forma de esquerda.

## Ressaca do pesadelo

A doutrina do fascismo italiano era semelhante à teoria nazista, mas ambos os sistemas diferiam nos resultados práticos. Os exércitos italianos só atacaram povos indefesos, como albaneses e africanos, cujos civis desarmados foram alvo preferencial dos invasores. Quase todas as ações fascistas contra outros exércitos fracassaram e os italianos foram quase sempre auxiliados pelos alemães.

Tendo em conta a fraqueza italiana, britânicos, americanos e canadenses planejaram, em 1942, o primeiro passo do ataque aos governos nazifascistas, com uma ação que seria dirigida, primeiro, contra a Itália. Essa era a tática inicial para capturar a península e avançar pela Europa até criar um *front* contra a Alemanha.

A invasão dos aliados à Sicília contava com o apoio da máfia, que guardava profundo rancor contra o ditador Mussolini, que havia encarcerado seus principais chefes. O governo americano conseguiu o apoio dos grandes *padrinhos* do crime por meio das famílias, que mandaram que seus parentes na Itália ajudassem os aliados em troca da futura liberdade e da reintegração da propriedade mafiosa.

Essa sociedade dos americanos com a máfia se *tornaria* estável e, uma década depois, permitiria aos EUA contar com o apoio do mundo do crime e da Igreja para sua campanha contra a esquerda na Itália. Os aliados também reconciliaram os fascistas com os mafiosos, porque, afinal, as diferenças entre eles não eram tão vitais.

Os aliados invadiram a Sicília em julho de 1943 e a tomaram em agosto. Depois, atravessaram o estreito de Messina, que a separava do continente, e estacionaram na cidade de Salerno, na região da Campania, origem da ofensiva geral em direção ao norte.

As forças de Mussolini confrontaram um enorme movimento armado de resistência popular. A esquerda contra-atacou intensamente, ajudada por grupos de centro e até da direita moderada. As tropas oficiais da Itália não conseguiam repelir os guerrilheiros (*partigiani*), que recebiam apoio da população.[7]

Diferentemente do que acontecia com Hitler, que só sofreu rebeliões isoladas, Mussolini estava numa situação frágil e o Conselho Fascista preferiu "vender" seu líder: prenderam-no e substituíram-no por Pietro Badoglio (1871-1958). Este era um militar veterano e muito influente, que se converteu ao fascismo quando já tinha grande fama como comandante sanguinário e genocida.

O novo governo propôs um acordo de paz com os aliados, em setembro de 1943, conhecido como *L'Armistizio*[8] (O Armistício), mas sua realização foi impedida por Hitler, que, mais uma vez, ajudou seu amigo. Tropas alemãs resgataramno e o instalaram no norte da Itália, onde criaram um estado fascista para que ele pudesse se sentir um grande ditador. Esse estado foi a República Social Italiana (RSI), chamada também de República de *Salò*.

O armistício estimulou a resistência popular, que devia se manter forte para compensar o reforço que os alemães deram aos fascistas. Os guerrilheiros se utilizaram de ações armadas, greves, boicotes, sabotagens e propaganda. Houve cerca de 300 mil guerrilheiros armados, dos quais cerca de 40 mil eram mulheres. As forças progressistas, apesar de suas diferenças internas, uniram-se taticamente aos aliados para derrotar seu governo.

Na Resistência, os grupos mais importantes foram o Partido Comunista Italiano (PCI) e o Partido Socialista Italiano (PSI), seguidos pelos liberais de centro-esquerda (como o Partito d'Azione), pela Democracia Cristã (DC) e por pequenas minorias monarquistas e católicas, dissidentes da Igreja. Os aliados só conseguiram capturar Roma em junho de 1944, e controlar o país em abril de 1945.[9]

Acabada a liberação oficial da Itália do governo fascista, ficaram muitos pequenos e médios ex-funcionários fiéis ao antigo sistema, cuja remoção não interessou aos aliados. Outros permaneceram sem função, porém, perto dos centros de poder, conectados com as lideranças das forças vitoriosas.

Logo depois da libertação de Roma, tomou posse o novo primeiro-ministro, Ivanoe Bonomi (1873-1951), que exigiu a passagem do controle do estado, que estava ainda nas mãos dos aliados, aos movimentos italianos. Bonomi era formado em ciências naturais e em direito, e foi um antigo membro do socialismo, mas abandonou o partido por suas posições ambíguas sobre a monarquia e o imperialismo italiano na

Líbia. Fundou, então, o Partido Reformista, equivalente às corruptas social-democracias da Europa Central.

Como ministro nos anos 1920, foi acusado de fraqueza para com os paramilitares fascistas, mas, quando a ditadura de Mussolini se tornou robusta, em 1925, preferiu se retirar para vida privada até 1942. Sua exigência de "soberania italiana" em 1945 foi vista por alguns como desconfiança para com os aliados e simpatia pelos fascistas vencidos.[10]

## A divisão do mundo

A 2ª Guerra Mundial (1939-1945) teve um impacto como nunca teve outro conflito. Na 1ª Guerra (1914-1918), a vida do cidadão comum foi pouco alterada longe das zonas de combate, pois os países não comprometidos com a guerra tinham escassa informação do que acontecia nos *fronts*.

Já em 1945, a humanidade estava muito mais em comunicação. Havia rádio, cinema sonoro, telefonia mais estável e viagens aéreas mais frequentes. As notícias eram logo conhecidas, informando dos fatos da nova guerra até nos locais mais remotos. Além disso, a quantidade de feridos e a perda de vidas humanas durante a 2ª Guerra viraram um grande pesadelo. Com efeito, a quantidade total de mortos, que havia sido 1,75% da população mundial na 1ª Guerra, aumentou para cerca de 4% na 2ª.

Métodos e planos de extermínio atingiram maior visibilidade. Os crimes contra a humanidade, que antes se cometiam na Ásia, na África e na América Latina, agora se perpetravam também na Europa. Os brancos e cristãos já não se sentiam seguros, porque outros, os *fascistas*, tão brancos e cristãos como eles, atacavam seus países. E esses ataques não respeitavam as normas tradicionais das guerras entre potências. A filosofia era a mesma das guerras coloniais, em que o povo submetido era escravizado, torturado e aniquilado.

Mas também outras causas tornaram a 2ª Guerra tão especial. Pela primeira vez, aconteceu um conflito internacional entre *ideologias*. É verdade que governos e elites sempre desejaram riqueza e poder, mas, na 1ª Guerra, isso estava disfarçado. Durante os preparativos para a 2ª, os objetivos dos fascistas foram proclamados com brutal franqueza. A Itália fascista e a Alemanha nazista provocavam o terror da humanidade com discursos de crueldade jamais ouvida, transmitidos pelo rádio aos locais mais distantes.

A mensagem nazifascista era direta, violenta, sem disfarces, um verdadeiro desafio. Eles repudiavam a democracia, o socialismo e a igualdade, propunham um sistema imperial sanguinário, proclamavam sua decisão de destruir outras etnias, nacionalidades e ideologias e manter oprimidas as mulheres. Orgulhavam-se de seus planos de ataque, invasão e escravização do mundo. Os governos compreenderam que essa era uma barbárie inédita e consideraram a 2ª Guerra como uma luta do "bem" contra o "mal". Essa interpretação dissipou o pacifismo e promoveu a aliança da direita liberal com os comunistas e socialistas.

Os interesses dos aliados ocidentais tampouco eram a democracia nem a liberdade. De fato, apostavam na destruição entre nazifascismo e comunismo num confronto bilateral. Apesar disso, quase todos os setores progressistas colaboraram com os aliados, pois não era possível derrotar o chamado Eixo de países fascistas sem a ajuda dos imperialistas.

Mas a guerra não aconteceu como os aliados esperavam. O nazismo alemão foi eliminado como poder militar e político, e o fascismo italiano foi enfraquecido, mas os governos comunistas ficaram mais fortes. Por isso, os aliados decidiram usar a Alemanha e a Itália como importantes auxiliares dos EUA contra a União Soviética.

Depois da ocupação militar da Alemanha e da Itália, os *slogans* humanistas dos aliados foram esquecidos. O Reino Unido e os EUA não estavam interessados em direitos humanos e as elites francesas estavam divididas. Mas o processo penal contra os militares vencidos era algo novo e, embora fossem poucos, era a primeira vez que os autores das atrocidades para com os povos tinham punição universal.

Apesar da baixa proporção de criminosos nazistas julgados pelos aliados, muitos dos que ficaram clandestinos sentiram-se inseguros. Ajudados maciçamente pela Igreja Católica, fugiram para a América do Sul, especialmente para a Argentina.[11] Dos ex-criminosos de guerra que ficaram na Europa, alguns foram recrutados pela CIA e pelo serviço de inteligência britânico, que os usaram contra a esquerda e lhes providenciaram nova vida e identidade. Finalmente, outros ficaram discretamente na Alemanha Ocidental e "ressuscitaram" para aparelhar a Democracia Cristã e os grupos neonazistas.

## O fantasma soviético

Os ocidentais e os soviéticos dividiram a Europa em dois blocos, que foram atores da Guerra Fria (1946-1990), gerando tensão quase bélica entre capitalistas e "comunistas". Os EUA promoveram conflitos e guerras "quentes" para abortar processos revolucionários na África, na Ásia e na América Latina. O confronto foi diferente das guerras de outras épocas. As antigas brigas entre nações eram geradas pelo controle dos mercados e pela hegemonia militar, veiculados por ódios raciais e religiosos. Mas, agora, havia algo mais: os adversários se consideravam inimigos ideológicos.

Alguns conservadores lúcidos, como Charles De Gaulle, entenderam que os soviéticos queriam apenas consolidar sua zona de influência, e podiam ser tratados com tolerância. Mas os EUA e seus principais aliados prestaram pouca atenção à *coexistência pacífica* proposta pela URSS. Seguiam fiéis às suas políticas de "terra queimada" e pretendiam a aniquilação de qualquer forma de esquerda, dentro ou fora da Rússia.

Entender essa "aniquilação do inimigo" é imprescindível para compreender o terror que os EUA semearam na Europa do pós-guerra e a *forma violenta que adquiriu na Itália*. Também isso explica a virada para a direita do Partido Comunista Italiano e o surgimento de uma esquerda independente, que ocupou o vácuo deixado por este.

Façamos um breve *flashback*.

A história do terrorismo capitalista havia começado já durante a guerra. Em 1940, assessores de Winston S. Churchill (primeiro-ministro britânico) traçaram um plano para atacar os nazistas infiltrando nas regiões por eles ocupadas comandos de sabotagem e guerrilhas. Nesse ano, o Reino Unido criou o Special Operations Executive (SOE), um serviço para coordenar essas ações clandestinas contra os nazistas. Todavia, o retrocesso dos alemães veio logo, e as zonas ocupadas pelos invasores foram gradativamente liberadas.

O SOE não teria mais seu papel inicial, mas seria dedicado ao terrorismo anticomunista.[12]

Em 1944, na Grécia, agentes de SOE mataram vinte e cinco manifestantes comunistas durante uma passeata pacífica.[13] Em 1945, membros de SOE, coordenados pelos britânicos e os EUA, foram detectados em vários lugares da Europa, e a ministra comunista da Finlândia, Herrta Kussinen-Leino

(1904-1974), anunciou o fechamento de uma sociedade terrorista de Helsinki ligada a esse serviço.

Mas, ainda em 1945, a situação mudou com o novo primeiro-ministro britânico, o trabalhista Clement Attlee (1883-1967), simpatizante do socialismo. Ele fechou o SOE, mas os militares treinados (cerca de 13 mil), os contatos feitos e o dinheiro ficaram em poder dos fundadores. Extinto nesse país, o SOE se dividiu em vários grupos terroristas europeus, fora do controle britânico.

Em 1947, o ministro francês Depreux informou sobre a existência do *Plan Bleu*,[14] projetado por um grupo terrorista clandestino, e, no mesmo ano, membros da esquerda austríaca denunciaram duas cabeças de um organismo terrorista sigiloso, que o presidente Körner indultou. Enquanto isso, os EUA reforçavam suas estratégias nos países mais submissos a seu poder.

A Agência Central de Inteligência (CIA) norte-americana foi lançada em 1947 com a obrigação de cingir-se a funções informativas e de espionagem, abstendo-se de atos de violência; no entanto, apenas um ano depois adquiria seu perfil atual. Em 1948, foi incumbida de ações paramilitares, sabotagem, insurgência, rebeliões, assassinatos, sequestros e tudo o que pudesse prejudicar grupos de esquerda, ativos ou não.

Chefes de inteligência dos aliados, dentre os quais estavam também os franceses, criaram em Paris, em 1948, o Comitê Clandestino da União Ocidental (Clandestine Committee for Western Europe, CCWC), que propunha defender os países da Europa e da América do "perigo comunista". Para tanto, usaram os restos do SOE e o apoio de alguns governos e organizações militares do Ocidente.[15]

Esse comitê se espalhou pela Europa formando uma rede terrorista com nós em quase todos os estados. Em cada país, a subrede nacional era administrada pelos militares, a polícia e a inteligência locais, formando uma parceria em que os EUA forneciam dinheiro e consultorias e davam ordens sobre os rumos futuros. O comitê empregava muitos mercenários, terroristas e assassinos profissionais, eficientes e bem treinados, e aceitava fascistas e nazistas desconhecidos.

Em 1949, depois da criação da OTAN, o comitê se integrou a essa nova organização. Daí em diante, os exércitos clandestinos (*stay-behind armies*) apareceram em todos os países da Europa, incluindo os neutros como a Suécia e a Suíça, e até em alguns africanos. Esses exércitos criaram um sistema de "proteção" que permitia absolver ou propiciar a fuga imediata de quaisquer agentes descobertos. As subredes nacionais dessa rede tinham nomes específicos, mas, em alguns casos, as atividades foram tão sigilosas que ainda hoje se desconhecem seus "apelidos".

Mas o nome mais célebre foi o da rede italiana Gladio (em português antigo, *gládio*, espada), a mais rica, organizada e letal.[16]

## Pactos militares

Na Europa, que fora o berço do humanismo e da esquerda, o socialismo revigorou-se após a 2ª Guerra por causa da luta antifascista, e seu eleitorado atingiu, em alguns países, quase 40%. Então, impor governos de direita pela força oferecia aos EUA grandes riscos, e não era um ato que ficaria impune como na América Latina. Com efeito, a esquerda de vários países europeus ainda estava armada.

A Casa Branca decidiu cooperar com a direita europeia e com a pseudoesquerda como forma cautelosa de obter consenso sobre o uso da violência. Elas ajudariam a combater o marxismo, especialmente na França, na Itália e na Alemanha, usando a OTAN como principal instrumento.

O estatuto da OTAN (em inglês, NATO), que incluiria os Estados Unidos, Canadá e todos os países não neutros da Europa Ocidental, foi assinado em abril de 1949. O Pacto previa a assistência recíproca em caso de guerra e a "colaboração estratégica" em tempos de paz.

Seis anos depois, em maio de 1955, por causa dos conflitos que a OTAN criava com os governos da Europa Oriental, os soviéticos e seus aliados instituíram o Pacto de Varsóvia (PV). O PV agiu dentro dos países-membros para evitar as revoltas contra os soviéticos, mas também para neutralizar as ações da OTAN e da CIA.

A OTAN foi fundamental na criação do terrorismo de Estado na Europa Ocidental e especialmente na Itália, onde seu poder se adicionou ao aparato parapolicial e paramilitar do neofascismo e das sociedades secretas. A resposta a esse terrorismo foi uma resistência institucional do Partido Comunista cada vez mais fraca.

Logo depois da Guerra, a CIA, a OTAN e a direita italiana começaram um processo de colaboração para implantar a Operação Gladio,[17] cujo projeto era gerar pânico por meio de atentados e homicídios. Essas ações podem ser divididas em dois tipos:

(1) Os *estragos* (*stragi*) eram grandes explosões contra multidões em espaços públicos (praças, avenidas, estações) para que, ao se sentir presas do pânico, culpassem as forças de esquerda. Os planejadores pensavam que a sociedade preferiria mais segurança com menos liberdade, e as pessoas pediriam governos violentos e repressivos. Após essa reação, a Gladio faria propaganda das ditaduras existentes em outros países, explicaria a necessidade de "tutelar" a democracia e, finalmente, lançaria um golpe. A Espanha, a Argentina e o Brasil estavam entre os modelos a ser imitados.

(2) Os ataques menores eram assassinatos de militantes de esquerda, ativistas comunitários e simpatizantes. Estes eram executados com armas de impacto médio, atingindo clubes, sedes de partidos, sindicatos, escolas etc. Nesse caso, a meta era apavorar os esquerdistas e dizimar os movimentos sociais, mantendo o terror enquanto os preparativos para o golpe amadureciam.

## O fascismo italiano

*Voltemos levemente no tempo.* Em julho de 1944, o novo governo italiano publicou o Decreto Legislativo 159 de Sanções contra o Fascismo, mas sua implementação foi demorada, pois o governo tinha como prioridade remediar as catástrofes do pós-guerra (miséria, caos, doenças etc.). A tarefa de punir os fascistas seria complicada, o que obrigou a considerá-la menos urgente. Conservadores, monarquistas, católicos e outros direitistas, cujo antifascismo foi acidental, opuseram-se ao decreto, e até a esquerda menos avançada temia a reação dos fascistas caso fossem julgados.

No entanto, o primeiro-ministro seguinte, Ferruccio Parri (1890-1981), membro da Resistência e do Partito d'Azione, apoiado por todas as forças progressistas, organizou uma purga com base no decreto 159 em junho de 1945. Parri foi um professor de literatura que ganhou três medalhas de prata por honra militar quando era ainda adolescente. Mas, ao chegar o fascismo ao poder, foi perseguido por sua oposição à ditadura e sua negativa de aceitar qualquer regulamento mussolinista.

Ao ser capturado e julgado como opositor, teve a coragem de fazer uma autocrítica por ter defendido a Itália na 1ª Guerra. Disse: "Hoje, eu me envergonho dessas medalhas". Tendo sofrido perseguição e prisões por seu importante papel na Resistência, Ferri foi considerado um moderado, equidistante entre a esquerda e a democracia liberal.[18]

Em 1945, seu governo demitiu a maioria dos funcionários fascistas e colocou na prisão os suspeitos de crimes de guerra. Essas medidas exacerbaram a esquerda, que empreendeu uma campanha de condenações à morte. Essa truculência colocou à beira da execução vários milhares de pessoas e provocou angústia entre os militantes que não admitiam usar os métodos fascistas, porque, como diziam: "Nós não devemos ser como eles".

Um ano depois, o líder comunista Palmiro Togliatti (1893-1964) foi nomeado ministro da Justiça e transformou em prisão as condenações à morte. O governo, porém, não fez cumprir as sentenças de reclusão, que logo foram anuladas pelos políticos, militares e magistrados simpatizantes dos fascistas. Do risco de morte, os grandes fascistas passaram à reintegração completa, aparelhando novamente o estado. A restauração favoreceu até fundadores do Partido Nacional-Fascista, como Edoardo Alfieri (1886-1966) e Giusseppe Bottai (1895-1959).[19]

Só depois se soube que a "piedade" de Togliatti havia sido ditada por Moscou. Com efeito, ele era o comunista estrangeiro mais respeitado por Stalin. Discretamente, planejava vinganças contra inimigos do ditador, mesmo em outros países. Na Espanha, por meio do Partido Comunista, perseguiu anarquistas e trotskistas. Atribui-se a ele o assassinato do dirigente Andrés Nin, prestigioso líder do Partido de Unificação Marxista (POUM).

Documentos soviéticos pós-URSS, compilados por Ronald Radosh, Mary R. Habeck e Grigory Sevostianov, com o nome de *Espanha Traída* e publicados pela Yale University Press em 2001, parecem deixar poucas dúvidas.

Os líderes comunistas Vittorio Codovilla, da Argentina, Ernö Gerö, da Hungria, e Togliatti seriam os mentores dos massacres dos trotskistas, que, apesar de seu empenho corajoso e transparente na luta contra os nacionalistas pró-nazistas, foram acusados de fascismo, como era hábito dos PCs. Ainda mais: supõe-se, com certo fundamento, que Togliatti teria planejado uma chacina análoga contra anarquistas e até contra os liberais de esquerda que apoiavam o presidente socialista da Espanha, Largo Caballero.[20]

Esse comentário é importante porque mostra o forte espírito repressivo do stalinismo e explica o empenho dos stalinistas na repressão, tortura e assassinato de esquerdistas italianos.

Togliatti anistiou os fascistas italianos porque isso fazia parte da política soviética de coexistência pacífica com o bloco imperialista. Se partidos comunistas decididos ganhassem poder em países ocidentais tentariam construir um verdadeiro socialismo, o que contrariava os planos de Stalin. Ele precisava que esses partidos fossem apenas grupos de pressão nas negociações de Moscou com o Ocidente, pois o surgimento de novos polos socialistas tiraria poder da URSS. Além disso, Stalin temia irritar os aliados, que exigiam o respeito pelas zonas de influência.[21] (Inversamente, os EUA não cumpriram o compromisso de respeito às áreas de influência, pois tentaram sabotar o setor soviético, apoiando rebeliões na Alemanha Oriental, Polônia e Hungria.)

Aliás, o ânimo de submissão do ditador foi mais longe: exigiu dos partidos comunistas da Europa mostrar humildade e, se fossem vitoriosos, evitar assumir o poder para não irritar os americanos, que poderiam reagir obstruindo a expansão soviética na Ásia e no Oriente Médio. Vários partidos comunistas, incluindo o francês, rejeitaram essa proposta com indignação, mas os italianos a aceitaram.

O único PC ocidental com possibilidades de vencer em eleições era o italiano. Mas Togliatti foi preparando um entendimento com a direita porque, se o PCI ganhasse as eleições, a esquerda exigiria participação no poder e o socialismo poderia se tornar real.[22]

Em março de 1944, quando o governo da Itália estava ainda nas mãos de Pietro Badoglio (1871-1958), Togliatti voltou de Moscou com uma proposta oposta à posição tradicional do PCI. Exigiu a cooperação com Badoglio para conseguir um governo de "unidade popular".

Durante a perseguição contra Cesare Battisti no Brasil (2007-2011), muitas pessoas consideraram estranho que o chamado Partito Democratico da Itália (um herdeiro da direita stalinista) pudesse nutrir contra o escritor italiano um ódio tão grande como o dos fascistas. O parágrafo acima, em que se menciona a virada de casaca de Togliatti, pode iluminar este fato. Já em 1944, o chefe do Partido Comunista Italiano renunciava aos princípios básicos do marxismo, como a luta contra o fascismo. Preferia aliar-se aos fascistas para combater os alemães, colocando a luta nacionalista acima da batalha ideológica. Essa deturpação não atingiu o partido todo, e demorou quase trinta anos até passar a toda a comunidade do PC, obrigando a verdadeira esquerda a sair dele.

Os PCs utilizaram essa técnica de "conciliação" no pós-guerra e seus resultados foram visíveis em *alguns* países da América Latina. Quando existia a possibilidade de um partido de esquerda tomar o poder, o stalinismo forçava uma aliança com parte da direita, para evitar o robustecimento dessa esquerda. Entretanto, é justo reconhecer que o PCI não foi, nos anos seguintes, um aliado real do fascismo, mas foi conivente com a direita democrática, na medida necessária para o extermínio da esquerda.

A "faxina" antifascista italiana foi diferente da antinazista. Os fascistas cometeram menos crimes, e a maior parte de sua violência foi dirigida contra povos não europeus. Além disso, foram fiéis aliados dos católicos, tendo recebido fundamental ajuda do papa Pio XI para o assalto a Roma em outubro de 1922. Enquanto os nazistas, sendo fervorosos católicos em sua maioria, ousaram se opor à Igreja em alguns países (uma oposição transitória que o Vaticano perdoou em seguida), os fascistas italianos e o papado formaram praticamente um corpo único.

Portanto, os EUA se sentiram confortáveis para estimular um fascismo "discreto", aliado íntimo do Vaticano, conseguindo que os italianos que não eram de esquerda começassem a esquecer os crimes de Mussolini e aceitassem os novos disfarces da direita como algo natural e saudável, oposto a ideologias "estrangeiras" como o marxismo.

Na década de 1960, as forças armadas e a polícia já tinham uma proporção expressiva de membros com passado fascista e presente neofascista. A nova infiltração fascista no aparato do Estado foi aumentada pela ação repressiva e censora do ministro do Interior, Mario Scelba (1901-1991), um dos fundadores do Partito Popolare (PP), que exerceu o mandato entre 1947 e 1953. Ele era discípulo do sacerdote dom Sturzo, cuja doutrina ajudou a fundar a Democracia Cristã (DC) em 1943.

Quando se anunciaram as eleições de abril de 1948,[23] possibilitadas pela nova constituição liberal, Scelba cogitou deflagrar uma guerra civil contra os comunistas caso estes obtivessem a maioria e começou a equipar a polícia. A direita, mais sensata, porém, achava um grave erro provocar o Partido Comunista Italiano (PCI), que conservava parte do arsenal usado durante a Resistência e mantinha milhares de militantes armados. Embora o PCI navegasse para a direita, não se deixaria destruir como entidade política.

Por isso, o projeto de extermínio de comunistas foi abandonado, mas Scelba continuou sua campanha em favor do fascismo: eliminou da polícia os antifascistas e os substituiu, primeiro, por funcionários profissionais, e, logo, por ex-fascistas. Anos depois, em 20 de junho de 1952, decidiu tornar-se mais aceitável para a nova democracia e propôs a Lei Scelba (Lei 645), sobre a apologia ao fascismo, uma decisão que foi obtida por pressão dos setores mais progressistas.

Apesar da faxina na polícia, nos lugares mais avançados politicamente, como Milão, subsistiram alguns policiais democráticos. Entre eles podem estar, imaginamos, os que em 1977 e 1981 fizeram denúncias à Anistia Internacional, confirmando as queixas dos prisioneiros torturados.

As organizações criminosas (Cosa Nostra, Camorra, 'Ndrangheta etc.) cresceram historicamente pelo apetite de poder, dinheiro e vingança, e foram favorecidas pelas formas mais corruptas da direita. Então, apesar de ser criminosos frios sem nenhuma escala de valores sociais, odiavam todos os estilos de esquerda real porque prejudicavam seus negócios. Todas elas, especialmente a máfia siciliana, se envolveram também em crimes políticos.

Algumas sociedades secretas eram um misto político-criminoso. A mais importante foi a Propaganda Due (P2), dirigida pelo magnata Licio Gelli, que estava envolvida com os interesses do Vaticano e foi fundamental para a Operação Gladio. O poder da Igreja permanecia intacto, pois todos os seus privilégios de "religião oficial" foram incorporados à Constituição de 1947.

No começo da República, a liberdade de opinião, mesmo restrita, fez crescer liberais, críticos sociais, livres-pensadores, cientistas e outros "hereges". Ainda, a democracia obrigava a tolerar a esquerda, formada por socialistas e comunistas. A Igreja desconfiava de todas as correntes geradas pela Revolução Francesa e outros movimentos liberais, e não gostava dos EUA, mas o Vaticano aceitou o domínio dos americanos, porque só eles tinham força para derrotar marxistas nacionais ou estrangeiros.

Nas eleições de 1948, os católicos tiveram um papel fundamental no triunfo da DC. Junto com a embaixada americana, distribuíram 10 milhões de cartas aos eleitores, nas quais ameaçavam com excomunhão os que votassem pela aliança socialista-comunista, e contavam horrores da vida na União Soviética.

Como na Itália não houve uma apuração rigorosa dos crimes do fascismo local, poucos criminosos de estado foram obrigados a fugir. Vittorio Mussolini, filho do líder, célebre por seu temperamento sanguinário, exilou-se na Argentina apenas por prazer, mas ninguém interferiu em suas pretensões de cinegrafista. O Vaticano precisou somente "recolocar" alguns antigos fascistas e incorporar os novos a seus negócios. Por volta de 1950, as antigas rixas dos fascistas com a Igreja e a máfia haviam desaparecido. Agora, estavam unidos pelo empenho na destruição da esquerda.

## A esquerda oficial

No fim do século XIX, a ideia de auxílio mútuo e solidariedade era muito forte entre os trabalhadores do norte da Itália, que fundaram em Milão o Partito Operaio Italiano (POI) em 1882. O POI, junto com ligas e movimentos menores de ideologia marxista, criou, em 1892, em Gênova, o Partido dos Trabalhadores Italianos, o primeiro nome com que se conheceu o que depois seria o Partido Socialista. Após suportar grande repressão, o partido mudou de nome, e, finalmente, redefiniu-se em 1895 como Partito Socialista Italiano.

Como os comunistas, os socialistas foram clandestinos durante o fascismo, até que em 1947 retomaram sua denominação atual, Partito Socialista Italiano. A aliança com os comunistas criou um conflito entre as lideranças do PSI e a direita do partido, que se separou em 1949 para se unificar com os social-democratas. O PSI permaneceu na oposição, aliado ao PCI, até 1956. Nessa data, porém, os soviéticos invadiram a Hungria, com o aplauso de alguns partidos comunistas do mundo, e, em particular, de uma parte expressiva do italiano. Isso irritou os socialistas, que se afastaram do PCI e se aproximaram da DC.

Em 1963, a DC não conseguia modernizar o país e tinha medo do comunismo (visto ainda pela direita como revolucionário), e os socialistas foram convidados a integrar o governo do primeiro-ministro Aldo Moro. Poucos anos depois, os socialistas estariam totalmente na direita e gozariam da ampla aceitação dos americanos.

Nas eleições de 1976, quando a Democracia Cristã e o Partido Comunista obtiveram 39% e 34% dos votos, respectivamente, o PSI alcançou apenas 9,7% dos votos. Essa derrota serviu de sugestão para que seu líder, Bettino Craxi, procurasse uma imagem mais vendível, o que fez renunciando oficialmente ao marxismo. Seu *mea culpa* saiu no jornal *L'Expresso*, num artigo falacioso e demagógico chamado *Il Vangelo Socialista* (27 de outubro de 1978).

Os comunistas tiveram uma sorte diferente da dos socialistas. O PCI ficou fora de todos os governos, por oposição da OTAN, da Igreja, do fascismo e da máfia, mas se manteve até o fim dos anos 1970 como a segunda força eleitoral, depois da DC.

Seus inimigos não o puderam afastar totalmente do Congresso, pois grande parte de seus eleitores era de pessoas não ideologizadas que apenas viam o partido como algo diferente da politicagem oficial. Muito influiu em seu sucesso a generosidade soviética, sobre a qual existe documentação.

Um sintoma desse patrocínio de Moscou foi o fato de que, em 1956, quando os soviéticos invadiram a Hungria, Giorgio Napolitano (que era um jovem e ativo dirigente) não hesitou em dar rápido apoio moral à invasão. Todavia, aquela violenta repressão criou dificuldades à parte progressista que ficava dentro do partido, e limpou o caminho para a silenciosa e eficiente carreira de Napolitano.

Tanto os liberais de esquerda quanto o PSI repudiaram a intromissão soviética na Hungria, mas parte do próprio PCI ficou balançada pela truculência desse ato. Figuras importantes e marxistas conscientes abandonaram o partido para se proclamar esquerdistas independentes ou lutar pela criação de novos movimentos, como aconteceria na década seguinte.

O conflito marcou um afastamento entre os socialistas e a parte stalinista do PCI, que era maioria, mas também houve uma cisão do PCI; a parte mais honesta procurou outros rumos.

Foi nessa época que Togliatti sugeriu a necessidade de uma *via italiana* ao socialismo, para evitar que o partido fosse visto como um agente soviético, embora as relações reais com Moscou não tenham sido afetadas. Napolitano se tornou líder dessa via, que o consagrou como o grande líder da direita dentro do partido.

Oficialmente, o PCI, mesmo liderado por Togliatti, manteve sua oposição ao governo, ainda que, no começo de 1960, a tendência centro-direitista da aliança governante DC-PSI virasse um pouco à esquerda. A morte de Togliatti, em 1964, quebrou a unidade, e as duas frações do partido, a de direita (liderada por Napolitano) e a de esquerda, só conseguiram coexistir depois da eleição de um novo secretário-geral.

## CAPÍTULO 2
## O TERRORISMO DE ESTADO

"Não posso esconder minha amargura vendo reaparecer certas acusações contra a magistratura italiana que [...] tanto contribuiu a deter o terrorismo *respeitando a constituição e as regras jurídicas.*" [Grifo meu.]

ARMANDO SPATARO, famoso magistrado italiano, *La Repubblica*, 8 de março de 2004

Ao enfrentar uma situação de emergência [...] o Parlamento e o Governo têm não apenas o direito e o poder, mas também o rigoroso e indeclinável dever de tomar providências, adotando uma apropriada *legislação de emergência.* [Grifo meu.]

SENTENZA 15/1982 da Corte Constitucional Italiana

*Você deve atacar civis, gente comum, mulheres, crianças, gente inocente, pessoas desconhecidas totalmente alheias a qualquer atividade política. A razão é simples: dessa maneira, você força os cidadãos a exigir do estado mais segurança.*

Vincenzo Vinciguerra, militante fascista especialista em terrorismo, explicando o que significa "estratégia da tensão" num depoimento de março de 2001, no qual denuncia a cumplicidade entre as autoridades e a justiça.

Logo após sua criação, a CIA e a OTAN colocaram em ação o terrorismo de estado, representado na Itália pela Operação Gladio. Os EUA sabiam que os fascistas seriam os melhores aliados contra a esquerda, que nos anos 1950 ainda era representada pelo PCI. Tendo isso em conta, a CIA idealizou a estratégia da tensão, um plano para criar situações de terror que deveriam culminar num golpe de estado. O cerne dessa estratégia foi o terrorismo de alto impacto, com centenas de vítimas, e o terror indireto, gerado por homicídios individuais, pressão econômica e manipulação psicológica da mídia. A polícia, a justiça, os políticos e os militares quase sempre "perdoaram" seus autores.

## A continuidade do fascismo

Acabada a guerra, fascistas velhos e novos se uniram para reviver seus antigos movimentos (denominados agora *neofascistas*), mas com algumas restrições. A disposição transitória XII da Constituição de 1947 proibia reconstruir o Partido Nacional Fascista, mesmo sob outros nomes. Mas os aliados vencedores e os governos italianos fizeram cumprir essa limitação com "tolerância", permitindo a criação de partidos realmente fascistas com denominações diferentes, desde que não proclamassem oficialmente sua adesão ao antigo fascismo.

(Embora o fascismo tenha deixado feridas abertas até hoje, as elites italianas sempre o consideraram um sistema patriótico e útil para seus fins. Recentemente, houve propostas para eliminar as proibições que ainda pesam sobre ele.[24])

Em 1946, amigos de Mussolini fundaram o Movimento Social Italiano (MSI), uma organização forte e numerosa, diferenciada do fascismo tradicional em sua forma mais discreta de combater seus desafetos.

Em 1960 foi criado um grupo muito violento, de dimensões médias, a Vanguarda Nacional (*Avanguardia Nazionale*, AN), dirigido pelo célebre Stefano Della Chiaie (nascido em 1936), consultor em técnicas de terrorismo de mais de dez ditaduras do Ocidente. Em 1969, surgiu um pequeno grupo, Luta do Povo, que misturava fascismo com o social-terrorismo supostamente "comunista" dos partidários do líder chinês Mao Tsé-tung.

Também em 1969, um fascista histórico, Pino Rauti (nascido em 1926), criou a Ordem Nova (*Ordine Nuovo*, ON), a comunidade neofascista mais importante dos anos 1970. Em 1977, Valerio Fioravanti fundou os Núcleos Armados Revolucionários (NAR), que em pouco tempo cometeram trinta e três assassinatos diretos e foram os prováveis responsáveis pela morte de oitenta e cinco pessoas num atentado em 1980, em Bolonha. Não obstante a certeza da autoria fascista, existe dúvida acerca de este último atentado ter sido realizado por aquele grupo ou se ele foi usado apenas como bode expiatório para cobrir fascistas graúdos aliados da magistratura tradicional.

Depois de 1990, foram criados treze movimentos neofascistas, alguns deles registrados como partidos parlamentares, muito poderosos nas legislaturas e governos do século XXI. Mas entre o começo do neofascismo e a formação de um "fascismo democrático" passaram-se várias décadas, conhecidas como "Anos de chumbo.[25]"

Num sentido geral, a expressão "Anos de chumbo" se refere aos anos de violência política na Europa e na América do Sul. Em alguns países, essa alcunha foi adotada pela esquerda para criticar a violência repressora (o *chumbo* das balas) da direita, e em outros foi usada pela direita para referir-se aos movimentos armados da esquerda. Na Itália, onde o codinome foi especialmente usado pela direita, esse processo começaria nos anos 1967-1969 e acabaria nos anos 1985-1990, pelo menos *teoricamente*.

O terror de estado italiano foi organizado pela CIA e pela OTAN, com o apoio esporádico do Serviço de Inteligência Britânico (MI6) e em parceria com neofascistas, sociedades secretas, militares e policiais, a Igreja e a direita política.

Como já dissemos, esse terrorismo tinha uma estratégia, conhecida como "estratégia da tensão" (*Strategia di Tensione*, ET),[26] que visava criar tensões sociais que deveriam culminar em golpe e ditadura. Na época, o sistema democrático dificultava que o estado protegesse abertamente o fascismo e, para acalmar os ânimos, prendeu e julgou alguns poucos terroristas de direita nos casos em que era impossível dissimular os crimes. Destes, só uma quantidade ínfima foi condenada e só um estava ainda preso em 2012.

A ET foi um eficiente método para criar tensão social em vários estágios:

(1) Realizavam-se atos terroristas de grande porte, nos quais as vítimas eram pessoas comuns, cuja morte seria vista como aleivosa e ultrajante.

(2) Cometido o atentado, os terroristas levantavam *falsas bandeiras* dos movimentos que queriam culpar: comunistas, anarquistas e outras esquerdas. Escreviam *slogans* de esquerda no local atacado, enviavam cartas e faziam telefonemas, fingindo-se marxistas ou anarquistas.

(3) A tensão culminava com a *difamação*. A polícia, os serviços secretos, os políticos, os magistrados e a mídia atribuíam os crimes à esquerda.

(4) A polícia detinha esquerdistas e os submetia a julgamentos que duravam anos.

O TERRORISMO OFICIAL

Essas ações estimulavam rotular a esquerda de "cruel" e "assassina", justificando a repressão contra ativistas, sindicatos, partidos e associações e preparando o povo para uma ditadura. A estratégia de tensão estendeu-se depois contra a esquerda alternativa (anarquistas, autonomistas, grupos armados), que assumiu a resistência quando o PCI renunciou ao confronto com a direita.

Na década de 1960, os setores populares haviam começado a se revoltar por causa do agravamento da crise: carência de moradias, migrações sul-norte, deficiências nos serviços sociais, escassez de alimentos e medicamentos, carestia e desemprego. A ET se propunha a orientar a indignação popular contra a esquerda, mas isso requeria grandes atos terroristas, que precisavam de estruturas policiais, militares e de comunicação. Os executores dos atentados deviam ser assassinos frios, eficientes e discretos, mas também eram necessários informantes, para saber onde, quando e como lançar um atentado.

A Itália teve dúzias de serviços secretos, dos quais dois são relevantes para nosso relato. O Serviço de Inteligência Militar, subordinado ao Ministério da Defesa, é o mais poderoso, e pode atuar dentro e fora do país. É mais conhecido por seu nome antigo, Servizio per le Informazioni e la Sicurezza Militare (SISMI), apesar de haver mudado sua denominação em 2007. O SISMI mantinha ótimas relações com mercenários, paramilitares e serviços estrangeiros, e organizou vários sequestros de exilados italianos.

Também relevante para nós é a Divisione Investigazioni Generali e Operazioni Speciali (DIGOS), dependência da polícia nacional, incumbida da repressão política. Havia muitos outros, que serviram de enlace entre os projetos terroristas e sua execução. O planejamento provinha de fontes diversas: a CIA, as forças armadas locais, membros do governo, parlamentares, policiais, sociedades secretas etc. Os serviços coletavam informação e traçavam um mapa de ataque. Finalmente, contratavam executores, muitos dos quais eram agentes desses serviços.

A ET precisava de uma estrutura física, que foi a Organizazzione Gladio, uma organização permanente, e não uma operação executada durante um tempo definido.[27] Contudo, o nome Operação Gladio se tornou comum em todos os países. Foi criada em várias etapas.

Após a derrota de Mussolini, os aliados instalaram no norte uma rede de espionagem cujo objetivo inicial era vigiar comunistas e fascistas. Tempos depois, os fascistas se tornaram eficientes aliados dos EUA contra a esquerda. Em 1949, incluiu-se no estatuto da OTAN um artigo sigiloso: *só seriam admitidos na organização os estados que já houvessem combatido o comunismo com tropas clandestinas.*[28] Em 1951, os EUA subordinaram a rede de espionagem do norte da Itália à comunidade de inteligência americana, e a entidade conjunta chamou-se Operação Demagnetize.* Supõe-se que em 1956 ou 1957 a Demagnetize tenha se tornado Gladio.[29]

Nos anos 1960, a Gladio foi dividida em células pelo escritório da CIA na Sardenha. Quarenta delas foram as mais relevantes. Dez dedicavam-se a sabotagem e doze a atividades guerrilheiras, com acesso a depósitos de explosivos, morteiros e armas automáticas. Em 1968, os EUA começaram o treinamento oficial de esquadrões de "gladiadores". Três anos depois, haviam conseguido empregar cerca de 4 mil "graduados". Foram instalados cento e trinta e nove depósitos de armas, alguns dentro dos quartéis da Polícia Militar (*carabinieri*).

---

* Alguns agentes americanos diziam que a Europa estava *magnetizada* pelo comunismo, e que era necessária uma operação de *desmagnetização*.

A estrutura da Gladio incluía planejadores de atos terroristas, informantes e executores. Os planejadores eram dignitários de estado, altos quadros da CIA, da OTAN, de embaixadas, das forças armadas locais. Os informantes estavam nos serviços secretos italianos e na inteligência dos EUA. Os executores colocavam bombas, metralhavam pessoas, realizavam sequestros, provocavam incêndios, mas também participavam do transporte e da ocultação das armas. Eram parapoliciais e paramilitares, neofascistas, mafiosos e mercenários estrangeiros.

A Gladio era dotada de rigorosa organização e "leis" explícitas sobre seus objetivos, treinamento e métodos. Uma de suas metas foi o constante assédio à esquerda. Recomendava-se o uso de força militar "apropriada" se os marxistas aumentassem sua influência. O treinamento consistia na preparação de terroristas e sabotadores, tanto individuais como em esquadrões, usando as instalações clandestinas da OTAN na Europa.

Os *métodos militares* eram ataques, homicídios e incêndios, torturas e sequestros, mas havia também *métodos políticos* (*lobby*, suborno, ameaças, armadilhas, chantagem), *psicológicos* (confusão, terror, punições religiosas como excomunhão) e *midiáticos* (propaganda, desinformação, sensacionalismo, calúnias). O sistema era financiado pelo governo, pelas agências americanas e italianas, empresas, partidos, fundações, máfias, bancos e, pela Igreja.


## Terrorismo pesado

O terrorismo "pesado" italiano tem uma data de inauguração bem determinada, entre os dias 3 e 5 de maio de 1965. Nessa época, realizou-se uma Convenção do Instituto di studi Militari Alberto Pollio, no suntuoso hotel Parco dei Principi, em Roma.[30] Nessa convenção, um grande número das mais altas figuras da ultradireita italiana de todas as profissões (empresários, militares, políticos, policiais, magistrados, membros da Igreja) planejou a *maior sequência de atos megaterroristas da história da Europa.*

Essa "festinha" foi o começo oficial da *Operazione Chaos*, a sucursal italiana da *Operation Chaos*,[31] que os EUA haviam lançado no mundo para lutar contra o comunismo e reprimir qualquer manifestação contrária à Guerra do Vietnã. Mas qual era o método dessa organização? O nome não deixa dúvida: *criar o caos.*

Essa reunião marcou o começo do *Stragismo*.[32]

A palavra *Stragismo* deriva de *strage*, que significa "estrago" e, especialmente, "chacina" e "massacre". Os *estragos* eram os catastróficos atentados que deixavam dúzias de mortos e centenas de feridos, e o *stragismo* era a técnica para produzi-los. Seu objetivo? Criar o pânico entre os civis com bombardeios, demolição e incêndios. A primeira grande aplicação do método foi a da Piazza Fontana, em Milão, em 1969, mas a sequência dos estragos continuou funcionando até pelo menos 1980. *O total de massacres médios ou grandes foi de 140, mas houve centenas de massacres menores. Os mais gigantescos foram onze.*

Como já foi dito, a Operação Gladio executava seus estragos arvorando *falsas bandeiras*[33] e atribuindo a culpa à esquerda. O país da Europa em que o estraguismo foi aplicado mais intensamente foi a Itália. Na Espanha e em Portugal, os estragos da direita no pós-guerra foram poucos, e em alguns outros países o sistema não conseguiu funcionar plenamente. Além da Itália, massacres que vitimaram civis totalmente inocentes e alheios à política se produziram nas regiões católicas da Bélgica e da Alemanha, mas com menor intensidade.

Entre 1982 e 1985, na província de Brabant, na Bélgica, membros da rede de terrorismo da OTAN mataram vinte e oito pessoas em mercados e restaurantes. Na Alemanha, Reinhard Gehlen (1902-1979), general alemão católico amigo íntimo de Hitler, foi contratado pelos EUA para fundar o serviço de inteligência alemão do pós-guerra. Em 1980, um ataque terrorista desse serviço e da OTAN matou vários civis durante a Festa de Outubro em Munique, o principal encrave católico da Alemanha.

Mas voltemos à Itália.

| Principais atentados maciços executados pela Gladio | | | | |
|---|---|---|---|---|
| DATA | EVENTO | Mortos | Mutilados | AUTORES |
| 08 a 12 1969 | BOMBAS-TESTES EM TRENS Bombas de baixo poder foram colocadas em trens como ensaio | 0 | ? | Os neofascistas da Ordine Nuovo, mas a esquerda foi sempre acusada |
| 12/12/1969 | Massacre de Piazza Fontana Megaexplosão na Banca Nazionale dell' Agricoltura, Piazza Fontana, Milão | 17 | 88 | Em 1999, o chefe de um serviço secreto Giandello Maletti confessou que foi feito pelos neofascistas, também para culpar a esquerda |
| 12/12/1969 | Bombardeios simultâneos Explosões simultâneas de várias bombas em locais públicos de Roma | 0 | 13 | A situação é similar à de Piazza Fontana |

| Principais atentados maciços executados pela Gladio | | | | |
|---|---|---|---|---|
| DATA | EVENTO | Mortos | Mutilados | AUTORES |
| 22/07/1970 | Bombardeio de trem Uma bomba explodiu no expresso Freccia del Sud, na Calábria | 6 | 136 | Grupo fascista, possivelmente o MSI, o maior da época |
| 1972 | Atentado contra três policiais Perto de Veneza, três *carabinieri* foram atingidos por explosivos | 3 | 4? | Culparam a esquerda. Um pouco depois, Vincenzo Vinciguerra, da Gladio, confessou sua autoria |
| 17/05/1973 | Ataque a quartéis da polícia em Milão | 4 | 45 | Gianfranco Bertolli, que se fez passar por anarquista, mas era da Gladio |
| 11/1973 | Explosão de aeronave Um avião usado pelo serviço secreto explodiu no ar | 4 | 0 | O general Geraldo Serraville (chefe da Gladio entre 1971 e 1974) acredita que foi a própria *Gladio* |
| 28/05/1974 | Massacre em Piazza della Loggia Uma bomba foi lançada em Piazza della Loggia (Brescia), durante uma manifestação sindical | 8 | 103 | Fascistas e policiais. Organizada pela cúpula da Gladio. Foi detido o neofascista Delfo Zorzi, mas ninguém foi punido. (Zorzi também foi coautor do massacre de Piazza Fontana) |

## O TERRORISMO OFICIAL

| Principais atentados maciços executados pela Gladio | | | | |
|---|---|---|---|---|
| DATA | EVENTO | Mortos | Mutilados | AUTORES |
| 08/1974 | Bomba no trem Italicus Uma bomba foi colocada no trem *Italicus*, entre Roma e Munique | 12 | 105? | Um grupo fascista pouco conhecido, Ordine Nero |
| 02/08/80 | Estação Central de Bolonha Um superbomba explodiu na Estação Central Ferroviária de Bolonha | 85 | + de 200 | Neofascistas dos NAR, mas a polícia acusa inicialmente a esquerda |
| 23/12/84 | Trem bombardeado Superbomba num trem que fazia o percurso entre Florença e Roma | 16 | + de 200 | Atribuído a fascistas e mafiosos |

Entre 1969 e 1984 aconteceram na Itália onze estragos de altíssimo impacto, que produziram cento e cinquenta e dois mortos e seiscentos e cinquenta e dois mutilados, além de mais de cento e quarenta atentados menores entre 1968 e 1974 e um número não calculado após 1975. Outros crimes cometidos por execução ou tortura não foram contabilizados com precisão. Para ilustração, vejamos apenas os três maiores estragos:

1) Em dezembro de 1969 foram explodidas bombas no Banco Nacional da Agricultura, localizado na Piazza Fontana, na cidade de Milão. Houve dezessete mortos e oitenta e oito feridos.[34]

2) Em agosto de 1974, o trem Italicus, que fazia o percurso Roma-Munique, sofreu também um ataque a bomba. Houve doze mortos e cento e cinco feridos.[35]

3) Em agosto de 1980 um poderoso explosivo foi detonado na Estação Ferroviária Central da cidade de Bolonha, produzindo oitenta e cinco mortos e aproximadamente duzentos feridos.[36]

Uma técnica da ET, mais modesta que os estragos, foi a dos assassinatos seletivos, menos demolidores, porém muito numerosos. Não existe uma lista completa de todos os crimes individuais perpetrados pela Gladio ou pelo estado. As principais vítimas foram testemunhas, jornalistas, funcionários públicos, políticos e ativistas de esquerda ou de centro, mas também alguns militares e membros da direita que não colaboravam com o entusiasmo exigido. Vejamos três casos:

1) Em 1973, o ministro democrata-cristão do interior Mariano Rumor rejeitou as pressões de políticos, militares e empresários para declarar o estado de sítio, porque isso poderia conduzir a uma guerra civil. No dia 17 de março, Gianfranco Bertoli (1933-2000) lançou contra ele uma bomba que não o atingiu, mas matou quatro pessoas e feriu quarenta e cinco. Bertoli se definiu como "anarquista", mas os anarquistas repudiaram o atentado e negaram sua vinculação com ele. Em 1990, soube-se que Bertoli era membro da Gladio. Após sua morte, o general Nicolò Pollari (ex-diretor do SISMI) revelou que o dito "anarquista" fora informante dos serviços de inteligência desde 1950, o que foi confirmado por fascistas como Vinciguerra.[37]

2) Em março de 1979, Mino Pecorelli, influente jornalista ligado aos serviços secretos, foi crivado de balas de uso militar do arsenal particular do ministro da Saúde. Mino havia publicado várias denúncias desde 1978 dizendo que

o sequestro do democrata-cristão Aldo Moro favorecera a Operação Gladio, pois o grupo de esquerda que o matara (Brigadas Vermelhas) teria sido provocado para cometer o homicídio. Com efeito, as Brigadas pediam a troca de Moro por um prisioneiro político. O primeiro-ministro Andreotti recusara-se a negociar com o intuito de irritar os captores e provocar a morte do prisioneiro.[38] Segundo Pecorelli, Moro queria a paz com os comunistas, enquanto a CIA e os militares agiam para provocar mais repressão. Essas afirmações coincidiam com as cartas que Moro enviara a sua família.

Não foi possível ocultar o mandante do assassinato de Pecorelli: nada menos que Giulio Andreotti (nascido em 1919), a principal figura da DC, um político de incalculável poder e influência. Ele foi primeiro-ministro *sete* vezes e ministro de diversas pastas (incluindo Defesa) dezoito vezes. Para esse crime, Andreotti se associara a "Tano" Badalamenti, um mafioso dito "rei da heroína", e ao jovem Massimo Carminati, cofundador dos núcleos fascistas NAR. Os fatos foram tão gritantes que a justiça de 2ª instância foi obrigada a condenar Andreotti a vinte e quatro anos de prisão, mas em 2003 ele foi absolvido por "falta de provas" pela Corte di Cassazione (Corte Suprema), que fechou o caso e tornou impossível qualquer novo julgamento.

3) O terceiro exemplo, em 1982, foi o do general Carlo Alberto Della Chiesa, assassinado por um mafioso no sul do país, onde estava consignado para "combater o crime organizado". O boletim oficial atribuiu o homicídio a chefões mafiosos e negou qualquer causa política. Ele fora um comandante da Operação Gladio e ganhara notoriedade pela captura dos chefes das Brigadas Vermelhas. Todavia, muitos pesquisadores afirmam que Della Chiesa sabia "demais" sobre a relação entre o sequestro de Moro, os planos da OTAN e a morte de Pecorelli, e teria sido também vítima de Andreotti.

## Empresários e golpistas

O terrorismo demolidor precisou de generosos financiadores. As empresas italianas tiveram um papel fundamental na Operação Gladio, pois, como nas ditaduras das Américas, patrocinavam operações de extermínio de sindicalistas e líderes de esquerda e financiavam armas e instrumentos de tortura. Na Itália, os empresários tiveram grande colaboração com o terror e perseguiram até setores inofensivos. Por exemplo, em 1977, industriais e banqueiros proibiram Aldo Moro de apoiar o Partido Socialista por causa de algumas tímidas simpatias com o movimento operário que o PSI ainda conservava.

Embora o patrocínio das ações maiores requeresse grandes magnatas, os empresários menores tiveram também seu papel na repressão de trabalhadores, desempregados, mendigos etc. Formavam esquadrões da morte "artesanais", com tarefas proporcionais a seu capital. Isso permite entender por que uma parte da esquerda atacou empresários miúdos mostrados pela mídia como pacíficos cidadãos.

A ET visava a desesperar a pessoa comum. Estragos demolidores e frequentes acarretavam a morte de cidadãos pacíficos e trabalhadores e de seus familiares, fazendo-os reféns do terror e da insegurança. A direita pensava que o povo exigiria maior repressão, e a mídia "mediria" o terror da sociedade estimando se estava pronta para aceitar um golpe.

No começo dos anos 1970, o PCI continuava numa posição de centro e transparecia que não se deixaria destruir sem luta, pois ainda tinha milhares de armas, que manteve até 1974 ou 1975. Então, se os americanos provocassem uma guerra civil, gerariam um pavoroso conflito armado no coração da Europa. Por tudo isso, os golpes exigiam cuidados, rapidez e sigilo. Mas todas essas condições não coincidiram, e os projetos golpistas fracassaram.[39]

Em 1964, o presidente Segni se articulou com um general para derrubar o primeiro-ministro Aldo Moro, que incluía em seu programa de governo benefícios trabalhistas e previdenciários. Quando percebeu a ameaça do golpe, Moro tirou esses itens de seu projeto e renunciou a suas promessas sociais. Os empresários o apoiaram e o golpe se frustrou.

Em 1970, Valerio Borghese, comandante fascista da 2ª Guerra, foi nomeado ministro do Interior e aliou-se com Stefano Delle Chiaie para derrubar o governo. Ele planejava instalar uma ditadura como a de Franco na Espanha e executar em poucos dias todos os esquerdistas e sindicalistas. O plano de Borghese foi apoiado pela direita, mas precisava dos americanos. Suas intenções, porém, assustaram o embaixador dos EUA, que deixou Borghese sozinho. Os conspiradores fugiram para a Espanha.

Em 1974 o diretor de um serviço secreto, Vito Miceli, que foi cúmplice de Borghese em 1970, decidiu realizar o golpe próprio, também apoiado pelo embaixador norte-americano Martin e pelo secretário de estado americano Henry Kissinger. Mas Miceli não foi rápido e acabou sendo descoberto por alguns setores democráticos do governo. A CIA ficou deprimida com tantos fracassos se recusou a apoiar a última tentativa de golpe, em 1976.

## Investigações e processos

O enorme impacto dos estragos impediu que os magistrados simulassem ingenuidade e os obrigou a realizar investigações, porém, com processos lentos, lacunares, confusos, que duravam décadas ou ficavam esquecidos. Inquéritos, provas, testemunhas e relatórios sobre réus da direita apresentavam tantos conflitos que acabavam sendo anulados.

Poucos fascistas foram realmente condenados, mas quase todos estavam em liberdade pouco depois. Outros, como os supostos autores do estrago de Bolonha, em 1980, foram condenados à prisão perpétua, mas sua pena foi sendo descontada em alta velocidade, transformando-se em 2008 em liberdade vigiada.

A extrema direita tradicional (fascistas, católicos, máfia etc.) não era suficiente para a repressão, pois a aproximação do PCI e da DC após 1976 gerou uma frente dita de "centro-esquerda", que deveria atacar a esquerda alternativa e prender alguns fascistas.

Após qualquer ato terrorista, a polícia e a maioria da magistratura culpavam autores de esquerda: no começo, foram anarquistas e comunistas; depois (entre 1971 e 1985), esquerdistas alternativos. No entanto, alguns neofascistas vaidosos acabavam delatando seus chefes e contando tudo o que sabiam. Então, fazia-se necessário algum truque, como absolvição por "falta de provas".

A mais escandalosa "fabricação de culpados" foi a do primeiro estrago, em Piazza Fontana em 1969. O principal bode expiatório foi o ferroviário anarquista Giuseppe Pinelli (1928-1969), detido no fim de 1969 sem flagrante nem ordem judicial. A polícia, comandada pelo delegado Luigi Calabresi, interrogou-o sem pausa nem advogados durante três dias e noites. No terceiro dia, Pinelli "saiu voando" pela janela do 4º andar da delegacia e morreu.

Abriu-se um simulacro de investigação sobre o delegado Calabresi e outros dois policiais, com o resultado imaginável: "acidente". A justiça endossou o "álibi" do delegado de que ele estava ausente, mas um preso numa cela vizinha disse aos jornalistas que Calabresi estivera o tempo todo liderando a tortura.

As estatísticas dos Anos de Chumbo são incompletas, pois sua principal fonte é a polícia; mas, pelo menos, temos

O TERRORISMO OFICIAL

certeza de que as vítimas produzidas pela direita nunca são menos que as declaradas. Vejamos alguns dados comumente aceitos:

Houve cerca de 13 mil atos violentos, gerando 2 mil feridos e quase quatrocentos mortos. Destes, cento e vinte e oito teriam sido executados pela esquerda, cem pela extrema direita e cento e quarenta e três pela direita oficial. Foram distribuídos em missões repressivas 60 mil policiais, que fizeram 15 mil prisioneiros, submetidos a centenas de processos, dos quais saíram 4.087 condenações de membros da esquerda. As condenações de fascistas foram poucas.[40]

Anna Cento Bull revela que as investigações judiciais motivaram a pesquisa sobre a estratégia da tensão, mostrando a culpa da direita. Mas os magistrados bem-intencionados não têm conseguido julgar os culpados por causa das obstruções do estado.[41]

# CAPÍTULO 3
## A SOCIEDADE SE DEFENDE

Entre 1960 e 1965, a Itália foi agitada por movimentos sociais que reclamavam contra a miséria geral, os problemas regionais e as sequelas da guerra. Nessa época, o PCI ainda tinha propostas populares, que se tornavam cada vez mais mornas, e tendiam a privilegiar o setor mais qualificado do operariado. Os desqualificados, os desempregados, os migrantes meridionais, os pobres em geral eram vítimas da voracidade empresarial e da tradicional corrupção. Nesse contexto, surgiram as esquerdas *alternativas*, baseadas na defesa popular e na difusão da cultura progressista, e *não* num projeto de substituição do poder por uma ditadura dita "de esquerda". Mas, para fazer frente à oposição, a direita implantou leis que impunham o terror pela via institucional.

### Comunismo e nova esquerda

Para entender o surgimento da nova esquerda na Itália é necessário apreciar a influência da França. Em 1947, o Partido Comunista Francês (PCF) liderou grande parte das lutas operárias no país e obteve o controle da Confederação Geral do Trabalho. Contra o aumento da repressão e da prisão de dirigentes sindicais, o partido lançou uma greve geral em desafio ao governo e aos EUA, que qualificou de *imperialistas*.

A greve atingiu 3 milhões de operários, derrubou o governo social-democrata e colocou os comunistas à beira do poder. Mas o PCF recuou ante à repressão oficial, começou a perder apoio operário e adotou uma posição reformista, sem romper totalmente com seu passado histórico.

Inversamente, o PC italiano abandonou sua posição marxista dos anos 1940 e acabou se fundindo com a direita nos anos 1970. Na Itália, a minoria marxista que ainda permanecia no PCI trocou seu partido pela nova esquerda alternativa, fosse armada, fosse pacífica, enquanto a maioria menos politizada permaneceu. O deslocamento à direita do PCI gerou, décadas depois, o Partito Democratico di Sinistra (Pd), hoje indiscernível da centro-direita, salvo por uma minoria de militantes de base. Nos anos 1970, as hierarquias do PCI se afastaram dos soviéticos, repudiaram o marxismo e exigiram da URSS o fim do apoio à esquerda.

Em 1972, Enrico Berlinguer (1922-1984) ganhou a secretaria-geral do PCI e se aproximou da direita com o conhecido pretexto de *evitar uma ditadura*. Em setembro de 1973, a via pacífica ao socialismo do Chile, conduzida pela Unidade Popular (UP), foi esmagada por um golpe militar financiado pela CIA. Isso serviu a vários PCs para afirmar que o socialismo era impossível e que se devia "dialogar" com a direita. Berlinguer propagandeou o entendimento com a DC para formar uma frente que, segundo ele e seus amigos, "impedisse um golpe".

Os fascistas do MSI ganharam 11,11% dos votos nas eleições para deputado de 1968. Todavia, em 1972, pularam para 17,6%, enquanto o PSI ficou com menos de 10% e o PCI se manteve em 27,15%. Mas o risco de que isso gerasse uma ditadura não era tão provável. A CIA parecia haver abandonado os planos de golpe e a maioria da Europa havia reduzido sua colaboração com a Gladio.

Berlinguer invocou o Compromisso Histórico, uma aliança para um governo de coalizão DC-PCI-PSI. Teoricamente, esse compromisso tornaria o governo mais forte, pois todos estariam unidos, tornando-se árbitros dos "extremismos" de esquerda e de direita.

Em 1976, o Compromisso pareceu interessante à DC, porque nas eleições para deputado desse ano ganhou do PCI só por 39% contra 34%. O caudal dos comunistas seria útil se a DC pensasse que uma aliança estável com comunistas era preferível ao neofascismo, como pensava Aldo Moro.

Enquanto a política lucrativa se entretinha nesses acordos, a esquerda alternativa, à qual pertenceria depois Cesare Battisti, começou a ganhar força nutrindo-se do exemplo francês de maio de 1968.

O Maio de Paris começou com um conflito dos estudantes contra as autoridades da Universidade de Paris em Nanterre, cuja sede foi fechada em 2 de maio de 1968. Em resposta, estudantes de todas as sedes, alunos do ensino médio e intelectuais de todos os níveis se uniram aos protestos, juntando nas ruas mais de 20 mil pessoas. As prisões maciças e a extensão da repressão geraram uma histórica unidade entre intelectuais e operários.

No dia 10 de maio, novos grupos se incorporaram à luta, incluindo grandes celebridades da cultura e da política. Mas, durante o Maio de Paris, o PCF já havia tomado uma atitude conciliadora e, aproveitando sua posição dominante na Central de Trabalhadores, tentou uma negociação com a direita, procurando diminuir o impacto do protesto.

Apesar disso, o movimento espontâneo atraiu milhões de pessoas, incluindo sindicatos, que dependiam da Central. Declararam a maior greve geral da história. Numa escalada crescente, ocuparam edifícios da indústria pesada, e, no dia 16 de maio, havia cinquenta fábricas ocupadas e 200 mil grevistas.

No dia 17, os grevistas eram 2 milhões, e no dia 24 quase 11 milhões, 60% da mão de obra industrial do país. Aquele movimento foi um dos mais revolucionários do século e criou a ilusão de que se estava perto do socialismo. O processo carecia de uma liderança consolidada, mas influiu na cultura europeia e na esquerda das Américas. O movimento não exigia apenas melhores condições materiais, mas também novas ideologias e novas sensibilidades, desafiando os tabus do nacionalismo, a superstição, as hierarquias, a dominação de classe e as restrições sexuais. O famoso lema Proibido Proibir, apesar de metafórico, era de uma beleza fascinante.

O movimento recolhia a parte mais prática e menos especulativa da Escola de Frankfurt, o melhor do anarquismo alemão e francês, a tradição pacifista e iluminista e os quadros mais conscientes da esquerda clássica. Esse feito, lembrado hoje como um dos maiores da história social, mostrou a necessidade de uma esquerda real e humana, o que foi aprendido pela Itália.

As esquerdas dos dois países tinham coincidências, mas as elites eram diferentes. A direita moderada francesa era negociadora, enquanto a direita da Itália queria a derrota incondicional de seus inimigos. Além disso, os jovens da direita italiana eram mais devastadores que os da direita francesa. Moços e moças de gangues fascistas ou sociedades católicas formaram tropas de choque que semeavam o terror na juventude progressista.

Na França, os comunistas se tornaram uma esquerda reformista e conciliadora, que conseguiu conviver sem conflitos fortes com a esquerda alternativa e adotou uma posição contrária à ultradireita. Diversamente, na Itália, o PCI se tornou cada vez mais cúmplice da repressão de direita e atacou a esquerda com violência equivalente, porém, com métodos mais "legais".

O TERRORISMO OFICIAL

Na década de 1980, o presidente da França, François Mitterrand, ofereceu aos italianos dissociados da violência um estilo informal de refúgio. O governo francês não exigia dos perseguidos nenhum ato de humilhação, mas condicionava a proteção a que nunca mais os acolhidos pegassem em armas. A proposta foi bem aceita pelos ativistas, mas repelida pelo estado italiano, que foi fiel a um famoso *slogan* de Mussolini: "Não vejo nenhum sentido na paz".

## Conflitos sociais e ideológicos

Vejamos uma retrospectiva sobre a repressão e a resistência italiana no pós-guerra, deixando por enquanto o histórico da nova esquerda.

A repressão na Itália democrática era antiga. Em 1947, o ministro Mario Scelba lançou uma intensa perseguição contra grevistas. Em 1960, Fernando Tambroni (1901-1963), antigo militante fascista "redimido" pela DC em 1944, atacou o movimento antifascista de Gênova, mas teve que recuar por causa da forte resistência. Em 30 de junho de 1960, as forças progressistas da cidade organizaram uma passeata contra a provocação dos neofascistas de realizar nela seu sexto congresso.[42]

Mas, entre 1967 e 1970, quando os problemas sociais atingiram seu máximo, houve milhares de confrontos entre populares e policiais, greves e ocupações, e também atentados neofascistas com centenas de vítimas. Os conflitos envolveram primeiro estudantes, professores e intelectuais, que se fundiram com operários e populares. Esse estado de agitação se acentuou cada vez com mais energia na década de 1960, mas, de fato, havia sido incubado no fim da Guerra.

Já nos anos 1940, os estudantes italianos repudiavam a estrutura universitária por causa do atraso pedagógico, do obscurantismo, da falta de pesquisa e da extrema repressão. Como a opressão na Itália era insuportável e existia muita agressão de jovens fascistas, os estudantes se lançaram à luta antes que em Paris.

Em maio de 1966, em Roma, o pacífico aluno de arquitetura Paolo Rossi foi morto por um bando fascista que o esmagou contra uma escadaria. Houve muitos atos de violência e de perseguição jurídica e, já em 1968, os estudantes e trabalhadores de Roma mantiveram choques frequentes com a polícia. Muitos deles foram espontâneos, mas outros foram liderados pela esquerda, incluindo o PCI, cujas bases mantiveram sua ligação com os movimentos sociais até 1972.

Os operários reivindicavam planos de saúde, moradia, auxílio família, transporte, aumento salarial e redução da jornada. Nas indústrias, os trabalhadores exigiam cestas básicas. As demandas se unificaram e se auto-organizaram. Os populares formavam comissões que ocupavam casas abandonadas e edifícios oficiais, reduziam o valor dos aluguéis e se recusavam a pagar pela energia elétrica.

Os grevistas começavam suas manifestações dentro das empresas e depois as expandiam pelas cidades, juntando-se aos estudantes e grupos populares até formar longas passeatas. A revolta inicial virou mobilização geral nas ruas e em todos os cenários. Os populares mais avançados exigiram também um poder proletário, gerando pânico em patrões, governo, Igreja e sindicatos pelegos.

Em 1967 houve agitação em várias universidades. Na Católica de Milão, os alunos ocuparam o *campus*, mas foram despejados com extrema brutalidade pela polícia; a universidade foi fechada, mas a rebelião se propagou pelo norte todo. Os estudantes de Turim também ocuparam as universidades protestando contra as condições sociais e a baixa qualidade da educação, mas foram repelidos, e quatrocentos e oitenta e sete ativistas sofreram lesões. Alunos de Trento e Pisa se instalaram nos *campi* em novembro de 1967 e ficaram dois meses.

O fim de 1967 esteve marcado por novas ocupações e confrontos, que se estenderam por todo o país, incluindo os *campi* de Padova, Gênova, Veneza, Roma, Nápoles e outros mais ao sul. Os reitores de Gênova e Roma chamaram a polícia e em Roma foram utilizados 1.500 oficiais para proteger os atacantes fascistas. Dados não oficiais indicaram várias centenas de feridos.

O ano letivo de 1968 começou com um fato histórico, a Batalha do Valle Giulia, no dia 1º de março. Nesse bairro de Roma, os estudantes foram repelidos pela polícia quando tentaram entrar na Faculdade de Arquitetura. Como os manifestantes não se intimidaram, os policiais os atacaram com armas de "efeito moral", que deixaram dúzias de "feridas materiais". Os únicos dados conhecidos são os da polícia, que relatou cento e quarenta e oito policiais e quatrocentos e setenta e oito estudantes feridos, e duzentos e trinta e dois detidos. É a partir dessa tragédia que muitos datam o começo dos Anos de Chumbo.

O impacto da batalha ainda hoje é lembrado como um evento fundamental. A direita foi acometida pela paranoia e, no mesmo dia, os jornais de Roma denunciavam a ameaça à sociedade cristã e exigiam a reação do "espírito" italiano. Os convites foram aceitos sem hesitação pelos fascistas: saíram pelas ruas da cidade invadindo e destruindo locais universitários e ameaçando e espancando estudantes, mas não produziram mortos.

No resto de 1968 a luta se estendeu dos populares livres até as prisões, onde os detentos se sublevaram contra a tradicional brutalidade carcerária. Entre agosto e outubro estouraram greves em todos os setores da indústria. Nos meses seguintes, o protesto cresceu com os estudantes de Bolonha, que sofreram repressão moderada; populares sem-teto se instalaram em residências vazias, sob uma repressão mais forte, mas ainda não extrema.

Em novembro, alunos do ensino médio entraram em greve na Sicília, mobilizando cerca de 10 mil estudantes. O movimento se espalhou a Bari, Palermo, Bolonha e cidades menores, mas não sofreu repressão. Novembro de 1968 foi o mês das grandes greves. Uma paralisação nacional com apoio dos estudantes foi acatada no dia 14 por 12 milhões. No dia 19, os funcionários públicos também pararam e receberam a adesão de 8 mil estudantes de Turim.

Os jovens estenderam sua militância a âmbito internacional, prestando solidariedade a outros povos vítimas do fascismo, como o grego. A estratégia repressiva havia amaciado e a polícia se limitou, por algum tempo, a bloquear as ruas e disparar gases, sem usar recursos letais.

Mas o clima continuava carregado de tensão. O ambiente explosivo só precisava de uma faísca, mas houve duas: uma na Sicília e outra em Gênova.

Ao reprimir, na Sicília, passeatas pacíficas de camponeses, a polícia assassinou dois deles, gerando indignação no país todo. A região completa se declarou em greve geral, e no resto do país estouraram paralisações solidárias espontâneas, com passeatas e ocupações conjuntas de operários e estudantes.

A outra faísca foi acessa em 10 de dezembro de 1968, quando a polícia encerrou sua trégua e reprimiu estudantes da escola de ensino médio de Gênova de maneira cruenta e inesperada. O número de feridos nunca foi informado, mas o país todo se surpreendeu com a truculência da operação.

O TERRORISMO OFICIAL

De abril de 1969 em diante, todas as forças populares se unificaram em movimentos contra a situação social e a brutalidade policial. As greves estouraram em Roma, Nápoles, Milão e Turim. Nesta cidade, a esquerda independente (um embrião de autonomia que germinaria depois) liderou várias semanas de protesto na fábrica de automóveis Fiat.

Ainda nesse ano aconteceu um fato que mudou totalmente a história do país. Em 12 de dezembro de 1969 foi testado o primeiro grande estrago da Gladio (que já descrevemos no Capítulo 2).

> A tomada de consciência, reforçada pela influência internacional, especialmente francesa, chegou aos movimentos pelos direitos humanos, gerando as correntes feministas e os grupos de cultura *gay*. Problemas de contracepção, aborto e divórcio, totalmente resolvidos em outros países da Europa (salvo na Espanha), ainda eram um tabu na Itália, e mobilizaram grande parte da opinião pública.

No fim dos anos 1960, os partidos comunistas de muitos países entraram em crises profundas, que em alguns casos levaram as massas ao ceticismo, mas em outros geraram esquerdas autênticas. Os ativistas desiludidos escolheram opções diversas, incluindo a bizarra "Revolução Cultural" chinesa. Os comprometidos com a chamada "cara humana do socialismo" desenvolveram uma esquerda autônoma, e os impressionados pela guerrilha latino-americana (mas não apenas eles) criaram organizações de luta urbana.

Diante do grande protesto social (1967-1970) e do ultraterrorismo da Gladio, o PCI não mostrava capacidade para se definir. Sua conexão com os movimentos sociais diminuía e sua "amizade" com o peleguismo aumentava. Os confrontos sociais eram espontâneos, ou então seguiam lideranças improvisadas durante a luta. Os participantes que eram membros do PCI atuavam por sua conta e às vezes acabavam abandonando o partido.

Apesar de entre 1970 e 1975 o PCI haver aumentado sua filiação em 14,84%, perdeu os melhores ativistas, que se somaram à esquerda. O crescimento do Partido Comunista se deveu ao recrutamento de simpatizantes não militantes, que o consideravam algo diferente da corrupção geral, mas *não* o promotor de uma nova sociedade. O aumento eleitoral não significou acréscimo da militância consciente, que, inversamente, parece haver migrado para a nova esquerda. A partir de 1977, o caudal de filiados do PCI diminuiu pela primeira vez.

As Brigadas Vermelhas (Brigate Rosse, BR) constituíram uma organização urbana de combate assimétrico, fundada em agosto de 1970 pelo estudante de sociologia Renato Curcio (nascido em 1941), junto com Mara Cagol (1945-1975) e Alberto Franceschini (nascido em 1947). Segundo o sociólogo Alessandro Silj, Curcio teria sido marcado emocionalmente por três sangrentos massacres policiais contra trabalhadores que havia visto em 1968.[43]

Embora não descartassem a criação de um estado socialista, a meta imediata das BR era a luta contra o fascismo, contra a repressão estatal, contra a escravização nas empresas e a favor do afastamento da Itália da OTAN. As Brigadas recrutaram grande proporção de membros da Federação Juvenil Comunista, aumentando o ressentimento do PCI, que virou perseguidor e delator.

A imagem violenta das Brigadas foi real, mas seu impacto foi exagerado pela mídia e a centro-direita. Historiadores confiáveis afirmam que nos dez anos de maior atividade as BR cometeram setenta e cinco execuções, quase todas politicamente motivadas, ou seja, dez vítimas menos que as de um único atentado da Gladio contra civis.

Na metade da década de 1970, o sistema lançou uma repressão maciça que prendeu militantes das BR e simpatizantes da esquerda, ligados ou não à luta armada, fazendo que os sobreviventes fugissem para outros países. Mas, entre 1975 e 1977, começou uma segunda época das Brigadas, cujo dirigente era agora Mario Moretti (nascido em 1946). Daí em diante, o grupo continuou realizando operações violentas, das quais duas foram famosas: (1) O sequestro e a morte de Aldo Moro em 1978; (2) o homicídio do comunista Guido Rossa.

Aldo Moro (1916-1978), presidente da DC, duas vezes primeiro-ministro, foi sequestrado pelas BR em março de 1978, em Roma.[44] Naquele momento, ele era o principal articulador do Compromisso Histórico entre a DC e o PCI. O novo primeiro-ministro, Giulio Andreotti, se recusou a negociar, apesar dos desesperados pedidos que o cativo enviou aos políticos, à sua família e ao papa.

O segundo célebre homicídio das Brigadas foi o do sindicalista do PCI Guido Rossa (1934-1979), membro da Confederação Geral Italiana do Trabalho (CGIL) e representante sindical da siderúrgica Italsider, de Cornigliano, em Gênova. Em outubro de 1978, no interior da empresa, Rossa descobriu Francesco Berardi, um operário de mínimo escalão, quando tentava distribuir panfletos. Tendo sido fortemente estigmatizado pelo PCI, Berardi não ficou muito conhecido. Sabe-se apenas que nasceu em 1929, em Terlizzi (Bari), numa família pobre, que chegou a Gênova nos anos 1950, e que *não era* militante das BR, mas apenas simpatizante e colaborador dentro da fábrica.

Quando Rossa percebeu Berardi distribuindo os panfletos, fez que o prendessem, e logo atuou como delator em todas as etapas de seu julgamento, conseguindo sua condenação a quatro anos e seis meses de prisão "especial" (com isolamento e tortura) por um delito que, na mesma época, algumas ditaduras latino-americanas puniam com dez horas na delegacia. Pouco depois, foi declarado "morto por suicídio", mas a magistratura nunca permitiu uma investigação independente.

Os brigadistas planejaram uma ação punitiva contra Rossa, e, segundo a praxe entre grupos militarizados, provocariam feridas em suas pernas como advertência. Apesar de a intenção não ter sido sua execução, um dos três atacantes perdeu o controle e disparou um tiro mortal, o único que foi encontrado pela perícia no coração. Os outros tiros estavam, como havia sido planejado, nas pernas.

## Poder operário e autonomia

Nos anos 1970 apareceu também uma esquerda alternativa, porém, diferente das Brigadas. Essa nova esquerda não focava especialmente a luta armada, mas os movimentos culturais, comunitários e de opinião para educar o povo. Muitos desses revolucionários saíram das filas comunistas, como reação à migração do PCI à direita.

O grupo Poder Operário (Potere Operaio, PO) foi criado após os eventos do Maio de 1968 na França e funcionou até 1973. O mais notório dos fundadores foi o filósofo Antonio Negri (nascido em 1933). O movimento se opunha à burocracia e ao militarismo dos grupos armados e se tornaria o mais abrangente grupo de esquerda da Europa, chamado Autonomismo e, às vezes, apenas "O Movimento". Dessa corrente genérica surgiram dúzias de grupos menores, entre eles, o dos Proletários Armados para o Comunismo, em que estava Battisti.

O PO atuou em grandes empresas industriais do norte e publicou revistas e jornais para orientar os trabalhadores. Em junho de 1973, no meio de uma polêmica entre seus dirigentes, o grupo se dissolveu, dando continuidade à publicação de um jornal durante os meses seguintes. Alguns membros de PO passaram ao militarismo das BR, mas outros se filiaram à nova tendência Autonomia Operária.

Em Turim, no fim dos anos 1960, a aliança estudantil-operária, que havia combatido a repressão na universidade e na Fiat, cindiu-se. A maior parte gerou o Luta Contínua (Lotta Continua, LC), que se organizou em 1972, com um estilo espontâneo e democrático. Na Convenção de abril de 1972, foi aprovado um programa de *confronto geral* contra a burguesia e os aparatos estatais.

O grupo se esvaziou sem perder sua identidade (que durou até 1982), mas, já em 1976, os dissidentes fundaram o movimento Primeira Linha (Prima Linea, PL). Este era voltado à luta armada, mas, ainda assim, diferente das Brigadas. O PL eliminava as hierarquias e as funções fixas, renunciava à clandestinidade e se propunha ações concretas e rápidas, sem um projeto ideológico geral. Era um grupo de ação armada, porém, não militarista.

O Autonomia Operária (Autonomia Operaia, AO) foi gerado pela confluência de vários movimentos não parlamentares e se consolidou em 1973, sem se assumir como partido político. Considerava-se um "espaço" de discussão e convergência para a esquerda revolucionária. Seu nome se refere a sua independência de qualquer poder e a sua organização ultrademocrática. Antonio Negri, que contribuiu para a fundação do PO, foi um de seus principais teóricos. O movimento se concentrou na difusão de notícias e programas culturais e na educação da população por meio do rádio e de jornais e revistas de circulação nacional. Seu crescimento ultrapassou a presença do PCI.

As ações do AO foram tão eficientes que o movimento foi reprimido duramente em 1977 pelas autoridades universitárias e policiais. Os abusos e as fraudes jurídicas contra seus membros foram conhecidos na França, onde os intelectuais progressistas publicaram o inflamado *Manifesto contra a repressão*, escrito por várias celebridades, entre elas, Jean-Paul Sartre, Michel Foucault, Gilles Deleuze, Roland Barthes e Felix Guattari. O *Manifesto* também *denunciava as autoridades comunistas* de Bolonha por estimular a repressão policial. Sartre manteve uma emocionante conversa com militantes do *Lotta Continua*, que foi publicada com o título *Libertà e potere non vanno in coppia*[45] (Liberdade e poder não andam juntos).

Mas, em fevereiro de 1977, o PCI havia concluído sua migração para a direita, marcada por críticas estereotipadas contra o Autonomia no melhor estilo do macartismo.

Os autonomistas cultivaram uma visão do mundo próxima do marxismo original e do anarquismo, centrada na *solidariedade* e na *igualdade*, e não no poder. Numa resenha do livro de Roberto Silvi feita por Sandro Padula para *Contraponto*, o autor faz este comentário:[46]

> Naquela época, se um militante de organizações como Lotta Continua [...] morresse, os outros buscariam aliviar a dor e o sofrimento de seus entes queridos, incluindo os cachorrinhos. Era uma ética muito difícil de explicar hoje em dia.

## O terrorismo legislativo

A direita italiana aprovou, a partir de 1974, um pacote de leis repressivas, que se endureceu continuamente até o fim da década. Esse terrorismo de estado não precisou de estado de sítio (*stato de assedio*) nem de tribunais especiais. A democracia circense permitia isolamento, tortura, indução ao suicídio, execução sumária, sem precisar mudar o estatuto jurídico da Itália.

De 1974 até cerca de 1982, as vítimas de tortura, prisão e terror de estado na Itália foram mais que as da ditadura brasileira no mesmo período, e os Atos Institucionais Brasileiros (como o AI5) são parentes próximos dos decretos do ministro Cossiga, na Itália. Ainda, mesmo com restrições, o Congresso brasileiro funcionava, o que o tornava mais parecido à Itália que às outras ditaduras latino-americanas.

As leis italianas contra a esquerda eram contrárias à própria constituição, e, em particular, ao Artigo 27-2, que afirma a presunção de inocência. O primeiro instrumento de terror legal foi o Decreto-Lei 99, publicado em 11 de abril de 1974, que aumentava a duração da prisão preventiva.[47]

Em 14 de outubro de 1974, foi aprovada a Lei 497, que reinstalava o interrogatório policial sem a presença de advogado ou juiz, que fora abolido em 1969. Contra o Artigo 13-2 da Constituição, o Artigo 8º da Lei 152 de 22 de maio de 1975 permitia a investigação de suspeitos, de seus domicílios e seus pertences em todos os níveis, sem autorização dos magistrados. Esse processo deu poder à polícia num estilo idêntico ao do fascismo.

Em 21 de maio de 1975, o Parlamento aprovou uma lei sobre a tutela da "ordem pública" redigida pelo ministro da Justiça, Oronzo Reale, conhecida como Legge Reale, que foi modificada em 1977 e reafirmada por plebiscito em 1978. Ela autoriza o uso arbitrário de armas pelos policiais, sem *nenhuma restrição*.

Um decreto de abril de 1977 estabeleceu presídios conhecidos como Novos Cárceres Especiais (NCE), cuja exagerada crueldade provocou a criação de movimentos dedicados a seu combate.

O chefe do presídio, sem consulta aos magistrados, podia transferir detentos de prisões normais a essas novas masmorras. Esse decreto já estava no estatuto prisional fascista de 1931, mas agora era *muito mais arbitrário*. Antes, os juízes deviam autorizar a transferência do detento para a prisão especial, ao passo que o decreto de 1977 *permitia que a decisão fosse tomada por policiais ou carcereiros*. Entre as características mais desumanas do NCE estão: grande distância entre a prisão e a residência dos familiares dos detentos; poder absoluto da direção para permitir ou negar visitas e conversas, e decidir sua duração e frequência; transferência imprevista para evitar a socialização; isolamento total em celas impenetráveis ao som, com um pequeno pátio para tomar sol, onde o detento ficava absolutamente separado dos outros.

O prisioneiro dispunha de apenas quatro minutos para tomar banho e estava submetido à vigilância contínua, sendo revistado todos os dias. O objetivo principal, além da humilhação e do tormento psicológico, era a privação de todo contato humano, inclusive o visual ou auditivo. A automatização das portas evitava que o prisioneiro fizesse movimentos simples, como girar uma maçaneta, o que contribuía para a atrofia cinética e sensorial.

O sistema NEC podia ser aplicado também para prisão preventiva. A Anistia Internacional encontrou, numa visita feita nessa época, vários casos de tentativas de suicídio e doenças psíquicas e físicas. A truculência e o sadismo das prisões italianas atingiram o ponto máximo na Europa, juntamente com os da Espanha. Segundo muitos pesquisadores, os presídios da época de Mussolini não eram tão brutais.

Nesses anos, a repressão atomizou os movimentos armados, que geraram dúzias de pequenos grupos, entre eles, os Proletários Armados para o Comunismo (PAC), ao qual pertenceu Battisti por algum tempo.

# CAPÍTULO 4
## REPRESSÃO LEGAL E JURÍDICA

"Tenho escrito [este livro] entre 1974 e 1978 como contra-ponto ideológico à legislação de emergência. Quero documentar a mentira de fingir salvar o estado de direito transformando-o no *estado de polícia*." [Grifo meu.]

Italo Mereu, prefácio à segunda edição da *Storia dell'intolleranza in Europa. Sospettare e punire* (Bompiani Editore, Milano, 1979)

"Dezenas de milhares de pessoas participaram dos Anos de Chumbo. Foi uma militância de massa, que levou a uma repressão igualmente de massa. As pessoas queriam mudar a sociedade, roubaram, bateram-se, mataram e morreram por isso. E a Itália continua a insistir em que tudo aquilo não foi político."

Piero Mancini, refugiado italiano no Brasil, a Mário S. Conti, da revista *Piauí*

"Como o réu confirma a confissão efetuada sob tortura? O escrivão lhe pergunta depois da tortura: 'Lembras-te do que confessaste ontem ou anteontem sob tortura? Então, repete tudo agora com total liberdade'. E registra a resposta. Se o réu não confirmar, é porque não se lembrou e, então, é novamente submetido à tortura."

Eymerich e De La Peña, *Manual dos Inquisidores*, III, 28

A repressão italiana não foi instalada de maneira abrupta, como na Argentina ou no Chile, mas rodeada de um simulacro de formalidade. Nesse sentido se parece mais com a ditadura brasileira, em que os governos criavam decretos especiais de grande poder (*Atos Institucionais*) e um parlamento aprovava leis repressivas. A repressão na Itália teve duas dimensões. Uma, a puramente *legislativa*, consistia em criar leis que tornavam "legais" crimes de lesa-humanidade (como tortura psíquica). A outra era a *judicial*, na qual os magistrados interpretavam as leis, que já eram cruéis, de maneira a tornar ainda maior seu sadismo. Assim mesmo, veremos que os terroristas de direita foram quase totalmente poupados de punição, mas os intelectuais de esquerda, incluindo os mais pacíficos, sofreram uma violenta perseguição.

## Segue o terror legislativo

Vimos no Capítulo 3 que o terror legislativo na Itália teve sua primeira fase entre 1974 e 1977. Foram reativadas leis da época de Mussolini e aumentou-se a severidade de outras que o fascismo original usou com menos dureza.

Mas as leis de 1977, inclusive as de exceção, ainda mantinham o direito de defesa e não tornavam obrigatória a tortura psicológica; então, para que a barra fosse mais pesada, o estado acrescentou novas leis. A continuidade do terror legislativo apavorou outros países da Europa, porque o pacote italiano era contrário ao Conselho da Europa, fundado em maio de 1949, que em 1950 proclamou em Roma a Convenção Europeia dos Direitos do Homem. Mas a Itália continuou com sua segunda fase de leis draconianas.

— O Artigo 6º da Lei 534 de agosto de 1977 impediu os advogados de pedir a anulação de processos, mesmo em ca-

O TERRORISMO OFICIAL

sos de negação de direitos, o que favoreceu diversos abusos: julgamentos sem a presença do réu e sem notificação, com testemunhas forjadas etc.[48]

— O decreto de 21 de março de 1978 estendeu por tempo indefinido o uso do grampo telefônico, já muito empregado pela polícia por prazos longos, porém determinados, e permitiu que os próprios serviços de repressão decidissem seu uso, sem nenhuma subordinação ao judiciário. Ainda mais: o material grampeado, apresentado em qualquer forma, serviria não apenas como indício, mas também como *prova*, a despeito do Artigo 15 da Constituição.

— As leis repressivas incluíram um *decreto secreto*, editado, talvez, em agosto de 1978, mas publicado no *Diário Oficial* só em agosto de 1979.[49] Hoje sabemos que dava poderes absolutos ao general Carlo Alberto Della Chiesa, chefe da Operação Gladio, para "manter ordem nas prisões" e para "combater o terrorismo".

— O decreto *não* secreto do dia 15 de dezembro de 1979, que foi transformado na "Lei Cossiga" de 6 de fevereiro de 1980, acrescenta ao Código Penal o Artigo 270 bis, que persegue delitos de conspiração e formação de quadrilha, autorizando a polícia a detenções arbitrárias sem intervenção judicial durante quatro dias.

— O Artigo 10 da Lei Cossiga foi além da ditadura brasileira: a duração da prisão preventiva para casos de "terrorismo" foi estendida num terço.[50] O Artigo 11 permitiu a retroação de algumas leis, que poderiam ser aplicadas novamente a um réu que já estava sendo processado.

Vários autores mostraram que o Código Penal dos anos 1970 era uma versão piorada do *Codice Rocco* do fascismo. As novas regras podiam penalizar qualquer amigo, confidente, sócio, vizinho, colega ou familiar de um acusado de subversão. Não puniam apenas ações, mas também opiniões e sentimentos, que os juízes interpretavam como "simpatia pelo terrorismo" e "adesão psíquica à subversão". Indícios de "psicologia terrorista" podiam acarretar a detenção do suspeito.

O castigo de um "delito" ideológico, oculto na consciência e revelado por sinais externos, derivava da Inquisição. Por um lado, tornava crime o pensamento, como prescreve o *Confiteor*: "Pequei em meu *pensamento*, palavra e obra". Por outro, o *Manual dos Inquisidores* (III, F) dizia que, para torturar alguém, era suficiente um indício ou uma hesitação.

A Anistia Internacional denunciou "leitura de consciência" em vários relatórios sobre a Itália, no começo dos anos 1980. O intuito das leis era tornar o terrorismo um "vício" que não precisava de prova. O que se processava e condenava era a *personalidade* do réu, e não delitos objetivos.

## O terror judicial

Vejamos, em retrospectiva, como foi gerado o sistema judicial dos Anos de Chumbo, começando pela pressão contra a esquerda dos anos 1950.

Em 1953 foi aprovada a Lei 148/1953, chamada pelos populares de *Legge Truffa* (Lei Fajuta), que eliminava a representação proporcional favorecendo a direita. Então, o PCI e o PSI entenderam que obter a maioria parlamentar seria quase impossível. Como já os fascistas dominavam de novo a polícia, a única instituição que quiçá pudesse ser democratizada era a magistratura. Isso aconteceu, porém, durante brevíssimo tempo. O Artigo 106 da Constituição de 1947 exigia concursos públicos para magistrados, e isso abriu uma pequena brecha para que advogados progressistas entrassem no judiciário e formassem uma minoria significativa no começo dos anos 1960.

Em julho de 1964, em Bolonha, criou-se o movimento da Magistratura Democrática (MD), cujos membros foram chamados *Toghe Rosse* (Togas Vermelhas). Essa tendência se posicionava contra o caráter hipócrita da justiça e em favor do compromisso para com os oprimidos, e absolvia a maior parte dos delitos cometidos por pobres.

Durante alguns anos, a MD cresceu conservando seu perfil esquerdista. Calcula-se que, até 1969, teve o apoio de 30% dos magistrados, mas as cisões no fim da década geraram um retrocesso. (Em 2008, o movimento tinha 900 membros em todos os níveis da magistratura, o que representava apenas 8,9% do total de 10.109.)

Em 1969, a MD se dividiu em dois setores: um mais moderado, dirigido pelo PCI e pelos socialistas. Outro, menor, era o dos *gruppettari* (aderentes dos *grupos* da esquerda alternativa). Este apoiava os movimentos de massas e usava rádios radicais para proclamar a luta contra o estado burguês e contra os juízes do sistema. Enquanto isso, os moderados, que continuaram sendo maioria, tentaram convocar um plebiscito contra as leis que puniam os "delitos de opinião" e contra a submissão da Itália aos EUA, mas não tiveram sucesso, pois os setores conservadores se mobilizaram rapidamente contra eles.

Mesmo dividida, a MD escandalizou a direita e o público pequeno burguês em geral com suas críticas duríssimas aos outros juízes, aos militares, à polícia, à religião, e com seu apoio a medidas humanistas como planejamento familiar, liberdade sexual e a denúncia do caráter social dos delitos. Provavelmente, nunca antes, em nenhum país, grupos expressivos do poder público despiam as mazelas desse poder, a irracionalidade e cinismo do sistema jurídico, o caráter alienado (no sentido marxista) das instituições tidas como legítimas pela sociedade maniqueísta e a necessidade de quebrá-las.

Mas a magistratura conservadora se recuperou, e em 1972 a MD não conseguiu nenhuma cadeira no Consiglio Superiore della Magistratura, que era o órgão de controle das instituições jurídicas.

Ainda após essa derrota, os magistrados progressistas se opuseram à maioria dos juízes que absolviam os terroristas fascistas e que arquivavam as queixas por tortura e assassinatos policiais. Com a viragem do PCI à direita e o extermínio da esquerda alternativa, a magistratura de direita adquiriu uma esmagadora maioria. Ainda hoje, a MD, muito reduzida, é a única força que se opõe à máfia, ao fascismo, ao racismo e à xenofobia, porém, sem sucesso.

A partir de 1975, mais ou menos, a maioria dos magistrados havia sido absorvida pela ideologia repressiva, e inclusive os que pertenceram ao setor do PCI dentro da Magistratura Democrática se uniram à DC e à direita contra os movimentos de esquerda. Lentamente, começou um ciclo de repressão compacta, em que magistrados próximos do PCI e tradicionais juízes pró-fascistas não se diferenciavam essencialmente. Em 1979, essa caça às bruxas atingiu seu clímax.

Em 7 de abril de 1979,[51] Pietro Calogero, procurador substituto em Pádua, simpatizante do PCI, ordenou a detenção de vários intelectuais em muitas grandes cidades, "varrendo" todos os cantos relevantes do país. Houve muitos detentos dos movimentos autonomistas ou simpatizantes de esquerda. Entre os mais célebres estavam Antonio "Toni" Negri, Emilio Vesce (1939-2001), Oreste Scalzone e Franco Piperno, um professor de física da Universidade de Cosenza (Calábria).

Os militantes do Autonomia e Potere Operaio divergiam das Brigadas Vermelhas, tanto em ideologia como em procedimentos e objetivos, e, portanto, era descabido acusá-los de cumplicidade com elas. Mas, apesar disso, os magistrados criaram uma relação inexistente entre eles. A tese principal foi chamada, ironicamente, o *Teorema de Calogero*, que pode ser reproduzido nestes termos: Autonomia Operaia e Brigate Rose são a mesma coisa. A primeira produz os elementos teóricos que a segunda utiliza. Corolário: enquanto os autonomistas criam argumentos filosóficos para justificar os brigadistas, estes os utilizam para destruir o estado.

A "prova" do teorema de Calogero não era um processo rigoroso como o do célebre pisano Galileu Galilei, mas um caos de conceitos avulsos. Assim como em são Tomás de Aquino qualquer frase podia servir para provar a existência divina, no teorema do inquisidor stalinista qualquer ato (como escrever na revista do movimento *Metropoli*, editada em Roma por Scalzone e Piperno) servia para provar a cumplicidade de um cidadão com a subversão.

## Impunidade do terror fascista

Era evidente para quase toda a sociedade que os grandes estragos foram feitos por neofascistas. Então, os truques da direita para culpar a esquerda desses massacres não podiam enganar a todos. Os reacionários nunca reconheceriam o papel do fascismo no terrorismo da Gladio, mas alguns magistrados moderados decidiram acusar os fascistas mais notoriamente envolvidos. Estes só eram processados e condenados se fizessem parte da *ralé* fascista sem relevância, mas, no caso de figuras notórias da direita, os tribunais encontravam a maneira de arquivar seus processos. Portanto, a prioridade para ocupar o posto de culpado era alguém de esquerda. Só se utilizava um fascista quanto este se houvesse colocado tão em evidência que a negação de sua relação como o crime fosse impossível.

Às vezes, juízes democráticos insistiam em levar os processos contra fascistas até o fim. Nesse caso, embora as ameaças de morte contra magistrados não fossem frequentes, os comandos militares usaram intimidação, obstrução, sonegação de documentos, tramitações confusas, sumiço de testemunhas e outras manobras. O neofascista Vinciguerra disse uma vez aos jornalistas:[52] "A polícia, o ministro do Interior, os serviços secretos civis e militares, todos sabiam que eu era o responsável pelo ataque. Mas, por razões políticas, decidiram me dar cobertura".

A cumplicidade do sistema com os terroristas fascistas se manifesta no boicote aos juízes honestos, como o veneziano Felice Casson (nascido em 1953), figura-chave na denúncia da Operação Gladio. Ele obteve, durante sua investigação, apenas 8% de apoio dos colegas.

No famoso caso de Piazza Fontana (1969), o primeiro preso foi Pinelli, e o segundo Pietro Valpreda (1933-2002), um artista anarquista com mais sorte que seu antecessor (pois não foi assassinado pela polícia), mas que ficou preso sem provas até 1972 e foi oficialmente absolvido só em 1979. Em 1991, o general Giandelio Maletti, alto oficial dos serviços secretos, confessou que os membros do partido fascista Ordine Nuovo Pino Rauti, Franco Freda e Giovanni Ventura haviam cometido aquele estrago para incriminar a esquerda. Os autores foram detidos, mas Freda foi absolvido em 1985, apesar da existência de provas e testemunhos. Ventura obteve absolvição pouco depois. Rauti nunca foi incriminado. Em 2005, a Corte Suprema reconheceu a culpa de ambos, mas eles já não podiam ser julgados por causa de alguns tecnicismos jurídicos que ninguém entende.

(Anos depois, no julgamento da extradição de Battisti no Brasil, o relator do caso diria, num escrito oficial assinado, que todas as acusações contra a ultradireita por causa de Piazza Fontana eram apenas *especulações*.)

O TERRORISMO OFICIAL

No estrago do trem Italicus (1974) foi considerado suspeito o fascista Mario Tutti. Um tribunal o condenou a vinte anos, mas ele entrou com recurso e a Corte o absolveu de maneira definitiva, por "insuficiência de provas".

Após o superestrago de Bolonha, em agosto de 1980, os magistrados suspeitaram dos neofascistas, mas os serviços secretos recusaram a entrega de provas. Foram responsabilizados três membros dos Núcleos Armados Revolucionários (NAR) e o célebre "sócio terreno do Vaticano" Licio Gelli, que não foi acusado formalmente. Desta vez, a justiça não encontrou bodes expiatórios de esquerda, mas algumas fontes afirmam que os condenados foram "bodes expiatórios de direita".[53]

## Fogueira de intelectuais

No relatório sobre a Itália de 1979, A Anistia Internacional denunciou que os magistrados consideravam qualquer opinião progressista como propaganda terrorista, e daí deduziam que seus autores *deviam ser* mesmo terroristas. Foi com esse pretexto que Pietro Calogero prendeu, no dia 7 de abril, uma multidão de intelectuais. Aí começou, então, o maior processo de prisões sistemáticas na história da repressão do pós-guerra, com pelo menos cento e vinte vítimas.

O *pogrom* ficou marcado como *gli arresti* [detenção] *del 7 de Aprile.* Tanto os que foram detidos como os que conseguiram fugir eram professores, escritores e jornalistas. Foi muito comentado na Itália que a *blitz* de Calogero mostrou a popularidade do modelo sul-americano de repressão. Houve pesadas condenações, embora *nenhum detento* tivesse histórico de violência. Grande parte da culpa se atribuía a influência ideológica estrangeira de sociedades esclarecidas, como a

França. Outra coincidência com as ditaduras do Chile e da Argentina foi o repúdio dos algozes a intelectuais que "pensam demais" e envenenam a alma dos jovens.

A repressão ganhou a cumplicidade da mídia. O jornalista Giorgio Bocca, fundador de *La Repubblica*, denunciou que muitos jornais concordavam com as autoridades em que "o dever do jornalista não é dar informação, mas defender as instituições".[54] Salvo publicações como *Il Manifesto* e pequenos jornais alternativos, a maioria da mídia se tornou cúmplice da repressão.

A Anistia Internacional realizou, entre 1977 e 1981, uma das mais apuradas investigações de sua história sobre as violações dos direitos humanos na Itália. A organização denunciou abusos legislativos e judiciais e coação física e psíquica nas prisões. Nos primeiros relatórios, destacou-se que os detentos eram privados de assistência médica pelos carcereiros e os juízes.[55]

Em novembro de 1979, a Anistia pediu atenção para Alberto Bounconto, que padecia de grave diminuição sensorial, alteração mental e uma paralisia que o impedia de andar e de comer. Também indagou por dois prisioneiros com quadros psicóticos e por outro gravemente doente. Os juízes *jamais* responderam.

No relatório de 1980, a organização pôs ênfase na diminuição de direitos criada pelos novos artigos do código penal. A Anistia também denunciou a criação de oito novas prisões onde os detentos viviam em isolamento e tortura psicológica. Também, as novas leis impediam de reclamar à Convenção Europeia sobre os Direitos Humanos (CEDH).

A Anistia Internacional investigou as *delações premiadas*. O relatório adverte que as delações eram utilizadas como as *únicas* provas contra o réu, porém só quando o *prejudica-*

*vam. Quando os delatores decidiam anular sua acusação, os
magistrados se recusavam.*

Quatro réus libertados em 1979 por falta de provas foram novamente detidos em 1981, apesar de o juiz aceitar que eram inocentes. Isto respondia a um padrão fixo: os juízes não encontravam evidências contra os indiciados, mas, quando simulavam libertá-los, o Ministério Público fazia nova denúncia. Os magistrados retardavam, ignoravam ou distorciam os processos dos indiciados, ou emendavam umas acusações em outras.

*Ainda* em 2012, *ignorava-se quantos presos políticos* havia
na Itália. Alguns detentos eram os mais jovens de suas famílias. Então, décadas depois, alguns deles não têm parentes
vivos, e em seu curto tempo de vida livre, não puderam fazer
amigos. Neste caso, só é possível saber de sua vida quando
*morrem*!

A Anistia enfatizou um fato geralmente ignorado: os tribunais militares eram autorizados a processar quaisquer cidadãos, inclusive civis acusados de delitos civis. Isto evidencia a natureza militarizada do estado, *no estilo das ditaduras sul-americanas.* No relatório de 1981, a Anistia denunciou a arbitrariedade com que foram tratados os PAC (que foram detidos sem julgamento), porém, sem mencionar seu nome, pois o grupo não era muito conhecido e a ONG não tinha registro de todos.

Na época investigada, sessenta e nove membros desse movimento foram indiciados e encaminhados para julgamento. Também se denunciaram as torturas aplicadas a um grupo de ativistas "em relação com a morte de um ourives de Milão", que obviamente era Pierluigi Torregiani, um dos mortos pelos PAC, de cujo homicídio Cesare Battisti foi falsamente acusado.

Muitos esquerdistas ideológicos, que não eram ativistas de grupo nenhum, também foram vitimados. Mario Dalmaviva, um detento que se considerava "comunista sem partido" e inimigo da luta armada, começou uma greve de forme por não ter sido julgado em vinte meses. A Anistia exigiu uma decisão do ministro da Justiça afirmando que as provas contra Dalmaviva não eram claras, que ele e seus colegas de prisão não haviam sido entrevistados pelo juiz e que sua saúde corria riscos. A resposta foi o *silêncio*.

Giustino Cortiana, um consultor de marketing, foi acusado de "subversão" sem provas, mantido preso em vários cárceres, e até internado num sanatório psiquiátrico. Em janeiro de 1981, três prisioneiros foram acusados de promover rebeliões, apesar de não existir conexão entre os réus (que eram conhecidos por sua posição contrária às rebeliões) e os autores do motim.

A Itália é um dos poucos países onde os crimes da repressão nunca foram apurados. Existe, ainda, um agravante em relação à América Latina. Em alguns países das Américas os repressores nunca foram investigados, mas, pelo menos, suas vítimas não continuam sendo perseguidas. Na Itália, aqueles que escaparam da *vendetta* policial-militar são ainda alvo de busca mesmo fora do país.

SEGUNDA PARTE | **DEFESA POPULAR E REPRESSÃO**

# CAPÍTULO 5
## PROLETÁRIOS ARMADOS

No ano de 1979, quando o magistrado Pietro Calogero lançou uma repressão sem precedentes contra a esquerda em todo o território italiano, ninguém tinha dúvida de que o conceito de "comunismo", que vinha sendo deturpado, havia virado não para o centro, mas para a direita. Portanto, para resgatar a imagem inicial do comunismo como verdadeiro movimento de emancipação, apareceram pequenos grupos que se reivindicaram *autênticos* comunistas. Um deles foi o dos Proletários Armados para o Comunismo, protagonista principal de nosso livro.

## Comunismo novo

Vários grupos de esquerda criados nos anos 1970 incluíram o termo "comunismo" em seu nome para recuperar o sentido do comunismo original como teoria e prática da emancipação e para se diferenciar dos projetos stalinistas.

Convidamos o leitor a um *flashback* ao ano-chave de 1977, e vejamos como era a sociedade italiana nesse período.

Em 1977, as lutas sociais italianas atingiram seu ponto máximo. Greves, ocupações, confrontos e atentados aumentaram de intensidade e ocuparam toda a vida nacional. O *settantasette* (ano 1977) ficou gravado como um referencial histórico da consciência social, e tal como o *soixante-huit*

(1968) francês, enaltecia o humanismo revolucionário e o marxismo-anarquismo. As lutas anteriores haviam contribuído para criar esse clima, mas, na organização de atos operários, de estudantes, de moradores etc., ainda apresentavam leves traços do stalinismo. Em 1977, esses traços foram substituídos pela ação direita e a organização autônoma.

Em vez de propugnar a substituição de ditaduras de direita por outras, os novos movimentos se embrenharam na luta cotidiana, na apropriação de espaços sociais, na reivindicação de direitos e em ações de ajuda mútua. Nesse ano, a esquerda alternativa firmou-se como a única corrente que combatia o fascismo com ações, e não apenas com palavras, e foi apoiada pela população marginalizada.

O confronto final da esquerda com o PCI aconteceu no dia 17 de fevereiro, quando o burocrata sindical Luciano Lama, líder da Confederação Geral Italiana dos Trabalhadores (CGIL), organizou um comício dentro da Universidade de Roma, ocupada pelos estudantes, como provocação contra o Autonomia Operaia. Os sindicalistas utilizaram armas e, em seu apoio, o reitor Antonio Ruberti entregou o *campus* à polícia.

Então, tanto no plano da ação como no cultural e ideológico, a ruptura entre a esquerda e o PCI estava selada. A maioria acomodada do PCI queria evitar derrotas e chegar finalmente ao poder, silenciando a "concorrência" de esquerda. Com efeito: pela primeira vez, o caudal eleitoral do PCI diminuía, como se perceberia nas eleições posteriores.

Entre os deputados, o PCI passou de seu grande sucesso em 1976 (34,4% dos votos) a 30,4% em 1979, a 29,9% em 1983, e a 26,6% em 1987. De 1968 até 1976, seus filiados haviam crescido em 20,71%, mas entre 1977 e 1985 o partido perdeu 12,06%.* Enquanto isso, muitos dos militantes do

---

\* Esses cálculos estão baseado nas estatísticas eleitorais que aparecem em diversos livros e em todos os jornais italianos da época. Se o leitor quiser conferir, qualquer fonte é confiável.

DEFESA POPULAR E REPRESSÃO

PCI que guardavam armas desde a época da Resistência passaram quase todas elas aos alternativos entre 1974 e 1977.

A repressão de 1977 em Roma, Milão, Turim e quase todas as grandes cidades foi violentíssima. No dia 11 de março, Francesco Lorusso, ativista da Luta Contínua, foi baleado pelas costas por um carabineiro em Bolonha. O crime deflagrou confrontos em toda a cidade durante dois dias. Francesco Cossiga,* ministro do Interior, ordenou reprimir com blindados e armas pesadas, ferindo não só ativistas, mas também populares alheios ao conflito.

O movimento do *settantasette* exaltou, além da igualdade econômica, o princípio da plena vigência dos direitos humanos em todos os seus aspectos. Nesse ano, fortaleceu-se o Partido Radical (Partito Radicale) fundado por Giacinto "Marco" Panella (nascido em 1930) em 1955. "Marco" era um liberal progressista que se rotulava *federalista*, *pacifista* e *anticlerical*. Já em 1959, influenciado pelo pacifismo de Gandhi e Luther King, propôs a união de *toda* a esquerda, mas não foi escutado.[56]

Anos depois, em 1974 os católicos foram vencidos pelas diversas correntes progressistas e humanistas no plebiscito lançado em 1974 para anular a lei de divórcio de 1970. Para consolidar sua união, essas correntes e grupos fizeram inúmeros atos em favor dos direitos humanos, dos direitos civis, da liberdade de orientação sexual e do feminismo.

Esses atos não tiveram graves consequências, mas a situação piorou três anos depois. Com efeito, em novembro de 1977, a nova esquerda e os independentes celebraram o triênio da derrota do plebiscito antidivórcio com grandes passeatas pacíficas, que dessa vez foram reprimidas.

---

* Francesco Cossiga seria o único dos grandes repressores dos Anos de Chumbo que reconheceu em 2009, inclusive por escrito, que Cesare Battisti era autor de delitos políticos, e não comuns.

Em Roma, o policial Giovanni Santoni, chefe do Comando Móvel, abriu fogo contra uma coluna de estudantes, um fato seguido pela morte "misteriosa" de Giorgiana Masi (1959-1977), de dezenove anos, aluna da 5ª série do colégio Louis Pasteur, com impactos de bala calibre 22. Nas investigações posteriores, encerradas em 1981, a justiça acusou a esquerda "infiltrada" no Partido Radical.[57]

Após dezessete anos de reclamações a questão foi reaberta e, em 1998, Giovanni Pellegrino, presidente da Comissão de Investigações sobre os Estragos, declarou que o assassinato de Giorgiana poderia ter sido planejado pela polícia para justificar um aumento da repressão dentro da estratégia de tensão.

O ministro Cossiga admitiu em 2007 que era um dos cinco homens que sabiam o nome do matador, mas não fez nenhuma revelação, e morreu levando seu segredo aos céus, onde devia ter um local reservado como prêmio por sua subserviência ao Vaticano. Fora do ambiente de direita, nunca se duvidou de que o assassino pertencia à equipe do delegado Santoni. O assassinato de Giorgiana provocou em seguida a revolta dos jovens de esquerda.

No contexto da emancipação cultural, os ativistas autônomos produziram jornais, magazines e outros veículos, alguns de grande sucesso, como a revista trimestral de contracultura *Re Nudo*,[58] que ainda existia em 2012. Na campanha de esclarecimento popular coube um papel fundamental às rádios livres, que em 1977 integraram a Itália ao contexto internacional das novas literaturas, músicas e mídias.

O movimento italiano de 1977 (como o francês de 1968) se recusou a aceitar o modelo pós-stalinista, no qual o fator humano se dissolvia em abstrações fetichistas, como a massa, a pátria e o partido. Os novos militantes recuperaram o axioma marxista-anarquista que diz que só podem existir classes com sujeitos, e que a revolução começa pelo ser humano.

## *Intermezzo:* Cossiga e Battisti

Ao falar de Francesco Cossiga em relação à forte repressão da época, acho interessante abrir um parêntese para comentar um fato muito importante, que *foi desprezado* pela cúpula do Supremo Tribunal Federal do Brasil em 2009.

O ministro Cossiga, apesar de sua ideologia, *reconheceu* em 2009 que os delitos de Battisti *não eram crimes comuns*, mas *delitos políticos*, numa carta pessoal que enviou a ele. Talvez o político, conhecido como carola irracional e supersticioso, não quisesse morrer sem ser justo para com Battisti; embora poucos acreditem que o céu seja para os justos.

Essa carta foi enviada a Cesare por intermédio da escritora francesa Fred Vargas, mas o relator do processo de extradição a rejeitou com profundo desprezo:

Gentil senhor Battisti

O senhor deve se lembrar que eu, nos anos 1970 e 1980, fui um duro opositor institucional da subversão de esquerda e da sedição de direita, que, como ministro do Interior e como primeiro-ministro, tem usado "a maneira forte", tanto que me chamaram de "KoSSiga",* em vez de "Cossiga". *Como instrumento de luta psicológica*, temos tido sucesso no sentido de *fazer passar os subversivos de esquerda e os sediciosos de direita como simples terroristas*, e às vezes diretamente como *"criminosos comuns"*. Todos vocês, de esquerda e de direita, eram "revolucionários impotentes", que acredita-

---

\* A esquerda escrevia KoSSiga com dois S maiúsculos, para lembrar da sigla da SS alemã.

vam que com atos de terrorismo, mesmo que não "fizessem" a revolução, pelo menos a podiam deflagrar, de acordo com os ensinamentos de Lenin, que considerava úteis e legítimos os atos de terrorismo, do ponto de vista do marxismo-leninismo, somente se fossem "propedêutica" para a revolução e capazes de viabilizá-la. Os crimes da subversão de esquerda e da sedição de direita são realmente crimes. Mas não são *crimes comuns*, senão *crimes políticos*. Pode fazer o uso que quiser deste escrito, mesmo na justiça. Passar bem!

Francesco Cossiga

Os grifos são meus. Não coloco o original italiano para poupar espaço.

## Surgimento dos PAC

Entre os pequenos grupos gerados pela fragmentação da esquerda alternativa, nosso foco é o grupo PAC (Proletari Armati per il Comunismo), que se constituiu na Lombardia entre fins de 1976 e meados de 1977.

O nome se tornou público pela primeira vez em 6 de maio de 1978, num manifesto em que ameaçava os "médicos *tiras* do Estado". Isso era uma alusão aos médicos que trabalhavam para a polícia e o sistema prisional, incumbidos da tortura "científica".

O total de ativistas PAC em meados de 1978 não é conhecido nem pelos próprios membros. O grupo tinha fãs e colaboradores em diversos lugares do país, e seu nome também era usado por pessoas de fora. O magistrado Armando Spataro declarou que os PAC eram cerca de trinta militantes, porque quanto menor fosse um grupo, mais fácil seria acu-

Defesa popular e repressão

sar de um crime alguém em particular. Todavia, o *próprio Spataro* interveio no processo de mais de setenta deles. Um número razoável de PAC no país todo deve estar entre cento e cinquenta e duzentos.

Os PAC não tinham hierarquias nem queriam tomar o poder, apenas proteger os trabalhadores. O PCI dizia que eram "terroristas", e as Brigadas Vermelhas os tratavam como "intelectuais".

Os PAC eram operários, desempregados, estudantes e professores. Predominavam os homens, mas também havia algumas moças. A média de idade devia estar em cerca dos vinte e três anos. Somente alguns dos membros do grupo são essenciais para entender o caso Battisti, e me restringirei a eles para evitar informação supérflua.

Arrigo Cavallina (Verona, 1945) era da classe média alta e trabalhava como professor de ensino básico. Foi membro da Ação Católica e ficou influenciado pela Teologia da Libertação. Com vinte e cinco anos entrou para a esquerda alternativa, o que lhe causou uma detenção quando tinha trinta, e em decorrência passou dois anos no cárcere de Udine.

Cavallina escreveu dois livros importantes: *Destruir o Monstro* (1977) e *Lager Especial do Estado* (1978). *Lager* é a palavra alemã para "campo de concentração", usada aqui para qualificar o sistema prisional italiano. Finalmente, foi preso em 1979 durante as grandes *blitzen* em Milão. Foi condenado a quinze anos de prisão, mas teve um desconto de quase metade como prêmio por ter promovido a onda de "autocrítica" entre seus camaradas.

Cavallina se tornou crítico de seu passado, agradecendo à Igreja por tê-lo livrado de sua "tendência ao mal". No processo de denigrir sua história, referiu-se publicamente a Battisti com sarcasmos, mas não aparece oficialmente entre os delatores de Cesare, e em suas declarações conhecidas não acusa nenhum colega.

Pietro Mutti (Milão, 1954) foi o principal informante da magistratura italiana durante o julgamento dos PAC, e acusou Battisti de quatro homicídios. Foi, na prática, o chefe militar do grupo e, após a destruição deste, tornou-se militante do Prima Linea.

A delação de Mutti contra Cesare Battisti foi apoiada por outro membro, Sante Fatone (Milão, 1959), do comando que matou o joalheiro Pierluigi Torregiani. Foi condenado a vinte e cinco anos e dois meses de prisão.[59]

Roberto Silvi (Nápoles, 1952), de família proletária, militou inicialmente em *Lota Continua* e se filiou aos PAC quando chegou a Milão. Foi um expoente da contracultura, criador do jornal libertário *Senza Galere*, cujo primeiro número saiu no fim de 1977. Ficou deprimido por sua participação, mesmo leve, numa ação violenta não letal dos PAC, e decidiu se afastar do grupo e propor o fim da luta armada. Apesar disso, foi perseguido pelo aparato policial-judicial e obrigado a se refugiar na França em 1982.

No julgamento coletivo encerrado em 1988, Silvi foi sentenciado a cinco anos e meio de prisão por ter sido membro dos PAC e editor do jornal, embora o tribunal reconhecesse que ele havia proposto a dissolução do grupo. Como ele jamais delatou ninguém, a autocrítica não aliviou sua pena. Após voltar voluntariamente à Itália em 1992, foi obrigado a cumprir três anos de prisão. Como no caso de Battisti, sua atividade sempre foi pública e transparente.

Silvi foi um intelectual brilhante, escritor criativo e sensível, que deixou testemunho de suas experiências em *A Memória e o Esquecimento*, um ensaio romanceado produzido no cárcere em 1992 e só publicado duas décadas depois. Nele relata o período de violência dos anos 1970, com especial ênfase em Nápoles.

O termo "esquecimento" alude à indiferença oficial pelos assassinatos de ativistas, especialmente os das Panteras Vermelhas. Essa era uma comunidade de resistência prisional do sul, que exigia a abolição do Código Penal *Rocco* do fascismo, tornado nos anos 1970 mais cruel e desumano do que era sob Mussolini. Afetado por esclerose múltipla, Silvi voltou à França, onde continuou militando pelos direitos humanos, contra as extradições e em favor de uma anistia geral na Itália, apesar da dificuldade para se locomover. Morreu em abril de 2008.

Marco Masala, camponês sardo de dezoito anos, e seu irmão mais velho, Sebastiano, foram detidos em Milão em 1979. Marco foi acusado de participação na morte de um ourives de Milão, Pierluigi Torregiani, uma das personagens mais importantes de nosso relato. Mas seu álibi era tão forte que a promotoria desistiu da acusação. Já Sebastiano confessou ter participado do crime, mas sua condenação foi relativamente leve. Gabriele Grimaldi, desenhista, pintor e poeta, morto em 2006, e o veneziano Diego Giacomini, nascido em 1957, também admitiram seu envolvimento nessa execução.

O sardo Sisinnio Bitti, nascido em 1947, era conhecido como amigo dos PAC no bairro milanês de La Barona. Em fevereiro de 1979 foi preso com Marco Masala, mas ambos tinham álibis fortíssimos. A polícia ficou frustrada por não os poder acusar, mas se consolou aplicando torturas, que foram denunciadas em seguida pelo próprio Sisinnio ao magistrado Armando Spataro (que se recusou a aceitar a denúncia) e à Anistia Internacional.

O lombardo Claudio Lavazza, um operário anarquista nascido em 1954, foi acusado de participação em dois dos quatro homicídios do PAC. Foragido desde 1982, seu rasto se desvaneceu, até 1996, quando foi descoberto na Espanha, onde continua preso.

O grupo tinha também algumas mulheres ativistas.

A veronense Enrica Migliorati, nascida em 1955, foi acusada de ter participado no primeiro dos quatro homicídios dos PAC, o do carcereiro da prisão de Udine, Antonio Santoro.

A paduana Paola Filippi, nascida em 1953, foi incriminada no mesmo pacote de Battisti, também sem provas nem testemunhas. Exilou-se na França em 1982, onde adquiriu cidadania.

Silvana Marelli vinha da militância no Comitê Comunista Revolucionário e foi condenada a doze anos de prisão em 1981 por guardar em sua casa panfletos de propaganda ideológica e armas.

Marisa Spina (nascida em 1952) foi considerada cúmplice menor no caso da morte do carcereiro Antonio Santoro (Sentença de 1988, p. 696), mas finalmente foi absolvida.

Maria Cecília Barbetta, jovem professora de filosofia, membro de uma rica família de magistrados veronenses, foi mencionada como declarante na sentença de apelação publicada em 1990; foi uma delatora secundária de Battisti.

## O ideário político

Alguns PAC eram intelectuais, como Silvi, Cavallina e Battisti. Outros, operários ou camponeses, como Lavazza e os irmãos Masala, e vários se perfilavam como militantes pragmáticos, com pouca doutrina e muita ação. Memeo, Mutti e Fatone parecem caber nesse modelo. Em decorrência de suas amargas experiências sob a repressão, os PAC se propuseram ações em três níveis:

Contra a crueldade do sistema prisional e seus funcionários, e contra o despotismo do poder judiciário.

| Membros dos PAC mais relevantes para nosso relato | | |
|---|---|---|
| NOME | DADOS BÁSICOS | PAPEL NO PROCESSO |
| Arrigo Cavallina | Professor de ensino básico. Um dos fundadores dos PAC. Recrutou Battisti para o grupo. Inimigo do carcereiro Santoro. Quando os PAC foram derrotados, foi o primeiro dissociado | Instigador da execução de Santoro e cúmplice do planejamento |
| Claudio Lavazza | De origem operária, sua militância abrange muitos anos, até ser detido na Espanha | Considerado cúmplice na morte de Santoro e Campagna |
| Diego Giacomini | Nascido em Padua, dissociado após 1980 | Atirador no homicídio de Sabbadin |
| Gabriele Grimaldi | Jovem de esquerda de família de classe média alta. Filho da escritora Laura Grimaldi, que escreveu um livro denunciando torturas | Participou da execução de Torregiani |
| Giuseppe Memeo | Militante na época de estudante e operário. De convicções comunistas radicais | Participou de execução de Torregiani e do policial Campagna |
| Maria C. Barbetta | Professora de filosofia, de ideologia e militância duvidosas. Participou dos PAC, mas sua atividade é confusa | Declarou ter ouvido uma confissão íntima de Battisti em que este dizia ter matado Santoro |
| Pietro Mutti | Um dos primeiros membros dos PAC. Virtual chefe militar do grupo. Operário. Militante decidido. Capturado em fevereiro de 1982 | Principal delator que acusou Battisti de todos os homicídios. Ganhou uma redução de prisão perpétua para oito anos |

| Membros dos PAC mais relevantes para nosso relato | | |
|---|---|---|
| NOME | DADOS BÁSICOS | PAPEL NO PROCESSO |
| Sante Fatone | Jovem da classe operária do norte. Nervoso e agitado. Passou muito tempo fugitivo. Foi capturado na fronteira com a França em 1984 | Segundo delator que confirmou as declarações de Mutti. Um dos autores do homicídio de Torregiani. Condenado incialmente a vinte e cinco anos de prisão, a pena foi reduzida a doze e meio, mas acabou cumprindo menos |
| Sebastiano Masala | Camponês da Sardenha, irmão de Marco e amigo de Bitti | Condenado por participar da execução do ourives Torregiani |

Contra a exploração do trabalho informal.

Contra o pacto social firmado implicitamente pelos membros das elites para fazer justiça privada e "limpar" os miseráveis.

Na Itália dos anos 1970, muitos jovens pobres tinham amigos presos, participavam de passeatas dissolvidas pela violência e conheciam pessoas torturadas. A repulsa pela polícia e pelo sistema carcerário era visceral, e a indignação pela crueldade dos algozes induziu a um combate desigual.

Os PAC focaram especialmente o caso prisional, cuja sevícia mantinha preocupadas as organizações de direitos humanos da Europa, antes que a globalização da Europa colocasse essas organizações a serviço dos interesses dos estados. Essa vocação do grupo explica, em parte, a sanha com que Battisti foi perseguido. A polícia o odiava por ser esquerdista, porém muito mais por denunciar os abusos do sistema carcerário.

No outono de 1977 os PAC já estavam organizados. Seu surgimento foi acelerado pela fundação dos Novos Cárceres Especiais (NCE), onde, além da tortura convencional, os detentos sofriam isolamento, limitação cinética e sensorial, suplício psicológico e, eventualmente, tormentos químicos.

Os PAC tinham em comum com grupos afro-americanos radicais, como os Panteras Negras, a ideia de que o setor social marginal podia ser resgatado e incorporado às lutas por uma sociedade melhor. A integração dos marginalizados já havia sido proposta pelas novas esquerdas. A luta contra o *establishment* devia incluir suas principais vítimas, aqueles que a miséria obrigava ao delito e que ainda eram punidos por isso. Essa percepção emocional em favor dos cativos covardemente abusados estimulou o combate contra torturadores, independentemente da índole de suas vítimas. Em particular, os PAC defenderam o direito à desapropriação de bens por carentes e marginalizados. A solidariedade dos PAC com o "lúmpen" era coerente com os princípios humanistas do *settantasete* quando se reivindicou o valor dos *Manuscritos*[60] de Marx e dos textos anarquistas, banidos por Lênin e Stalin.

O PCI denigria a esquerda com os recursos mais baixos, como fez na Argentina. Em setembro de 1977, Berlingher, chefe do partido, acusou-os de "fascistas", para justificar a caçada policial. O sociólogo Norberto Bobbio, no jornal *La Stampa*, denunciou a infâmia de qualificar a esquerda de fascista para criar consenso contra ela. Enquanto isso, o PCI avançava na construção de uma rede de pelegos e delatores e tornava cada vez mais amplo o conceito de fascismo.

Os PAC assumiram a causa dos trabalhadores pobres e dos escravizados pela exploração informal. Entre outras ações, desmontavam os locais de trabalho semiescravo e ajudavam os grevistas das empresas.

O conceito de *pacto social* foi definido pelos PAC como a cumplicidade entre membros da elite, que colaboravam para fazer justiça por sua própria conta, estabelecendo uma aliança implícita até entre burgueses que não se conheciam, e linchavam sem hesitar qualquer marginal, mesmo inofensivo.

## Planejamento e ações

Entre outros aspectos, esses grupos armados derivados do Movimento Autonomista diferiam dos movimentos *militarizados* de esquerda na grande relevância dada aos valores humanos, especialmente à amizade e à solidariedade, acima dos objetivos políticos. Nos grupos militarizados europeus (Brigadas Vermelhas, IRA, ETA etc.) ou latino-americanos (FARC, Montoneros, MIR), a camaradagem podia estar limitada por supostos "valores revolucionários", que justificavam pôr os ativistas em risco. A esquerda militarista não cometia sevícias, mas estava um pouco contaminada pela mentalidade militar, segundo a qual objetivos fetichistas (a *causa*, a *massa*, a *soberania* etc.) podiam ser mais importantes que os valores concretos da vida e da integridade biológica.

Mas a nova esquerda não militarista praticava uma ética humanista e naturalista. Quando alguém era preso, os ativistas auxiliavam seus familiares, acompanhavam a educação dos filhos e cuidavam dos parentes. Sua organização era aberta, sem hierarquias, diferente da burocracia das Brigadas.

Sua praxe se concentrava em ações *cotidianas*: operações rápidas e pequenas, como apropriação de dinheiro e bens leves, advertências aos empresários e colaboração com as greves. Usaram ameaças ou ataques não letais contra policiais, torturadores, médicos prisionais, informantes e similares. Deram relevância à propaganda ideológica e à educação sociopolítica.

Em maio de 1978, os PAC feriram o médico Diego Fava, do sistema trabalhista, por negar afastamento a operários doentes, um fato comum que fazia parte da superexploração de operários *não pertencentes* à "aristocracia" trabalhista filiada ao PCI. Outro ataque sofreu, no mesmo mês, Giorgio Rossanigo, médico do cárcere de Novara, acusado de monitorar torturas. O alvo seguinte foi o agente penitenciário Arturo Nigro, do presídio de Verona, conhecido por maus-tratos aos detentos, ferido em outubro de 1978.

Mas, bruscamente, os PAC entraram numa linha nefasta. Realizaram, entre junho de 1978 e abril de 1979, quatro execuções, algo incompatível com seus princípios. A repressão que se seguiu foi extrema e destruiu o grupo, colocando seus militantes em fuga ou na prisão.

## Luta armada: impasse

A luta armada de esquerda na Europa e nas Américas nas décadas de 1960 e 1970 é um fenômeno complicado, que mistura a necessidade de autodefesa com a urgência de punir torturadores e genocidas, e até com um sentimento religioso de vingança. Esse sentimento parcialmente místico aproximou alguns grupos de esquerda a setores de militares considerados "populares" e à dita "Teologia da Libertação". Tal proximidade contrariava a ética tradicional da esquerda, secularista e antimilitarista. Grupos autônomos como os PAC e dúzias de outros mantinham os clássicos valores anarco-marxistas, humanistas e iluministas, o que estabelecia uma grande brecha com as Brigadas.

A luta armada para a *resistência* responde a um direito natural, que foi exercido pelos escravos, pelos camponeses medievais, pelos reformadores valdenses e pela esquerda dos séculos XIX e XX, e foi legitimado até por pensadores liberais capitalistas como John Locke. A resistência é a luta pela liberdade contra o poder, e a capacidade de resistir é o traço mais legítimo que caracteriza a vida independente, mesmo de espécies biológicas com menor complexidade neuronal que a dos mamíferos. Um polvo ou um pássaro pode se debater até morrer dentro de uma rede para não ser capturado por caçadores.

A resistência espontânea só pode ser exercida por grupos com afinidade de objetivo e de sensibilidade, usando a auto--organização em vez da disciplina e visando destruir o aparelho opressor, e *não* construir um novo. Por isso, os movimentos autônomos de todos os países, ao lutar contra o racismo, o fascismo, a exploração trabalhista, a tortura etc., evitaram sempre se considerar um exército "do bem" que combatia o exército "do mal", como era intuito de grupos de esquerda militarista (Brigadas Vermelhas na Itália, Exército Vermelho na Alemanha, Exército Revolucionário do Povo na Argentina etc.)

Para os PAC, as armas eram um método de autodefesa. Por isso, em seus princípios fundacionais limitavam a violência às formas imprescindíveis para garantir essa defesa. Os homicídios, mesmo de torturadores, não sendo em defesa imediata de alguém torturado, constituíam uma ação violenta não necessária.

## CAPÍTULO 6
## OS QUATRO HOMICÍDIOS

Entre junho de 1978 e abril de 1979, os PAC executaram quatro pessoas, às quais acusavam de haver torturado e assassinado populares. Até esse momento, os PAC não haviam cometido nenhum homicídio e *os planos iniciais da organização condenavam a violência letal*. Segundo os relatórios judiciais, o delator Pietro Mutti teria dito que os PAC haviam decidido cometer algumas execuções.

O primeiro executado foi o chefe de carcereiros de Udine, Antonio Santoro, conhecido como torturador. Os outros foram o ourives Pierluigi Torregiani, membro de um grupo parapolicial de Milão, o açougueiro Lino Sabbadin, membro do fascista Movimento Social Italiano de Vêneto, e o motorista policial Andrea Campagna, que vivia em Milão. Esses fatos são de fundamental importância, porque essas mortes serviriam de pretexto para que o estado italiano deflagrasse uma contínua perseguição contra Battisti, que duraria pelo menos trinta anos.

Na sentença de Milão de 1988, Battisti foi condenado por ter atuado diretamente em três homicídios e ser o "autor moral" de outro. Entretanto, nunca existiram os passos anteriores a uma condenação: ser indiciado, denunciado e acusado.

## Fontes documentais

Nesta seção, vamos enumerar os documentos usados para escrever este e os próximos capítulos. Mas, antes disso, faremos um breve esquema sobre a maneira como foram iniciados os processos contra os PAC nos tribunais de Milão.

Poucas horas após a execução do ourives Pierluigi Torregiani em Milão, em fevereiro de 1979, as forças repressivas atacaram o bairro onde morava a maioria dos PAC, que foram presos, indiciados e julgados. O número de detentos e condenados passava de setenta, mas a documentação disponível não é completa. Os processos de primeira instância foram realizados na Corte d'Assise de Milano, que traduzo, sem total exatidão, por "Tribunal do Júri de Milão". Os recursos foram julgados pelo 1º e 2º Tribunais de Júri de Recursos de Milão.

O primeiro processo é o julgamento *coletivo* em primeira instância de vinte e três réus, aberto em 1979, cuja sentença foi proferida na audiência de 27 de maio de 1981. O nome "sentença" se refere também ao relatório dos magistrados. Para simplificar, chamamos o primeiro relatório de "Sentença de 1981" e abreviamos como SENT81.

O recurso contra a SENT81 foi apreciado pela Corte d'Assise de Apello de Milão entre o dia 6 de maio e o dia 8 de junho de 1983, e o relatório será chamado SENT83.

Numa data incerta, o processo de 1981 foi reaberto com o objetivo de adicionar as declarações de delatores contra Cesare Battisti. Esse novo processo, conhecido como PAC-bis, inclui também o julgamento de outros vinte e três réus não sentenciados no processo de 1981. A sentença deste será abreviada para SENT88, pois foi proferida na audiência de 13 de dezembro de 1988.

O primeiro recurso contra a SENT88 foi apreciado pelo 1º Tribunal de Recursos, cuja sentença indico por SENT90, e o segundo recurso foi julgado no 2º Tribunal, e sua sentença é indicada por SENT93. Os relatórios mais importantes são SENT81, SENT83 e SENT88, pois os outros se limitam a confirmar as condenações.

A Itália deu publicidade a quatro volumes dos autos do processo PAC-bis: o das sentenças SENT88, SENT90 e SENT93 e o do *Iter Storico*. O estado permitiu a difusão desses volumes porque neles se romanceia a pretensa culpa de Battisti, forjada pelos delatores e os magistrados.

Mesmo assim, essas sentenças são importantes para o leitor imparcial que procura a verdade, porque contêm algumas contradições e numerosas lacunas, que permitem deduzir que os fatos relatados sobre Battisti (nem sempre os dos outros réus) são produto de uma sutil montagem. A Itália deve ter imaginado que *quase ninguém* faria essa leitura e então era melhor difundir os mitos dos delatores em vez de guardar um silêncio absoluto sobre eles.

Já as SENT81 e 83 *não* foram difundidas. É natural: nelas fica evidente que Battisti *fora acusado apenas de crimes políticos,* e não de homicídio. Entretanto, a França viu-se obrigada a exigir, para processar a extradição de 2004, alguns documentos, mas estes foram entregues pelos italianos de maneira lenta, tardia e incompleta.

Nas SEN81 e SENT83 Battisti é acusado inicialmente de delitos políticos, e só após 1983, *por causa da captura de Pietro Mutti,* é delatado por este como se estivesse envolvido nas mortes.

Houve outras três sentenças, em 1985, 1986 e 1987, que foram anuladas pela Corte Suprema, aparentemente por objeções relativas aos membros do júri, mas a informação sobre isso é superconfusa.[61] Os documentos e as "provas" originais (se é que realmente houve), e também os próprios relatórios, são mantidos na escuridão.

Aprimorei um pouco essa informação com textos de jornais italianos da época, pois nossos amigos na Europa não conseguiram acesso a nenhum arquivo judicial sobre o caso. Então, não sabemos se existem perícias, ocorrências, dados das "testemunhas", provas físicas, transcrições de debates e interrogatórios etc. Pessoas vinculadas ao caso, ainda vivas em 2009, *não puderam ser encontradas* ou não permitiram ser entrevistadas.

## A blindagem italiana

Em julho de 2009, amigos europeus da área jurídica e jornalística não foram atendidos no Tribunal de Milão, na Via Freguglia, e não receberam resposta quando indagaram sobre como podiam localizar o antigo arquivo dos processos dos PAC. De fato, existem dois tipos de *blindagens*.

Um tipo é a blindagem de acesso aos arquivos inacessíveis aos alheios ao círculo de confiança dos magistrados. O outro é a blindagem interna dos próprios textos. Por exemplo, a SENT88 é de fácil acesso, mas ela descreve em seu interior poucos documentos originais dos processos. Quando menciona algum, usa um código como este: "fald. 20 cart. 3 vol. 5",* que aparece na pág. 156 da SENT88. Mas não houve nenhuma maneira de ter acesso ao mencionado arquivo/pasta 20.

---

\* Esta sequência indica: *faldone* 20, *cartella* 3, *volume* 5; ou seja, arquivo-pasta 20, ficha 3, volume 5. Esses dados localizariam o documento original, desde que se tenha acesso aos arquivos, mas isso não foi conseguido. Além disso, citações como esta são pouco frequentes nos volumes que temos.

Todos os autos que pude conseguir estão em meu site,[62] mas as SENT88-90-93 estão também em outros locais.[63] O escritor italiano Valerio Evangelisti, possuidor de abundante informação, tem dado várias entrevistas e escrito diversos artigos sobre os cenários ocultos do processo.[64]

*O próprio governo de direita francês, cúmplice da Itália na extradição de Battisti de 2004, tampouco teve acesso completo a documentos essenciais. É muito conhecido, em várias línguas, um texto em forma de perguntas e respostas de Valerio Evangelisti para a revista* Carmilla.[65] *Veja a resposta à pergunta 14. A pergunta é irrelevante. São interessantes os dados que estão na resposta.*

Resposta de Valerio:

[...] Não esqueçamos que Armando Spataro [principal procurador do caso PAC] tem fornecido alguns detalhes sobre o caso, somente *quando a campanha a favor de Battisti começou a criticar o julgamento.* Tampouco esqueça que o governo italiano só aceitou entregar oitocentas páginas de documentos *um dia antes da sessão que devia decidir o novo requerimento de extradição* [refere-se ao de 2004]. [Todos os grifos são meus.]

As folhas que obtivemos são cerca de 2.400 mil, mas, segundo os autores de livros financiados pela Itália, o arquivo total consistiria em cinquenta e três *faldoni* (pastas de arquivo que podem conter mais de quinhentas folhas cada uma).

## O carcereiro Santoro

Antonio Santoro (1926-1978) era comandante dos carcereiros da prisão de Udine e foi executado por um comando dos PAC nessa cidade no dia 6 de junho de 1978. Era conhecido entre os detentos e seus familiares como torturador, sendo denunciado em vários documentos como organizador de tormentos e violador dos direitos dos presos.

Arrigo Cavallina o conheceu quando esteve preso pela primeira vez (1975-77) e, segundo lembranças de outros detentos, Santoro teria proibido socorrê-lo quando sofrera um acidente. Pode observar-se o sentimento existente entre os presos no seguinte texto, escrito por ex-presidiários e publicado numa coletânea sobre a memória da repressão na Itália:

> A propaganda do sistema pretende nos escandalizar porque na Argentina, enquanto se joga futebol [Copa de 1978], milhares de pessoas são sequestradas [...] porém, a Argentina é aqui também [...] Milhares de operários nas cidades italianas são sepultados nos *lager* dos estados democráticos, chamados "cárceres especiais", condenados ao *isolamento perpétuo, à privação das relações sociais, dos afetos, da percepção, da assistência médica.* São condenados a morrer lentamente; é um genocídio de mãos limpas [...]
>
> Durante muito tempo, Udine é destinado a *lager* especial [...] O *comandante canalha Antonio Santoro* era a pessoa perfeitamente adequada para o projeto de extermínio desejado pelos partidos constitucionais: massacrador de detentos de longa data; *existem denúncias e processos em curso* [...][66] [Grifos meus.]

Várias denúncias de presos e seus parentes contra Santoro foram registradas pelas autoridades, pois alguns magistrados eram contrários às torturas; mas todas ficaram arquivadas, sem investigação. Em seu livro sobre o *Lager*, Cavallina afirma que Santoro havia sido submetido a um processo por espancamento de detentos, que foi arquivado.[67]

Logo após o homicídio de Santoro, os PAC divulgaram um manifesto no qual sintetizavam a ideologia do grupo. Denunciavam o trabalho quase escravo, a repressão em sistemas prisionais aterradores, o aniquilamento psicológico e moral etc. Convocavam à luta contra o genocídio gradual e à construção de organizações armadas expansivas.

A forma como morreu Santoro parece ter sido "maquiada", porque as narrações dos delatores e comentários dos juízes divergem em detalhes importantes. Todavia, cruzando várias versões, fica como mais provável este relato:

O atentado teria sido executado em Udine (SENT88, p. 224; ITER, p. 11) durante a manhã do dia 6 de junho de 1978, com *dois* tiros de uma pistola Glisenti disparados nas costas por um homem jovem, que fingia estar namorando uma garota ruiva no momento em que Santoro passava a pé pela calçada onde eles estavam. Em outros documentos disse que o homicídio ocorreu com *três* tiros. Não se conhece nenhum relatório de balística sobre esse caso.

> Nessa época, Pietro Mutti foi acusado em duas investigações policiais (uma de Milão e outra de Udine) *de ter sido ele o autor dos tiros* contra Santoro. Uma dessas investigações foi da Polícia Militar (*carabinieri*) e a outra do serviço de inteligência policial (Digos).

## O açougueiro Sabbadin

Lino Sabbadin (1933-1979) era um açougueiro da vila de Caltana di Santa Maria di Sala, no Vêneto, e estava filiado ao MSI, o mais tradicional grupo neofascista. As mídias brasileira e italiana afirmaram que a acusação de fascista contra Sabbadin era uma mentira da esquerda. Todavia, o diário conservador *Il Giornale*, de 15 de janeiro de 2009, enumera os mortos pelos PAC assim:

"Antonio Santoro, carcereiro, *Lino Sabbadin, açougueiro filiado ao MSI* [Grifo meu]. Andrea Campagna, agente [da polícia]".

A morte do açougueiro foi reivindicada pelos PAC como uma das ofensivas contra o pacto social, pois Sabbadin pertencia a um grupo paramilitar que matava ladrões e outros marginais. Os idealizadores do homicídio queriam assustar os parapoliciais para que renunciassem a usar o assassinato aleivoso contra qualquer marginalizado. O fato que deflagrou a execução foi o seguinte:

No dia 16 de dezembro de 1978, dois homens armados entraram no açougue de Lino. O jornalista Marco Immarisio, no *Corriere della Sera*, conta que um deles mostrou uma pistola, exigindo o dinheiro. Outros jornais os identificam por seus nomes: Elio Grigoletto, de vinte e três anos, e Luciano Conti, de vinte anos, habitantes de pequenas favelas do Vêneto.

*Il Mattino di Padova* afirmou que o açougueiro reagiu de imediato abrindo fogo, enquanto o *Corriere* disse que um dos assaltantes o derrubou com uma coronhada.[68] Nesta versão, Lino teria reagido no chão, atingindo Enio com um tiro certeiro, próprio de um atirador profissional. Enio morreu pouco depois, e não se encontram registros de que o açougueiro estivesse ferido. Dois meses mais tarde, Lino foi morto como retaliação pela execução dos ladrões.

No dia 16 de fevereiro de 1979, dois jovens entraram no açougue, um deles armado com uma pistola. O filho Adriano relatou depois que ele estava num recinto interno quando ouvira a pergunta: "Quem é Lino Sabbadin?", e, em seguida, a resposta afirmativa do pai. (Em outros relatos, não se menciona essa resposta, e afirma-se que os matadores se identificaram como inspetores de higiene.) Depois, ele ouviu vários disparos.

Quando Adriano chegou ao balcão, viu um sujeito aplicando um tiro de misericórdia no pai. *O resto varia de um relato a outro*. A esposa, Amalia, declarou ao Tribunal de Milão que um dos ladrões disparou logo a *brucia pelo* (queima-roupa) e que seu marido caiu em decorrência do tiro.

## O ourives Torregiani

O ourives Torregiani é a mais conhecida das vítimas dos PAC. Ele tinha influência econômica e política, proximidade com a mídia e os fatores de poder e era membro de um grande grupo parapolicial chamado *Maggioranza Silenciosa* (Maioria Silenciosa). Continuou sendo importante depois de morto. Seu filho Alberto foi ferido por uma bala que seu pai disparou por engano durante o ataque no qual foi executado. Ficou paraplégico e está em uma cadeira de rodas.

A justiça italiana e a mídia de ambos os países utilizaram permanentemente o sofrimento do rapaz para impulsionar a campanha contra Battisti no Brasil. É importante ter em conta que o jovem Torregiani conseguiu uma pensão pleiteada durante muito tempo. Mas isso só aconteceu *depois que ele aceitou falar pela TV* durante o julgamento francês do caso Battisti, em 2004.

## Quem era Torregiani?

Pierluigi* Torregiani (1936-1979) morava em Milão e costumava andar com armas, colete à prova de balas e guarda-

---

* O nome de Torregiani aparece às vezes escrito Pierluigi e outras Pier Luigi. Tenho adotado o que aparece com maior frequência nos documentos oficiais.

-costas. Apesar da violência do lugar, pessoas comuns usavam para defesa pessoal pistolas pequenas, e não vestiam colete nem contratavam guarda-costas. Mas jornais e documentos judiciais coincidem em afirmar, sem nenhuma divergência, que Torregiani portava uma Smith & Wesson 38 (SW38), da série 59, do tipo 9 x19 mm Parabellum, adotada pela marinha americana. Algumas acrescentam que ele carregava comumente outras duas pistolas.

Alguns justificaram as precauções do joalheiro por causa de um assalto em sua loja em 1966, mas, no tempo transcorrido desde essa data (treze anos), nunca havia sido novamente atacado. Aliás, se Torregiani procurava apenas se defender, teria evitado o confronto com assaltantes, em vez de transitar à noite por Milão com joias valiosas, acompanhado por seus filhos, que ficariam expostos caso eclodisse um tiroteio.

A mídia progressista dos anos 1970, como o jornal *La Repubblica*, insinuava que o ourives não evitava os assaltos, mas *procurava o confronto* como pretexto para matar os ladrões, mesmo quando estes não eram assassinos. Uma possível prova dessa denúncia emerge de um tiroteio que o ourives provocou num restaurante de Milão e que foi descrito de maneira coincidente por quase todos os jornais importantes (*Corriere, Repubblica, Giornale, Notte* etc.)

No dia 22 de janeiro, por volta das 23 horas, Pierluigi Torregiani, com sua filha Marisa, seu cliente Valerio Lo Cascio, uma senhora chamada Adele Bianchi, seu marido e duas amigas sentaram-se no restaurante Transatlantico da Via Malpighi. Numa mesa vizinha estava o comerciante Vittorio Marcello Consoli e em outras o jovem Giancarlo, da dinastia dos condes Dal Verme, e o cliente Pinuccio Fanni; não estavam no grupo de Torregiani.

Passada a meia-noite, entraram dois homens armados, que mandaram que colocassem seus pertences em cima da mesa.

Sem que os bandidos abrissem fogo, Torregiani puxou sua arma do bolso e disparou, sendo seguido por seu parceiro Lo Cascio, que atirou várias vezes. Observe a descrição do *Corriere della Sera,* um jornal inimigo da luta armada: "Isso é um assalto, tirem tudo o que tiverem". *Ninguém viu* que Torregiani deslizou sua mão no bolso e tirou sua pistola. [Grifos meus.][69]

Torregiani pegou os assaltantes de surpresa, num ato que não era "defesa própria", porque não era uma *resposta* a um ataque em andamento, nem existia ameaça imediata de receber tiros. O local foi sacudido por um nutrido tiroteio. Assustado, o comerciante Consoli foi para a porta, para sair.

As informações finais sobre esse confuso incidente foram: (1) Morreram o ladrão siciliano Orazio Daidone, de 34 anos, e o comerciante Consoli. (2) Ficaram feridos Giancarlo Dal Verme, no fígado, e Pinuccio Fanni, gravemente.

Algumas fontes afirmam que Torregiani levou um tiro nas costas, mas não revelam a gravidade da ferida. Aliás, notícias do dia seguinte indicam que recebeu alta hospitalar poucas horas depois. A polícia não explicou os detalhes da briga nem suas consequências. A opinião de que os mortos e feridos foram alvo das armas do ourives e seu amigo era *prevalente* entre os analistas. Provavelmente, alguns jornalistas tiveram acesso informal à perícia balística, que não foi divulgada. O boletim policial, assinado pelo chefe da patrulha Antonio Pagnozzi em 24 de janeiro de 1979, não foi mencionado até muito tempo depois.

Jornais como *La Notte* e *La Repubblica* acusaram Torregiani de "xerife pistoleiro" e de "jagunço" e repudiaram sua atitude de exibir em sua loja uma foto do cadáver do bandido. O alarde de usar o macabro troféu produziu nojo até na mídia de centro-direita e moveu uma onda de repúdio ao atirador. Até a imprensa sensacionalista da Itália, que sempre estimula e aplaude o extermínio de marginais, ficou calada.

O filho de Pierluigi, Alberto Torregiani, em seu livro de memórias *Ero in Guerra, ma non lo sapevo* (vide comentário em *Corriere della Sera*),[70] afirma que seu pai não havia matado ninguém, mas reconheceu que a bala que o deixara aleijado tinha sido disparada por ele no dia de sua execução.

Os atos de linchamento de marginais por Torregiani e Sabbadin reforçam o conceito de "pacto social" utilizado pelos PAC. Apesar de não se conhecerem, o ourives e o açougueiro eram membros do movimento denominado *Maggioranza Silenciosa*, fundado em Milão em 1971 e difundido por todo o norte. Os alvos dessa gangue eram marginais diversos (ladrões, assaltantes, mendigos), mas também piquetes de grevistas e estudantes. Tecnicamente, o movimento não era terrorista e discordava dos estragos neofascistas, mas sua mensagem era similar. Luciano Buonocore, um dos fundadores, dizia que todo antimarxista era bem-vindo. Um longo e bem articulado histórico escrito pelos próprios "silenciosos" dá uma boa ideia da organização.[71]

## O homicídio de Torregiani

Pierluigi foi morto na porta de sua loja de Milão por um grupo dos PAC, no mesmo dia em que Sabbadin era executado no Vêneto. Em Milão, às 15 horas do dia 16 de fevereiro de 1979, Torregiani se dirigia a pé a sua loja, acompanhado de dois filhos. Pela mesma calçada iam, um pouco a sua frente, dois rapazes, que, num dado momento, giraram em sua direção e abriram fogo. O ourives tirou uma de suas armas e respondeu aos disparos. Ficou ferido em várias partes e acabou morrendo durante o transporte ao hospital. O relatório médico-legal disse que "um projétil alveja o filho e o fere gravemente".

## O motorista Campagna

O quarto homicídio dos PAC foi o de um motorista calabrês do Digos (um departamento investigativo da polícia), Andrea Campagna (1954-1979).

Após a captura de várias dúzias de membros dos PAC, em fevereiro de 1979, Campagna esteve entre os motoristas que trasladaram os detidos entre a prisão e o tribunal de Milão. Alguns dos ativistas de esquerda afirmaram que ele teria torturado os prisioneiros que transportava, *mas isso não foi confirmado*.

No dia 19 de abril de 1979, às 14 horas, Andrea ia procurar seu carro para dar uma carona a seu sogro, Lorenzo Manfredi. Na zona de estacionamento, de maneira súbita, apareceu um jovem que lhe disparou rapidamente cinco tiros de revólver. Em seguida, entrou em um Fiat guiado por outro e fugiu em alta velocidade. Campagna morreu durante o transporte ao hospital.

# CAPÍTULO 7
## ESMAGUEM OS MONSTROS!

Como entra nesta história Cesare Battisti? Começamos este capítulo falando de sua vida em Latina, de sua educação e sua família, da primitiva militância. Mas essa vida juvenil mergulha rapidamente no caos coletivo das grandes cidades italianas, onde os movimentos progressistas lutavam para se defender do sistema e do fascismo. O grupo do bairro milanês de La Barona foi o germe do qual surgiram, de maneira espontânea, os Proletários Armados para o Comunismo. Os fascistas e seus cúmplices encheram aquelas ruas de sangue e, após as quatro mortes do PAC, transformaram aquele refúgio num campo de concentração. Mas a repressão precisava de tortura, e esta foi aplicada por policiais, sob o olhar atento e, talvez, cobiçoso dos algozes togados.

## O ambiente de Cesare Battisti

Vejamos um *flashback* sobre a inserção de Battisti nos PAC, e comecemos com alguns aspectos gerais de sua biografia.

Battisti nasceu em Cisterna de Latina (Lácio), numa família na qual coexistiam várias crenças: a mãe era católica e o pai, o avô e alguns irmãos eram comunistas. Em seu livro *Minha Fuga sem Fim*,* conta que, durante sua infância,

---

* Este livro é uma tradução da versão francesa, *Ma Cavale*, feita por Dorothée de Bruchard, publicada pela Martins Editora de São Paulo em 2007.

assistia com seu pai às manifestações comunistas, mas que se afastou aos poucos da ideologia familiar. Aos treze anos começou o colégio e, como muitos outros adolescentes italianos, recebeu o impacto da agitadíssima sociedade da época. Abandonou os estudos em 1971. Após os fatos de 1968, que marcaram a juventude de toda a Europa, decidiu participar das passeatas e atos de Lotta Continua, que estava no ápice de sua popularidade; tempos depois, relacionou-se com a Autonomia. Como os movimentos de desempregados, mulheres, minorias, negros e latinos nos EUA, os autonomistas italianos lutavam contra o racismo, a repressão, a tortura, o militarismo e a brutalidade policial.

Em *Minha Fuga*, Battisti conta que "conheceu um militante que falava outra linguagem", numa alusão ao professor Arrigo Cavallina, cujo estilo era rebuscado e pomposo. Por sua vez, Arrigo relata esse encontro vinte e oito anos depois, em seu livro autobiográfico[72] e conta que conheceu Cesare em 1977, no cárcere de Udine, onde, segundo ele, ambos estavam presos por infrações pequenas.

Segundo a história oficial, quando ambos ficaram livres, o professor pôs Cesare em contato com outros membros dos PAC. Como em todo processo fluente e clandestino, não se sabe quando Cesare entrou "oficialmente" para os PAC, mas em abril de 1978 participou da primeira ação do grupo: uma expropriação para editar a revista *Senza Galere*.

## Os grupos populares

La Barona, onde morava grande parte dos PAC, é um bairro da periferia sul de Milão. No fim de 1974, alguns adolescentes criaram nele a comunidade Coletivo Autônomo Antifascista Barona (CAAB), unidos pela amizade e por um vínculo ideológico amplo. Os meninos se reuniam em bares e ruas para discutir sobre a sociedade. Grupos similares foram se espalhando por Milão.

Os jovens de La Barona mantiveram seu espaço *autônomo*: não dependiam de partidos nem de empresas, atuavam no começo dentro da lei, e eram obrigados a uma permanente vigilância contra ataques fascistas.

Na mesma época e local, os rapazes de extrema direita se reuniam na igreja de San Babila, onde se preparavam para a cotidiana agressão contra garotos e garotas com aspecto *hippie* e contra os esquerdistas de qualquer idade e aparência. Todavia, a maior de todas as provocações fascistas havia acontecido no centro de Milão um pouco antes da criação dos PAC. Foi em 12 de abril de 1973, quando a Frente da Juventude, braço mirim do partido fascista MSI, cujo chefe na região era Ignazio La Russa (que seria ministro da Defesa em 2009), participou de uma passeata organizada por todos os grupos fascistas de Milão.

Seu objetivo era executar vários atentados com explosivos, dos quais culpariam a esquerda. Os manifestantes feriram um policial e um pedestre e destruíram uma escola e um albergue de estudantes. Dois jovens do grupo fascista *La Fenice* lançaram uma granada que matou outro policial, Antonio Marino. Foram condenados a dezoito e dezenove anos de prisão, mas o Tribunal de Milão os absolveu pouco depois.

Em 1975, o grupo de La Barona tinha cerca de cinquenta militantes, que distribuíam panfletos com conteúdo ideológico e ocupavam prédios não habitados. Logo em seguida, ganhou a antipatia do PCI local, que acusava os ativistas de voluntarismo e até de "fascismo". Os pró-soviéticos difundiram o boato de que o golpe de 1973 no Chile fora motivado pelo ativismo "violento" da esquerda radical, que teria atrapalhado o trabalho honesto dos comunistas. Mas alguns sabiam que o PC do Chile (PCCh) havia tentado, antes do italiano, uma aliança com a DC chilena, e esta o havia traído, unindo-se aos fascistas do Partido Nacional e ajudando no sucesso do golpe.

Em setembro de 1976, o CAAB editou um pequeno jornal de educação ideológica e propostas políticas que se tornou um sucesso e mudou de nome para Coletivo Autônomo Barona (CAB), que representava melhor seus objetivos atuais, que iam além da simples luta contra o fascismo.

A despeito das difamações oficiais, os jovens do CAB não eram vistos pelos vizinhos como baderneiros, mas como amigos que ajudavam a lidar com os problemas dos populares (lazer, custo de vida, habitação, drogas, trabalho ilegal, crianças etc.). Nessa época, os grupos não praticavam violência, e seu *slogan* era "Contra a violência, sempre a resistência".

Utilizavam os métodos anarquistas: vigilância nas ruas contra abusos policiais, propaganda cultural, exposições fotográficas, convocação de operários às greves, educação política. Inicialmente, os operários também eram simpatizantes dos Coletivos e muitos abandonavam seus serviços aos sábados, quando ouviam o chamado dos ativistas para não trabalhar aos fins de semana. Os atritos entre a esquerda e os operários floresceram apenas onde o PCI semeava cizânia por meio de seus delatores e pelegos.

Em 1977, pela primeira vez, os grupos de Milão abordaram o problema da luta armada e a necessidade de estender sua ação fora dos bairros para atingir a grande massa. A decisão de trocar a educação ideológica pela ação direta foi gradual e imposta pelas circunstâncias; passou-se algum tempo até que uma parte dos ativistas do grupo se reconhecesse como o grupo PAC.

## Banho de sangue

O CAB foi assaltado pela polícia dezoito horas após a morte de Pierluigi Torregiani, em 17 de fevereiro de 1979, quando a Divisão de Investigações e a Esquadra Móvel lançaram uma violenta *blitz* que durou até o dia seguinte, e prenderam e torturaram qualquer possível suspeito.

Durante o ataque, Sante Fatone e Sebastiano Masala, membros dos PAC, fugiram, mas a polícia prendeu alguns simpatizantes: Sisinnio Bitti, de trinta e um anos, Marco Masala, de dezoito, e o grupo formado por Umberto Lucarelli, Roberto "Bob" Villa, ambos de dezoito, e Fabio Zoppi, de dezenove. Uma semana depois, a justiça soltou esses três, porque era impossível inventar vínculos deles com o homicídio de Torregiani.

Já Marco Masala era membro dos PAC e Sisinnio era um simpatizante, mas mostraram aos magistrados um álibi irrefutável. No dia da morte de Torregiani haviam trabalhado em período integral, Sisinnio na clínica Mangiagalli, onde era paramédico, e Marco na empresa *Condor*, e ambos foram vistos por dúzias de colegas.[73] Mesmo assim, os inquisidores inventaram um pretexto qualquer para mantê-los presos.

Alguns dos fatos seguintes estão relatados no *blog* de Franco Vite, um jovem historiador do anarquismo e militante de direitos humanos.[74]

Ambos os militantes foram torturados tanto quanto era "permitido": murros e tapas no rosto, fósforos acessos na genitália, pancadas com bengalas no peito e no estômago, afogamento, "telefones", e assim por diante. A Direção de Investigações (Digos) não podia mutilar os prisioneiros, pois na Itália não existia o método dos "sumiços" como na Argentina. Apesar disso, Sisinnio e Marco só sobreviveram após internação hospitalar.

Uma vez soltos, com as sequelas dos suplícios já amenizadas, Marco e Sisinnio se reuniram com os outros membros do CAB e continuaram suas atividades: denúncia do sistema prisional, coleta de assinaturas em favor dos presos e ensinamentos para a comunidade sobre o verdadeiro papel da repressão. Os algozes sabiam que o CAB albergava esquerdistas boêmios, mas difundiram a imagem de que era um covil de assassinos. Todavia, no começo, nem a brutalidade policial nem a campanha dos jornais conseguiam afastar a solidariedade dos pobres.

O linchamento físico foi acompanhado do linchamento moral: como no título do filme de Bellocchio *Sbatti il mostro in prima pagina*, os jornais "esmagaram o monstro na primeira página". As manchetes se referiram aos autonomistas como "assassinos de Torregiani", "gangue político-criminal", e assim por diante. O massacre de La Barona não estava isolado da repressão nacional, pois o próprio presidente da República parabenizou os autores. A solidariedade inicial dos moradores foi se tornando impraticável por causa da intensa repressão.

A falta de provas contra os detentos soltos dias antes não foi empecilho para continuar a caçada. Dois delatores relataram que Sisinnio Bitti estava conversando com outros no local de um partido de esquerda, mas esse partido *não havia sido declarado fora da lei*. Os magistrados não se detiveram por minúcias como "presunção de inocência". Sisinnio foi pego e condenado a três anos e meio de cadeia, após receber sua dose de tortura. Foi o mais explícito narrador dos tormentos praticados por policiais e juízes.

Os magistrados sabem bater

No dia 25 de janeiro de 1980, Bitti pediu para ser escutado e foi levado à presença de Armando Spataro. Embora Bitti jamais o denunciasse como seu torturador, falava-se à boca pequena de seu importante papel na idealização, monitoramento e verificação dos tormentos. Sisinnio, na frente de Spataro, declarou:

> Retiro tudo o que disse durante os interrogatórios do caso Torregiani, pois fui induzido a fazer essas declarações por causa das torturas que sofri da parte da polícia. Começaram a me bater e a me perguntar o que sabia sobre Torregiani, e eu disse que não sabia nada, absolutamente nada a esse respeito. Havia uma pessoa que me espancava nas costas e outra que, sentada numa cadeira, apertava minhas têmporas com os punhos e me pressionava sob as orelhas. Outro me espancava no meio das pernas, no estômago e nos testículos. Depois, fui colocado perto de uma torneira [...] onde me obrigaram a deitar num banco de madeira. Aí, fui forçado a beber a água que chegava por um tubo conectado à torneira, aberto ao máximo. Ao mesmo tempo, outra pessoa espancava meu estômago com os joelhos, obrigando-me a vomitar a água engolida.
>
> Tudo isto se repetiu três ou quatro vezes, sempre acompanhado das mesmas perguntas e respostas. Depois de tudo isso, eu desmaiava e ouvia a Marco Masala gritar. Alguém veio me perguntar se Marco sofria de ataques de epilepsia e falou que o levariam a um hospital. [...] começou uma série de torturas ao final das quais eu já não podia resistir. Então, admiti na frente dos policiais tudo que pretendiam que eu dissesse.

Armando Spataro sempre negou a veracidade dos fatos. Em sua autobiografia[75] (p. 149), usa seu estilo rancoroso e amargo para se queixar de que, nos anos 1970, os magistrados eram denunciados pela revista *Il Manifesto* e jornais como *La Repubblica* (que era oposto à luta armada) comparando as torturas italianas com as do "*lontano paese sudamericano*" (Argentina).[76]

Após a *blitz* dos dias 17 e 18 de fevereiro de 1979, a polícia aumentou sua pressão sobre La Barona. Segundo pesquisadores italianos e britânicos de direitos humanos, houve treze denúncias de tortura, das quais oito foram feitas pelos próprios detentos e cinco pelos parentes. As denúncias foram aceitas para disfarçar, mas, um ano depois (no dia 8 de maio de 1980), as queixas por tortura encontraram seu destino final no arquivo do juiz instrutor Giuliano Turone.

Os magistrados, especialmente o procurador Alfonso Marra, desprezaram as alegações de tormento porque as vítimas não tinham marcas e porque não havia testemunhas (*sic!*). Aliás, como já foi dito, na Itália a tortura não é crime, e só poderiam ser julgados autores de torturas que gerassem ferimentos; mas esses casos de ferimentos também ficavam impunes.

As denúncias coincidem com as do relatório de 1979 da Anistia Internacional, que denuncia a detenção sem julgamento de grupos da Autonomia Operária. A organização se referia a tormentos aplicados a nove pessoas detidas pelo homicídio de Torregiani, e declarava ter recolhido, em apenas dois meses, um grande volume de denúncias. Os pesquisadores enfatizaram, numa declaração ao jornal *Espresso* publicada no dia 21 de março de 1982, o seguinte:

> *Nossas fontes não incluem apenas vítimas, mas também há cartas de policiais que se lamentam do uso permanente da tortura contra presos políticos.* [Grifo meu.].

Há um detalhe muito importante, que elimina a ideia de que os agentes públicos pudessem ter, naquele momento, qualquer indício sobre a cumplicidade de Battisti naquelas mortes.

As detenções visavam apurar a morte de Torregiani. A polícia perguntou a todos os torturados se haviam participado do homicídio e quais eram seus cúmplices. Para aliviar os tormentos, muitos deles mencionaram pessoas quaisquer, mas *ninguém mencionou Battisti*. A polícia ofereceu algumas "iscas" para que os torturados engolissem, e vários foram interrogados sobre diversas pessoas. Todavia, *ninguém* perguntou por Cesare.

# CAPÍTULO 8
## PRIMEIRO JULGAMENTO

Este capítulo começa com uma descrição dos magistrados que participaram dos julgamentos dos PAC. Continua com um relato detalhado do primeiro julgamento em duas instâncias, utilizando como base as sentenças de 1981 e 1983 do Tribunal do Júri de Milão. Encerra-se o capítulo com a evasão de Battisti do presídio de Frosinone, perto de Roma.

## Os magistrados

O procurador mais famoso no caso dos PAC foi Armando Spataro (nascido em 1948). Atualmente (2012), milita nos Movimenti Reuniti, uma tendência intermediária entre a Magistratura Independente e a hoje centrista (e quase extinta) Magistratura Democrática.

Quando era um jovem magistrado em Milão, Spataro teve uma atuação decisiva no caso Battisti; sua obsessão contra o escritor é um traço duradouro de sua carreira até hoje, como se percebe em todos os seus comentários sobre ele.

Em janeiro de 2008, Spataro disse ao *Corriere della Sera* que Battisti *"giustiziò"* Torregiani, usando uma expressão equivalente a "executou" ou "assassinou". O termo italiano não significa "planejar um crime", nem mesmo "provocar a morte", mas matar *diretamente* estando no local do homicídio.

Todavia, em documentos oficiais (por exemplo, SENT88), afirma-se categoricamente que Battisti *não estava* no lugar do crime. O procurador insistia, vinte e nove anos depois, porque queria aumentar o clima negativo contra Battisti, que estava preso no Brasil, e sabia que o público não conhecia os detalhes. Então, daria mais "cheiro de sangue" acusá-lo de matar o ourives com suas próprias armas que atribuir-lhe apenas a autoria moral.

Tanto em suas conversas com a mídia como em seu livro, o magistrado mostra simpatia, talvez inconsciente, pelo maniqueísmo lombrosiano e pela antropologia oficial alemã dos anos 1930. Por exemplo, ele declarou à revista italiana *Panorama* que Cesare era um "assassino *puro*".[77] Perguntado várias vezes por jornalistas estrangeiros sobre a falta de provas em alguns julgamentos, respondia com agressividade, tratando seus interlocutores como provocadores. Na entrevista do *L'Express* de março de 2004, respondeu às objeções sobre o processo dos PAC com um tom quase racista contra a imprensa francesa.

Pietro Forno (nascido em 1946) foi o instrutor principal do primeiro processo coletivo dos PAC.[78] Em 2007, Forno teria comentado ao *Criminal Magazine* que "Battisti era tão perigoso como antes", mas não mencionou nenhuma acusação contra ele desde 1979.[79] Entretanto, alguns militantes da época afirmam que Forno declarou inocentes vários indiciados em inquéritos.

Ele é titular, desde 1992, da área de Violência Sexual e Pedofilia da procuradoria de Milão, e foi criticado fortemente pela Igreja por denunciar que as hierarquias católicas se recusam a fornecer informações sobre padres pedófilos.[80]

Corrado Carnevali (nascido em 1941), membro do Ministério Público (MP) de Milão, tomou conta do caso Torregiani e desqualificou as denúncias de tortura apresentadas pelos prisioneiros torturados, rotulando-as de *invenções*. Carnevali pediu condenações de trinta e sete membros dos PAC em maio de 1985.[81]

Giuliano Turone também fez parte do grupo de magistrados que interveio no caso dos PAC, mas seu papel não parece ter sido tão destacado quanto o dos outros. Em julho de 2011, ele publicou um livro sobre o caso Battisti.[82]

## A Gestapo Spaghetti

Entre março e maio de 1979, o movimento dos PAC se extinguiu e seu nome nunca mais foi usado. Enquanto isso, os antigos membros se encontravam isolados, sem poder se integrar à vida normal, pois sempre haveria policiais em seu encalço. Estudar, trabalhar, procurar emprego, namorar, tudo estava sob o controle de tiras, alcaguetes, delatores...

Em Milão, a caçada aos PAC continuou. Em junho de 1979, um grupo de policiais assaltou o apartamento de Silvana Marelli, na Via Castelfidardo, perto dos bastiões de Porta Nova. O local foi estourado de surpresa, na hora de sono mais profundo, e foram encontrados quatro rapazes, entre eles, Cesare Battisti.

Os tiras apreenderam algumas armas, que foram descritas na SENT81: (1) um fuzil AXM 7.62, (2-3) duas pistolas de 9 mm, uma Browning e outra Beretta, (4-5) dois revólveres, um 38 e um 357, e (6-7) duas granadas com detonador. A perícia declarou que *nenhuma* havia sido disparada e, segundo os relatórios oficiais, as armas usadas nos homicídios não coincidiam com essas.

Segundo a SENT88, Santoro recebeu tiros de Glisenti 10.20, e Sabbadin (p. 447 lin. 1-4) foi atacado com uma pistola semiautomática 7.65 pessoal de Giacomini. A arma que matou Torregiani e Campagna era a única cujo calibre (357) coincidia com o de uma das encontradas, mas os magistrados descobriram que era propriedade de Giuseppe Memeo. Era uma Phyton, registro 98257E (SENT81, p. 246). Essa arma foi roubada da loja Tuttosport de Alfredo Liosi, em Bergamo, um comércio que fora assaltado pelos PAC, e *não era* a encontrada na casa de Silvana. Policiais e magistrados trataram Cesare como autor de roubos, custódio das sete armas e membro de bando armado, mas *não como suspeito de homicídio*.

Nesses dias, foram detidos outros ativistas, elevando o total a cerca de oitenta. Logo após a detenção de Battisti, as autoridades o enviaram à prisão de Cuneo, que era um "armazém" para membros de grupos armados.

Algumas semanas depois, Spataro levou a Battisti uma lista de nomes de advogados selecionados por ele e lhe propôs escolher seus defensores entre esses. Cesare se negou e Spataro foi embora. Após essa tentativa de pressão, Battisti designou, numa carta *manuscrita*, dois defensores que havia escolhido pessoalmente, Gabriele Fuga e seu jovem assistente Giuseppe Pelazza.

> *Esta é a única procuração* (atualmente inacessível) que teria sido usada depois para construir, por decalque, outras procurações *apócrifas*.

Na mesma prisão, Cesare era frequentemente visitado por uma magistrada, que não entendia o motivo de sua reclusão num lugar para homicidas e militantes perigosos e o ajudou a mudar de presídio. Quando processou sua transferência, revisou a folha corrida do detento sem encontrar nada suspeito e o enviou à cárcere de Frosinone, um decadente edifício medieval perto de Roma.

Naquele período, Gabriele Fuga, o advogado que Cesare havia designado como defensor, era muito conhecido na esquerda. O homem, de cerca de quarenta anos, estava registrado como profissional de direito em junho de 1972 e mantinha vínculos com o grupo anarquista Azione Rivoluzionaria. Como defendia com muita eficiência um grande número de esquerdistas, os magistrados planejaram a destruição de sua carreira e ordenaram uma *blitz* em seu escritório.

Fuga foi capturado e transferido para Florença, onde o interrogaram no fim de abril de 1980, até que em 2 de maio, com a colaboração de um delator, acharam pretexto para mantê-lo quinze meses em prisão "preventiva". É provável que sua tortura tenha sido muito pesada, porque ficou psiquicamente destruído.[83]

## A sentença de 1981

Façamos agora um retrospecto para analisar como aparecem na sentença os fatos que conduziram Battisti à prisão.

Os textos básicos que relatam o primeiro processo coletivo dos PACs são as SENT81 e SENT83. O relatório da primeira sentença foi concluído em 27 de maio de 1981, e tem o número 20/81 no arquivo do Tribunal do Júri de Milão. O júri estava formado por dois juízes togados e seis jurados populares, sendo o presidente do conselho de sentença Angelo Salvini, e o conselheiro, Renato Samek Ludovici.

A SENT83 foi concluída em 8 de junho de 1983 (número 33/83 do Tribunal do Júri de Recursos de Milão). O júri estava integrado também por dois juízes e seis jurados. O presidente foi Dalberto Cassone e o conselheiro, Giovanni Arcai.

Dos quatro homicídios dos PAC, nessa primeira rodada tratou-se somente do caso Torregiani. Provou-se que os autores foram: Sebastiano Masala, Giuseppe Memeo, Gabrieli Grimaldi e Sante Fatone. Durante toda a SENT81 não surgiu *nenhuma suspeita* de que Battisti fosse cúmplice do homicídio.

A narração das SENT81 e 83 é relativamente transparente e linear, e elas até contêm algumas transcrições de interrogatórios e debates, como a da página 100. A partir da página 224 da SENT83, começa a narração de Pietro Mutti, que os relatores reproduzem às vezes como se fosse a posição oficial do tribunal, criando incerteza em torno da origem das declarações.

Na audiência de 27 de maio de 1981 no Tribunal do Júri de Milão, foram sentenciados coletivamente os membros da primeira turma de ativistas do PAC, que incluía quatro garotas e dezenove rapazes. Battisti e Silvana Marelli, em cujo apartamento ele havia sido preso, estavam presentes.[84]

Dos envolvidos nos homicídios permaneciam presos Gabriele Grimaldi, Giuseppe Memeo e Diego Giacomini e Sebastiano Masala. Inversamente, Claudio Lavazza, Sante Fatone e Pietro Mutti estavam foragidos. (Fólio 2, § § 1-5)

## O destino de Battisti

Junto com outros, Cesare foi acusado de crimes políticos e alguns delitos comuns conexos: tentativa de subverter o sistema político do estado; consumação de roubos e furtos; formação de um depósito de armas e explosivos; publicidade da luta armada; recrutamento de ativistas; e declaração de identidade falsa. Essas acusações estão compreendidas entre os fólios 1 e 7 da sentença.

No fólio 8, acusam-se Fatone, Sebastiano Masala, Mutti, Memeo e Grimaldi do homicídio de Torregiani, sendo Grimaldi e Memeo imputados com a ação direta e os outros com funções de apoio. Battisti *não é mencionado* em absoluto. No fim da sentença (Fólio 502) o tribunal condena Cesare pelos delitos políticos, mas *tampouco aqui se menciona nenhum homicídio*.

A condenação de Battisti foi de treze anos de reclusão. A audiência em que foi proclamada a sentença aconteceu em maio de 1981, e tomou estado público em seguida; portanto, Cesare sabia qual era a pena no momento de fugir.

## Investigações sobre Torregiani

Na audiência de 27 de maio de 1981, o Tribunal de Milão se refere várias vezes ao homicídio de Torregiani e a seus executores. Todos os documentos oficiais italianos negam a aplicação de tortura, e qualificam as denúncias de mentirosas e difamatórias da honra da magistratura italiana.

Entretanto, existiam informações consistentes de que entre nove e treze detentos haviam sido torturados, o que provavelmente incluiria vários dos reais executores dos homicídios. Salvo Bitti e alguns outros, não se conhecem exatamente os nomes, porque a magistratura obstruiu as visitas de organizações de direitos humanos, e várias queixas foram arquivadas sigilosamente.

> Por causa de todas essas manobras, nem sempre é fácil saber quais autores confessaram sob a tortura. No entanto, várias confissões se mantêm coerentemente ao longo das SENT81 e 83 e aparecem confirmadas depois, na SENT88. Essa coerência mostra que, no começo, a ideia de incriminar Cesare ainda não havia surgido e, portanto, os promotores não pensaram em deixar espaço para incluir novos culpa-

dos; isso explica, em parte, a criação posterior da "vaga" de *culpado moral* para Battisti no caso Torregiani.

Já nos primeiros interrogatórios (que começaram em 1979) aparecem os nomes dos executores, cujos relatos serão mantidos sem mudança até o fim do processo. Nas páginas iniciais da SENT81, são imputados pela morte de Torregiani os quatro que foram condenados (Grimaldi, Fatone, Sebastiano, Memeo) e também Pietro Mutti, que depois será liberado dessa acusação sem que finalmente nunca se saiba qual foi o papel dele na morte do ourives, ou se não teve papel algum.

Fatone foi o primeiro identificado, por causa do carro de sua mãe, que fora usado durante o homicídio, e cujo número de placa fora anotado por uma testemunha. A família reconheceu que o rapaz de vinte anos, desempregado, estudante do ensino médio, tinha um comportamento nervoso. Ele confidenciou a um parente, com muita agitação, que havia participado de um homicídio. Posteriormente, fugiu e permaneceu clandestino durante o julgamento, sendo capturado muito depois.

Na SENT81 (p. 349), conclui-se, após um longo texto, que os quatro indiciados como autores do homicídio de Torregiani eram realmente os culpados. Na página 425, dois deles (Fatone e Masala) foram condenados a vinte e cinco anos de prisão e outros (Grimaldi e Memeo) dois a vinte e oito. Na SENT83, a pena de Memeo foi reduzida a vinte e seis anos (p. 536).

A evasão do presídio

Em outubro de 1981, Battisti fugiu de Frosinone, ajudado por Pietro Mutti, que se reencontrava com ele pela primeira vez em vários anos.

Entre os guerrilheiros detidos que foram colegas de prisão de Battisti, muitos eram membros do Prima Linea, capturados no ano anterior durante uma operação de nível nacional. Por causa da derrota, os líderes do PL se reuniram em 1981 na Lombardia e decidiram a dissolução da organização. A medida foi aplaudida por detidos políticos de toda a Itália, que não suportavam mais a violência do estado e o encarniçado derramamento de sangue e exigiam o fim da luta. Foi então que os presos de Frosinone se comprometeram a ajudar na fuga de Battisti e lhe pediram para negociar o fim da violência com os líderes dos grupos armados. Para tanto, deram-lhe uma petição que deveria ser entregue a Mutti quando ele chegasse com seus companheiros para facilitar a fuga de fora.

Após a dissolução do PL, Mutti se pôs à frente de um pequeno grupo, os Comunisti Organizzati per la Liberazione Proletaria (COLP), cuja meta era libertar os companheiros presos para retomar a vida normal e sepultar a luta armada. No momento de reencontrar-se com Cesare, ele já estava nesse grupo e tinha como propósito libertar os companheiros presos.

Pietro Mutti chegou a Frosinone no dia 4 de outubro de 1981 com um grupo de jovens dos COLP para proceder à libertação do ex-colega, que foi realizada com a cooperação de parte dos presos. Os guardiões não opuseram resistência e nenhum dos jornais da época denunciou forma alguma de violência.

Durante a semana seguinte à sua libertação, Battisti ficou escondido em Roma, manteve contatos diários com Mutti e seus amigos, acabando convencido de que seu antigo companheiro gostaria de voltar à vida normal, mas, mesmo assim, se recusava a parar a luta até que pudesse libertar todos os companheiros presos. Mas, por causa da pressão de Cesare para encerrarem a luta armada, alguns jovens do grupo de

Mutti o chamaram de "traidor". Essa reunião foi a despedida definitiva.

Logo depois, Battisti saiu de Roma, atravessou os Alpes e chegou a Paris. Ali conheceu Laurence, uma namorada com a qual viajou ao México em 1982. Disposto a reconstruir sua vida, dois anos depois teve sua primeira filha, Valentine.

## A sentença de 1983

Após os recursos apresentados pelos condenados em 1981, o Tribunal de Apelações de Milão começou outro processo encerrado com a SENT83. Até esse momento, nada se sabia de possíveis suspeitas contra Battisti por sua participação nos homicídios.

Há dois trechos da SENT83 relevantes para explicar a perseguição que Cesare sofreu depois. Um desses trechos o menciona como ideólogo contra o sistema prisional, o que coincide com a crença de que os carcereiros o odiavam especialmente por ter *denunciado* as torturas aplicadas em Udine.

O outro trecho se refere a seu temperamento digno, pois havia sido expulso da sala de audiências por desacato verbal aos magistrados, e sua negativa a observar o ritual de reverência. Ambos os trechos da sentença, por seu estilo abrupto e sua falta de nexo, confirmam minha conjectura de que a atitude do réu enraivecia seus algozes, que pensaram nele com especial animosidade (o que não se percebe com *nenhum* dos outros réus). Pessoas com esse perfil irredutível são as que a primitiva Inquisição chamava de hereges *penitentes relapsos*.

## A captura de Mutti

Pietro Mutti será, a partir de 1982, o principal delator ou "arrependido" (*pentito*) dos PAC, cujos crimes atribuirá a Battisti. Todos os outros delatores são circunstanciais. Fatone repete algumas das narrações de Mutti e as confirma quando é interrogado. Os outros apenas contam algum caso banal.

Mutti tece uma narração elaborada, alguns de cujos fragmentos se reproduzem na SENT88, apesar de que não sabemos quais são verdadeiros e quais inventados pelos magistrados. Essa narração é muito complexa e inclui a repetição de relatos supostamente contados a Mutti por outros membros dos PAC.

Mas como foi que Mutti acabou sendo preso?

Depois de uma complicada fuga, Mutti foi finalmente pego em Roma, em 24 de janeiro de 1982. Entregue às autoridades jurídicas de Milão, declarou-se arrependido da violência, e, desde essa data até o fim do processo de 1988 (mais de seis anos), narrou supostos detalhes da realização das quatro execuções. Dedicou todo o ano de 1982 e parte do ano de 1983 ao caso Santoro.

É importante refletir sobre os motivos que fizeram Mutti se tornar delator. É fácil entender que ele quisesse se reintegrar à sociedade. Abandonar a luta armada é o sonho de muitos militantes que percebem o poder e a extrema sevícia do inimigo, e a forma como a perseguição do réu se estende a seus parentes e amigos, que, torturados, deverão pagar duramente junto com ele.

Sem dúvida, a redução da pena foi o maior estímulo para a desistência, junto com os tormentos, que, como sempre denunciaram as ONGs de direitos humanos e pesquisadores independentes, constituíram o método permanente da repressão na Itália e na Espanha.

Mas é importante saber como se teceram cumplicidades tão estreitas entre Mutti e seus próprios algozes, a tal ponto que ele parece comandar, em alguns momentos, a fabricação dos delatores. Esse "poder" de influência e evidente cumplicidade indignou os advogados, como se percebe na SENT93, na qual se transcrevem alguns trechos das críticas dos defensores.

Nas décadas seguintes, Mutti foi o único cuidadosamente protegido entre os cinco delatores, no caso, impossível de conferir, de que tenha ficado vivo e não tenha sido "apagado" como queima de arquivo. Se sobreviveu, devia ter domicílio e identidade falsos, e as simulações para despistar seu paradeiro seriam as "entrevistas" do jornalista Amadori. Isso sugere que sua função pode ter sido mais séria que a de simples repetidor dos magistrados.

# CAPÍTULO 9
## ÚLTIMO JULGAMENTO ITALIANO

Entre a evasão de Battisti e a captura de Pietro Mutti, nenhum fato novo se havia produzido no histórico jurídico do Cesare. Mas o Tribunal de Milão escutou as confissões de Mutti, que atribuiu a Battisti todos os homicídios dos PAC e de quase todos os outros delitos. Na última fase do julgamento dos PAC (conhecida como PAC BIS), cuja sentença foi emitida em 1988, foram tratados os casos dos réus que antes não haviam sido capturados, ou cujo processo não estava fechado.

### Síntese cronológica

Vamos recapitular os principais fatos dos capítulos anteriores:

**Fim de 1977** – Battisti entra nos PAC e conhece Pietro Mutti, um operário com militância na esquerda armada. Ele atua como chefe militar, apesar de o grupo não ter hierarquias formais.

**Abril de 1978** – Battisti participa pela primeira vez em operações dos PAC para financiar a revista contra a repressão prisional (*Senza Galere*).

**Maio de 1978** – Morre Aldo Moro num cativeiro das Brigadas Vermelhas. Battisti se questiona sobre o sentido da luta armada.

**Junho de 1978** – Os PAC matam Antonio Santoro, chefe dos carcereiros de Udine. Battisti sugere a Mutti a dissolução dos PAC, mas a sugestão é rejeitada.

**Fim de 1978-Junho de 1979** – Battisti abandona os PAC e permanece isolado, morando temporariamente em casas de amigos e dormindo em diversos locais de Milão.

**Fevereiro de 1979** – Os PAC executam, no mesmo dia, o ourives Torregiani e o açougueiro Sabbadin, em Milão e Vêneto, respectivamente.

**17-20 de Fevereiro de 1979** – *Blitz* policial em La Barona. Vários membros ou simpatizantes dos PAC são detidos. A Anistia Internacional denuncia nove torturados, mas fontes italianas falam de treze.

**Abril de 1979** – O motorista da Divisão Geral de Investigações (Digos), Andrea Campagna, é também executado pelos PAC.

**Junho de 1979** – *Blitz* policial na casa de Silvana Marelli, onde descobrem Battisti e outros ativistas com várias armas. Cesare e os outros são enviados à prisão.

**2 de Maio de 1981** – Gabriele Fuga, advogado experiente em acusados políticos, é preso para obstaculizar a defesa de seus clientes.

**Maio de 1981** – *Algumas fontes* indicam que Battisti, ainda preso, escreve uma procuração manuscrita e a entrega aos magistrados para habilitar seus advogados.

**Maio de 1981** – Battisti é condenado a treze anos de reclusão. É acusado de crimes políticos, mas não de assassinatos.

**Outubro de 1981** – Mutti e amigos libertam Battisti e tentam cooptá-lo para o novo grupo COLP, criado recentemente.

**Fim de 1981-início de 1982** – Cesare recusa entrar para os COLP e separa-se de Mutti. Foge para Paris em 1981, casa-se com uma francesa, e ambos se dirigem ao México, onde têm sua primeira filha.

**Janeiro de 1982** – Pietro Mutti é preso.

**1982-1988** – Mutti, denunciado como autor da morte de Santoro pela polícia investigativa e pelos *carabinieri*, é finalmente detido e passa a "colaborar com a justiça", acusando Battisti dos quatro homicídios.

**1983-1993** – Utilizando as delações de Mutti e outros, o Tribunal de Júri de Milão *reabre* a causa e condena Battisti a duas prisões perpétuas. Na SENT90 e SENT93, o $1^{\circ}$ e $2^{\circ}$ Tribunais de Recursos de Milão, respectivamente, confirmam a SENT88. A sentença se torna definitiva e o estado italiano pede a extradição.

**Junho 1984** – Sante Fatone se torna o segundo mais importante delator, confirmando as delações de Mutti. Todos os demais arrolados apenas fizeram relatos subjetivos e casuais.

## Fatos para lembrar

(1) Battisti entregou, quando ainda estava preso, uma *procuração manuscrita*, para ser defendido por um advogado. Essa procuração *ficou em poder dos magistrados*. O mandato original nunca apareceu, mas é evidente que deve ter existido, porque o primeiro julgamento foi normal, e os magistrados exigiam procurações dos advogados.

(2) Meses depois, já foragido, Battisti *assinou algumas folhas em branco, que entregou a Pietro Mutti ou outro membro dos antigos PAC, para uma eventual necessidade futura*. Todos os que fugiam da Itália deixavam folhas em branco a seus antigos companheiros. Com essas folhas em branco e com a procuração original, foram *falsificadas* três procurações usadas no último julgamento. (Vide os Capítulos 11 e 19)

Este é o *segundo* dos julgamentos *válidos*, mas é o terceiro do total, pois o segundo foi anulado pela Suprema Corte em 1987 por causa de um episódio obscuro de impugnações contra jurados.* O documento relevante para esta fase é a SENT88 (Primeira instância).

Nas primeiras páginas da SENT88 são elencados vinte e três réus. Os réus da primeira rodada haviam sido capturados em 1979, e os da última foram presos nos anos seguintes.

Battisti foi condenado pelos quatro homicídios quando ainda estava no México, onde a presença italiana é pequena. É importante sublinhar que ele *não foi formalmente indiciado pela polícia, nem denunciado pelo promotor, nem acusado pelo juiz*. Num ato totalmente desconhecido em qualquer estado de direito, ele passou *de* ser considerado autor de crimes políticos (em 1981 e 1983) a ser condenado por homicídios, sem existir representação.

Cesare não podia acompanhar os fatos nem pela mídia normal nem por contatos pessoais, pois perdera conexão com amigos e parentes. Portanto, ele não podia saber da reabertura do julgamento, que só conheceria quando voltasse à França, em 1990.

A magistratura italiana afirma que Cesare tinha informação do processo por seus advogados, mas estes lhe foram impostos sem que ele soubesse. Ainda pior, eles nunca tiveram nenhum contato com ele, conforme desabafo de Giuseppe Pelazza, um dos advogados "plantados" pelo procurador.

---

* Refiro-me ao filme dirigido por Marco Bellocchio em 1972 no qual denuncia o sensacionalismo da mídia de direita, exemplificado com um jornal imaginário, cujos donos culpam do assassinato de uma garota (na primeira página) um jovem de esquerda que era inocente. Uma curiosidade interessante é que o filme começa com uma cena de um documentário que registra um ato fascista *real* em Milão. Nessa cena, pode-se ver o principal orador juvenil proferindo um discurso; era Ignazio La Russa, que no século XXI seria ministro da Defesa de Berlusconi.

Sobre esse ponto, os detalhes se encontram nos Capítulos 8, 11 e 19 deste livro.

## A história do carcereiro

A SENT88 (224 a 313) apresenta o cenário do homicídio de Santoro, que já foi descrito no Capítulo 6, e tenta provar a autoria de Battisti, *na ausência dele*. A morte de Santoro aconteceu em 6 de junho de 1978, e a investigação começou ainda esse ano.

## Acusações contra Mutti

No dia 4 de outubro de 1978, a Divisão de Investigações **Digos**de Milão, por meio de uma denúncia confidencial, indica como *autores* do homicídio de Santoro Pietro Mutti e Enrica Migliorati. Em outubro de 1980, os *carabinieri* de Udine também afirmam que *ambos* são os autores.

Uma testemunha chamada Rosana Trentin (cujos dados pessoais não foram revelados) teria observado Mutti no cenário do homicídio. Em seguida, relata-se nos autos que ela não se sentia capaz de fazer reconhecimento, e que os investigadores desistiram de lhe mostrar fotos (SENT88, 226, 14-24).

Após a detenção de Pietro Mutti, em janeiro de 1982, o relator do processo anuncia uma *mudança de rumo*. Os redatores da sentença justificam e elogiam, já no começo, a atitude delatora de Mutti e rejeitam qualquer suspeita de que ele pudesse estar mentindo.

No dia 3 de fevereiro, Pietro Mutti comparece pela primeira vez frente ao juiz instrutor, Forno, mas as anotações taquigráficas do interrogatório não foram publicadas. Já o segundo encontro é menos misterioso. Em 8 de fevereiro, Mutti diz que ele era o motorista de um carro usado no homicídio de Santoro, e que a arma utilizada para matar Santoro era uma Glisenti 10.20. Mutti acrescenta que Battisti instigou esse homicídio e que nele atuaram seis pessoas.

## O relato de Mutti

Segundo Mutti, Cesare viajou a Udine pouco antes do crime levando duas Glisenti e um revólver 22, com o objetivo de preparar o cenário da execução e de estudar o movimento de Santoro. Pietro acusa Battisti de atirar em Santoro, e, segundo o relator, descreve o fato assim (SENT88, 230, item (11)): [Battisti] acerta com *um* tiro pelas costas, e *outros dois* tiros, quando o carcereiro já está no chão. [Grifos meus.]

Ou seja, no total, segundo Mutti, o matador teria disparado *três* tiros.

## "Confirmações" da delação

Giugliano Turone,[85] em seu livro *Il Caso Battisti* (p. 66), qualifica de "numerosas" as provas objetivas que, segundo ele, confirmam a acusação de Mutti contra Cesare. Imagino que, quando Turone fala de "confirmar" uma declaração, o padrão de referência deve ser algum documento dos autos. Assim sendo, vou citar uma das peças dos autos sobre esse homicídio: (SENT88, 224, 10-13): Um jovem [...] dispara às suas costas [de Santoro] *dois* tiros e o mata. Depois do tiroteio, sai em seu carro branco. [Grifos meus.]

Este relato menciona *dois* tiros no total, mas Mutti fala de *três*. Portanto, o relato oficial e o relato de Mutti *não coincidem*.

Entretanto, Turone (66-69) afirma que os dados fornecidos por Mutti coincidem com os encontrados nas perícias. Como as perícias não são mostradas em nenhum documento, nem mesmo mencionadas na sentença, o magistrado nos deixa com o *suspense*. Entretanto, ele não se apressa: *não* disse, como outros fizeram, que essas coincidências acusam Battisti.

No entanto, apresenta outras "provas" que não deixam, segundo ele, nenhuma dúvida sobre a culpa de Cesare. É importante ler com cuidado as páginas 64-69, porque ele entende que o depoimento de Arrigo Cavallina e de Maria Cecília Barbetta confirmam as declarações de Mutti. Uma dessas "confirmações" provém do diálogo entre Camillo Passerini, o presidente do júri, e Cavallina, em outubro de 1988.

Passerini pergunta a Cavallina se a escolha de Santoro como vítima foi sugerida por ele mesmo, por ter estado na prisão de Udine, onde Santoro era um carcereiro "severo". Arrigo Cavallina responde que sim, que foi isso que criou rancor contra o carcereiro. "E não apenas a mim, mas..." E aí se cala.

Turone pretende que essa penúltima frase de Cavallina ("E não apenas a mim, mas...") tenha sido uma *declaração-lapsus* (*sic!*), que confirmaria a denúncia de Mutti. Ele sustenta que, quando Cavallina cala, na realidade quer dizer... *Battisti!*

Esse raciocínio é fundamental em minha interpretação do sentimento inquisitorial. Segundo os próprios autos, Cavallina não completa sua afirmação, e, além disso, declara-se totalmente responsável pelo homicídio. Mas, ainda assim, Turone *afirma saber* que ele pensou em Battisti. Ou seja, o juiz (que não é da área fascista da magistratura, mas da stalinista) *leu a consciência*.

Na página 69, Turone insiste com outra "prova objetiva". É uma manifestação de Maria Cecília Barbetta, cuja declaração foi difundida por centenas de veículos da mídia. Ela disse que Battisti lhe teria confidenciado que participara da morte de Santoro.

Essa declaração foi feita no Tribunal de Recursos de Milão em maio de 1986, mas também em outros fóruns (em Verona, por exemplo), sempre com as mesmas palavras. A expressão usada por Barbetta para acusar Battisti parece cunhada por alguém e decorada sob ameaças... ou algo mais. Na realidade, Barbetta não foi testemunha de um fato, mas apenas repetidora de uma frase que diz ter escutado. Ela foi procurada na Universidade de Verona em 2009, mas não temos informação de que tenha aceitado falar.

Na SENT88 (p. 238) menciona-se a testemunha Ronco, um amigo do carcereiro Santoro ao qual parece se referir Turone na página 66 de seu livro (*ad finem*), sem dar o nome. No dia 5 de junho, ele havia andado a pé com Santoro pelo mesmo percurso onde seria morto no dia seguinte. Ronco teria chamado a atenção do carcereiro para observar um casal abraçado que olhava para eles. *Era tão esquisito para esses tiras que um casal se acariciasse em público?*

O relatório menciona um documento (cart. 10, vol. 8, fasc. 1, p. 76) cujo conteúdo não foi acessível para nós. Os magistrados proclamam "notáveis" coincidências entre as descrições de Mutti, as fotografias tomadas e as "numerosas e concordantes" observações oculares. Na realidade, os depoimentos das "testemunhas" coincidem apenas em alguns traços pouco relevantes (SENT88, 243 e 244).

A testemunha Menegon achou que a moça devia ter de dezoito a vinte anos, corpo normal, 1,65 metro de estatura, cabelos *curtos* e *avermelhados*. A testemunha Pagano disse que a mulher teria uma estatura entre 1,60 e 1,65 metro, esguia, de cabelo *ruivo vivo*, curto e *ondulado*; o homem seria um pouco mais alto, esguio, de uns vinte e cinco anos, cabelos escuros, rosto regular, pele clara.

A testemunha Suriano disse que a mulher era ruiva com cabelos *médios*, entre 1,60 e 1,65 metro de altura, e o homem devia ser cinco ou seis centímetros mais alto. Para a testemunha Zampieri, a moça era *baixa* e o homem um pouco mais alto (como 1,65 metro), robusto, de *barba escura e abundante*.

A testemunha Linassi disse que a moça era jovem, ruiva, corpo regular, baixa, enquanto o rapaz era também jovem, mais alto, corpo regular, *barba média*, cabelos escuros. Na página 247, mencionam-se outras testemunhas: Ardizzone, Del Tosto, Galateo, Nigris e Melchior, mas eles apenas confirmam a presença de uma mulher num local próximo (quanto?) ao cenário do crime.

### A história do ourives

Os relatos de ambas as execuções, a de Torregiani e a de Sabbadin, estão no mesmo capítulo da SENT88 (pp. 434 a 486). Alguns detalhes do caso Torregiani haviam sido apresentados mais minuciosamente na SENT83. Nas páginas 47 e 48 menciona-se o laudo do perito balístico, afirmando conclusivamente que a bala que feriu o filho do ourives, Alberto, partiu da arma SW do pai, que, segundo o texto, "tentou inutilmente se defender dos agressores". (Vide Capítulo 6.)

### Concurso moral

No caso Torregiani, ante a impossibilidade de acusar Battisti de presença física no lugar do assassinato, ele foi acusado de *concurso moral* com os matadores. Mas o que é concurso moral na Itália? Segundo Turone (p. 95, *ad finem*), o *concurso moral* acontece quando *se faz surgir ou se reforça o propósito criminoso*. *Concurso moral* vai além do conceito de "cumplicidade", usado para quem colabora na realização do crime.

Para Turone, comete concurso moral num crime qualquer pessoa que sugira, estimule, persuada alguém a delinquir, e até quem manifeste o desejo de que seja cometido ou aplauda o crime após realizado. É uma total condenação pela suspeita de pensamento, mais severa ainda que *confiteor*, pois este exige o real pecado por pensamento. Aqui, a intenção já configura delito.

Mesmo com essa definição, não há prova nenhuma de que Battisti tenha "desejado" ou "aplaudido" a morte de Torregiani. Se Battisti estivesse ainda nos PAC nessa época, o único relato que trata do homicídio do ourives foi fornecido por Mutti e Fatone, que tiveram suas penas reduzidas em mais de dois terços. Mutti diz que Battisti se opunha aos que queriam desistir do ataque a Torregiani, mas os indicadores disponíveis mostram que Battisti ou se absteve ou se manifestou *contra* o homicídio. (Vide a entrevista a Cesare Battisti no final do livro.)

A ideia de concurso moral não foi uma novidade do caso Battisti. Como já dissemos, as lei repressivas dos anos 1970 condenavam "crimes" tão sutis como *ter propensão* ou *simpatizar* com o terrorismo ou, ainda, manter amizade com pessoas que cometessem esses "crimes".

## A história do açougueiro

Na SENT88 (p. 457 *et passim*), os relatores descrevem, por meio de Mutti, a presença "relevante" de Cesare no planejamento dos crimes de Torregiani e Sabbadin. Segundo Mutti, Battisti teria "convencido" os executores da necessidade de realizar esses homicídios. O discurso que culpa Cesare provém diretamente de Mutti e é reforçado por Fatone.

Na página 446, menciona-se que Fatone e Mutti teriam ouvido informações de Battisti, dizendo que ele próprio, Diego Giacomini e Paola Filippi executariam Sabbadin. O relatório acrescenta que no açougue havia vários clientes, que não puderam reconhecer os homicidas por causa de seus disfarces. Mas, no mesmo contexto, formula-se uma afirmação contraditória com a anterior. Vide § 2 da p. 448:

As declarações mencionadas encontram verificação objetiva no relatório judiciário, nos depoimentos das testemunhas daqueles que *assistiram ao homicídio* e nos *resultados das perícias* [incluindo a *modalidade* do crime]. [Grifos meus.]

Se os fregueses não puderam reconhecer os homicidas por causa dos disfarces, como puderam prestar depoimentos que confirmassem os relatos de Mutti sobre a identidade dos executores?

No fim desse parágrafo, menciona-se a esposa de Sabbadin, que confirma ter visto os atacantes, mas ela adverte que teria medo de identificá-los. Seja o medo real ou não, ela *nunca fez reconhecimento fotográfico ou pessoal dos suspeitos*. Aliás, nos trinta anos seguintes, nunca se manifestou. Então, o medo que ela tinha (se realmente tivesse) não seria dos PAC, que estão totalmente vencidos desde 1980. Caso exista, esse medo poderia ser da própria máfia jurídica, *que não gostaria de se sentir desmentida se ela dissesse que nenhum deles era Battisti.* Aliás, a esposa do açougueiro estava no mesmo recinto que seu filho, Adriano. É estranho que Adriano não tenha identificado os matadores. Por que sua mãe pôde e ele, mais jovem e talvez com mais memória, não pôde?

## Onipresença de Battisti

Os detratores de Battisti fazem um raciocínio que, com algumas diferenças irrelevantes, seria este: Os defensores de Battisti dizem que a justiça italiana o acusa de crimes impossíveis. Eles dizem que é acusado de estar em Milão e Vêneto com pouco tempo de diferença, e isso é impossível. Mas o que eles dizem *não é verdade*. O tribunal o acusa de ter estado em Vêneto, e *não* em Milão. Da morte de Torregiani, Battisti é acusado somente de "concurso moral".

Realmente, as sentenças *não* acusam Cesare de estar em ambas as cidades ao mesmo tempo. Mas os defensores de Battisti nunca falaram que os *autos do processo* acusam Battisti dessa dupla presença. O que dissemos é que declarações feitas para o *público geral*, difundidas pela mídia, *sim* fazem essa acusação. Setores contrários a Battisti propalaram a versão do duplo crime, e isso exigiu a refutação. Vejamos:

O jornalista Mario Immarisio escreveu no *Corriere della Sera* (5 de março de 2004) que Battisti se queixava em 2002 de que o acusavam de ter cometido dois crimes ocorridos com *meia hora* de diferença. Immarisio poderia ter dito: "Não minta, Battisti. Você não está sendo acusado disso". Mas o jornalista fez questão de enfatizar que o lapso de tempo não era tão curto: "Não era meia hora". Immarisio está certo; a diferença entre as mortes foi de uma hora e cinquenta minutos. Entretanto, se realmente Mario culpava Battisti apenas pela autoria moral no crime de Milão, essa correção não seria importante. Se o jornalista insiste na maior distância temporal entre os fatos, talvez seja porque *quer fazer crer* que Battisti *podia estar* nos dois cenários. Mas por que esse boato da presença nos dois lugares? Vejamos:

No começo da instrução do processo, algum juiz instrutor indiciou Cesare pelo homicídio real de Torregiani e o incluiu na lista de executores. Isso propiciaria mais cheiro de sangue que denunciar que havia sido apenas cúmplice ou planejador. O dado foi percebido por um jornalista, que reparou na contradição. A partir desse momento, a justiça *eliminou* a tese da dupla presença de Battisti e proibiu divulgar essa "mancada".

Entretanto, a imprensa brasileira continuou divulgando a crença de que Battisti teria sido o responsável direito por quatro mortes, porque a ideia de que ele teria matado ambos fisicamente faria sua imagem mais sinistra e ajudaria no linchamento. Os comunicadores tropicais achavam pouca coisa apenas três mortes.

> É importante enfatizar que, apesar de que os autos do processo afirmam que Alberto foi ferido pelo pai, isso *não foi divulgado pela mídia*. Os jornalistas da Itália e do Brasil *jamais* difundiram essa informação, nem sequer como simples conjectura. Mais ainda, os mais comprometidos com a farsa tentaram culpar Battisti pelas feridas de Alberto, apesar de que, como era bem conhecido, Cesare *não estava no local*.

Foi por causa dessa provocação que os apoiadores de Cesare salientaram a impossibilidade do assassinato simultâneo. Mas nunca foi imputada essa versão aos autos oficiais do processo, senão a magistrados, jornalistas e políticos que difundiram essa fábula entre o público crédulo.

## A história do motorista

Em fevereiro de 1982, o incansável Mutti denuncia novamente Battisti, mas, dessa vez, sobre a morte de Campagna (SENT88, 512). Mutti afirma que Battisti atribuiu a si mesmo e a Giuseppe Memeo a preparação do homicídio, e que Cesare lhe confessou que ele próprio havia atirado em Campagna.

Na página 513, Mutti conta que se encontrou com Memeo, e que este lhe descreveu o homicídio de Campagna, incluindo detalhes do carro, da arma e dos projéteis, que, segundo ele, coincidiam com os descritos por Battisti.

> Entretanto, nas declarações de Memeo ao juiz, este se define como participante no homicídio (p. 516), admitindo ser o motorista, mas *não menciona o nome do atirador, ao qual chama apenas de "companheiro".*

No interrogatório de junho de 1984, Fatone confirma todas as acusações de Mutti e também diz ter escutado as confissões de Memeo, a quem atribui a declaração de que os autores materiais do crime eram ele próprio (Memeo) e Battisti. Depois, o relatório menciona duas "testemunhas": Manfredi, o sogro da vítima, e certo Bruni, de quem não se sabe nada. Ambos descrevem o matador como um homem *louro* de uns vinte e cinco anos (p. 515).

Na página 522, o relator enfatiza a culpa de Battisti e pretende explicar por que o matador foi visto com cabelo louro: *"I capelli, se non biondi, erano però di color castano claro"* (Os cabelos, se não eram louros, eram, porém, castanhos-claros).

Surpreendem os conhecimentos de ótica do magistrado para estabelecer semelhança entre cores. Mas, na realidade, os cabelos de Battisti eram, na época, castanhos-escuros. Dito seja de passagem, é claro que o matador, qualquer que fosse, poderia ter tingido seus cabelos de loiro. Mas o comentário do magistrado mostra que a tendência dos juízes era *encontrar sempre uma explicação falsa,* mesmo quando uma explicação verdadeira parecesse possível.

## Arrependidos e dissociados

O *pentito* é aquele que se arrepende e faz uma *acusação de cumplicidade* (*chiamata in correità*), que não é uma delação qualquer, mas uma acusação contra alguém de seu próprio grupo. O *dissociado* é um ativista que abandona seu agrupamento e se desassocia das ações futuras. Ele não é obrigado a delatar, mas deve colaborar confirmando alguns dados que o magistrado lhe apresenta. No processo dos PAC, os juízes exigiam pelo menos duas confirmações para outorgar aos dissociados alguma redução de suas penas.

## Delatores ou arrependidos

Os *pentiti* célebres no caso Battisti são Pietro Mutti e Sante Fatone, especialmente o primeiro. As acusações contra Cesare pelos homicídios foram inventadas por Mutti. Fatone confirmava o que Mutti dizia e, apesar de ter confessado sua coautoria na morte de Torregiani, foi condenado a oito anos de prisão.

Menos participação teve Massimo Tirelli. Abandonou os PAC logo em seguida e recebeu uma pena de vinte e seis meses pela participação no ferimento de um carcereiro. Sua colaboração como *pentito* se limitou a contar fofocas banais. Massimo Berzacola tem um perfil similar.

O mais irrelevante foi Valerio Cavalloni (Milão, 1955), um sujeito que vivia apavorado pensando que sua *mamma* poderia descobrir sua amizade com aqueles meninos do mal. Por causa desse forte amor filial, saiu do grupo. Ninguém sabe de que se arrependeu, pois não participou de nada.

Essas "provas" se encontram na SENT88, nas pp. 223-313, no Capítulo 8 de Turone, e no Capítulo 6 do livro de

| Delatores do caso Santoro | | |
|---|---|---|
| NOME | CONTEÚDO DA DELAÇÃO | COMO FOI CONFIRMADA? |
| MUTTI | Battisti teria proposto matar Santoro, e teria viajado a Udine para preparar o homicídio. Ademais, tinha atirado contra ele | Segundo os magistrados, foi confirmada por um *lapsus* de Cavallina, e por observações de Barbetta e os outros *pentiti* |
| BARBETTA | Diz que Battisti lhe havia contado que atirara em Santoro | Segundo os juízes, a delatora não tinha motivo para mentir |
| Massimo TIRELLI | Ele viu que Battisti, Cavallina e Mutti estavam falando de maneira discreta. O assunto era Udine e, segundo Tirelli, era algo "muito sério" | Tirelli soube, poucos dias depois, que Santoro fora executado, e deduziu que aquela conversa era o planejamento do homicídio |
| Alessandro BERZACOLA | Ele viu Battisti e Miglioratti trocando carícias numa reunião | Quando soube que Santoro havia sido morto por um casal pensou: "Eram eles" |

Cruciani, *Gli amici del terrorista*. Já no caso Sabbadin, os dois delatores Mutti e Fatone dizem coisas parecidas. Ambos repetem informações que dizem ter recebido de outros.

A execução de Torregiani foi planejada junto com a de Sabbadin. Portanto, as delações são quase idênticas. A única afirmação que os delatores não podem fazer é que Battisti estava no local do crime do ourives. O relato de ambos os homicídios se encontra na SENT88, entre as páginas 434 e 487.

Mutti e Fatone também são os delatores de Battisti no caso Campagna. Segundo a SENT88 e os livros de Cruciani e Turone (que, nessa parte, seguem a sentença), haveria outras "testemunhas", como Maurizio Mirra e Enrico Pasini Gat-

| Delatores do caso Sabbadin | | |
| --- | --- | --- |
| NOME | CONTEÚDO DA DELAÇÃO | COMO FOI CONFIRMADA? |
| MUTTI | Ele disse que o próprio Battisti lhe contou que estavam preparando a morte de Sabbadin, e mencionou os membros do grupo. Mutti acrescentou que isso lhe havia sido confirmado por Sebastiano Masala | Segundo os juízes, Giacomini teria confirmado essa delação ao dizer que ele havia sido o matador e era apoiado por um *companheiro*. Detalhe: Giacomini *não menciona* Battisti, mas os juízes "completaram" seu pensamento |
| FATONE | No que se refere a Battisti, Fatone diz que Sebastiano Masala lhe confidenciou que Battisti era o acompanhante do atirador Giacomini | |

| Delatores do caso Torregiani | | |
| --- | --- | --- |
| NOME | CONTEÚDO DA DELAÇÃO | COMO FOI CONFIRMADA? |
| MUTTI FATONE | Ambos dizem que Battisti se recusou a discutir com os que se opunham ao duplo homicídio, e teria afirmado que tudo estava decidido | Fatone e Mutti confirmam-se reciprocamente. Ambos dizem que os fatos foram conhecidos por Sebastiano, Cavallina e outros, *mas ninguém, além deles,* faz nenhuma delação. A acusação deles é que Battisti não quis "parar" o projeto do duplo homicídio, mas não dizem qual era sua influência sobre os que realmente executaram o ourives |

ti, além de um jovem chamado Roberto Veronesi, que tinha hospedado Fatone durante sua clandestinidade. Nenhum dos três prestou depoimento direito, pois tudo que se atribui a eles foi dito ou por Mutti ou por Fatone.

Giuseppe Memeo confessou que ele dirigia o carro usado para a execução de Campagna, e que o atirador foi seu "companheiro", mas ele *não disse o nome*. Como no caso das falas incompletas de Cavallina e Giacomini, os juízes "adivinharam" que era Battisti. A arma encontrada era um revólver 357, de propriedade pessoal de Memeo, e não aquele do mesmo calibre que fora sequestrado na casa onde foi detido Battisti em 1979, detalhe reconhecido pelos magistrados (Vide Capítulo 8). O relato do caso está em SENT88, entre as páginas 507 e 537.

| Delatores do caso Campagna | | |
|---|---|---|
| NOME | CONTEÚDO DA DELAÇÃO | COMO FOI CONFIRMADA? |
| MUTTI | Disse ter encontrado Battisti pouco após a morte de Campagna, e que este lhe teria confidenciado sua autoria na execução | Para os magistrados, Mutti tem absoluta credibilidade e não precisa de confirmação |
| FATONE | Disse que em 1982 (três anos após os fatos), um garoto chamado Roberto Veronesi o acolheu em sua casa, onde havia uma jaqueta de couro de rena. Quando Fatone tentou usá-la, Roberto lhe aconselhou a não o fazer, pois era muito conhecida por ter sido usada por Battisti para matar Campagna | Não há confirmações, mas, pelo contrário, há divagações. Esse tipo de jaqueta era muito usado na Itália e na Europa |

## Dissociados

O primeiro dissociado dos PAC é Arrigo Cavallina. Ele foi elogiado pelos magistrados por estimular a dissociação e "reconhecer seus erros". Nenhum documento acessível lhe atribui delação alguma. Os juízes reduziram sua condenação a pouco mais da metade.

Outro dissociado é Diego Giacomini, o fuzilador de Sabbadin, que foi condenado a quinze anos de prisão em julho de 1984, mas foi libertado em 1989. Giuseppe Memeo, envolvido nos casos de Torregiani e Campagna, também é descrito como dissociado. Nenhum deles parece ter delatado ninguém.

> A participação de Enrica Migliorati na morte de Santoro não foi questionada, nem ela negou sua intervenção no incidente, segundo os documentos acessíveis. O mais intrigante é que ela *não acusa* Battisti, que teria sido seu parceiro, com o qual, segundo dizem os juízes, teria fingido namorar enquanto esperavam a passagem do carcereiro. Se realmente Battisti tivesse sido culpado, ocultar esse fato poderia ter desviado a animosidade dos algozes contra outros militantes.

Todo militante desse tipo de movimento sabe que, quando a polícia e a Justiça não encontram o culpado de algum delito, utilizam qualquer outro membro do grupo como bode expiatório. Aliás, estando Cesare no México, se ele fosse acusado, não correria perigo. Por que Enrica não acusou Battisti? O silêncio de Enrica é um indício de que ele *não estava* no grupo de executores.

Já vimos que tanto a Divisão de Investigações de Milão Digos quanto os *carabinieri tinham certeza* de que o autor do caso Santoro era Mutti. Em seu famoso texto chamado "50 Perguntas sobre Battisti", o escritor Valerio Evangelisti, que estudou profundamente o caso, também responsabiliza Mutti pela morte de Santoro. Aliás, a testemunha Rosana Trentin foi dispensada, o que mostra a preocupação dos magistrados em *proteger* Mutti.

No caso Sabbadin, Diego Giacomini confessou no depoimento de 18 de fevereiro de 1988 que ele havia sido o autor dos disparos, e admitiu estar escoltado por um companheiro *cujo nome não revelou*. Acusou a si mesmo como "responsável jurídico e moral" (*quindi intendo assumirmi la responsabilità penali e morali*). De novo, a acusação de Mutti contra Cesare não consegue confirmação. Diego poderia ter denunciado Battisti, se houvesse sido realmente sua escolta, para afastar a suspeita de colegas inocentes.

## Delatores, magistrados e advogados

Ao longo de várias páginas de bajulação e de interpretações psicológicas subjetivas e exageradas (SENT88, 138 a 141), os relatores insistem na honestidade dos *pentiti* e rejeitam a interpretação de alguns advogados no sentido de que ressentimentos ou brigas entre os companheiros poderiam gerar declarações falsas.

O texto, pelo contrário, enfatiza o senso de solidariedade entre os membros dos grupos armados, e seus esforços para se protegerem reciprocamente; uma visão muito diferente daquela que esses mesmos magistrados costumam propagandear: que os "terroristas" são pessoas sem escrúpulos nem senso moral. A farsa fica ainda mais chocante numa frase (p. 141, lin. 6 a 8): *Nessum interesse diverso di quello di dire la verità poteva avere il Mutti, cosi como le altri collaboratori di questo processo.*

(Mutti não poderia ter nenhum outro interesse que o de dizer a verdade, assim como os outros colaboradores deste processo.)

O juiz parece entender que a redução da pena, de perpétua a oito anos, não seria um interesse diferente que o de dizer a verdade.

Na página 232, o tribunal defende Mutti quando ele se equivoca num detalhe de sua delação, provocando a reação de um advogado. O juiz desculpa Mutti; disse que ele tem grande acúmulo de informações muito úteis para a justiça, o que produziu um "erro de memória", mas enfatiza que é um detalhe sem relevância.

Mutti se empolgou tanto por sua influência sobre a corte que em alguns momentos começou a acusar pessoas que estavam "fora do roteiro". Isso deflagrou a indignação de alguns advogados (SENT93, 19):

Este *pentito* é um especialista em jogos de mágica entre seus diversos cúmplices [...] *Este processo se tornou um espaço para as fábulas dos* pentiti, *interessados em benefícios das leis que premiam* [as delações].* Esta circunstância priva de qualquer credibilidade a *chiamata in correità* [acusação de cumplicidade], e o principal colaborador da justiça [Mutti] acusou pessoas inocentes, para se retratar quando é descoberto.

---

* Parece que, durante uma das sessões da segunda rodada, um dos jurados populares teve uma crise psicológica e produziu um grande escândalo. O fato está mencionado breve e confusamente nos autos, mas é evidente que o tribunal não desejava que o assunto fosse claramente entendido. Alguns advogados impugnaram esse e outros jurados, aduzindo que careciam de condições mentais para emitir veredicto no caso. A Corte Suprema (*Cassação*) anulou aquela rodada, provavelmente para evitar que as anormalidades do processo continuassem transcendendo. Seria interessante, para avaliar o funcionamento suspeito daqueles tribunais, obter mais dados sobre aquela rodada, mas nenhuma informação além destas foi encontrada.

[Ainda, em outros trechos] Mutti utiliza a arma da mentira também em seu próprio favor [...] *Por isso suas confissões não podem ser consideradas espontâneas.* [Grifos e interpolados meus.]

O advogado Pelazza lembra: Várias vezes Mutti acusou Battisti de qualquer ato criminoso, e, a cada vez que foi desmentido, justificou-se dizendo que havia colocado a culpa no mais jovem.

É forçoso reconhecer que essas frases dos advogados contra os *pentiti* são extremamente fortes, especialmente tendo em conta que os alcaguetes eram protegidos pelos magistrados todo-poderosos. Mesmo que alguns advogados defendessem seus clientes com grande coragem, seria muito raro que insinuassem que o processo era uma farsa, *se não fosse realmente uma farsa.* *

Voltando à SENT88 (p. 236), os juízes manifestam absoluta confiança na delação de Mutti, e apresentam o *pentito* como um paladino da verdade. Segundo Mutti (SENT88, 231, § 2), foi Battisti quem envolveu os PAC nos assassinatos.

Na página 233, Mutti é descrito pelos juízes como pessoa *delicada e discreta*, que *protege* a reputação dos inocentes, falando de forma *cautelosa* e *jamais acusando* sem fortes provas. No § 2 da página 236, os elogios são ainda mais entusiastas.

Mutti nunca se retratou do que havia declarado (*sic*). Suas denúncias satisfazem os requisitos de *espontaneidade, constância, narração particularizada.*

---

* Observe que, numa linguagem mais polida, o advogado acusa o processo de ter se tornado uma *farsa*, um termo que foi usado várias vezes pelos juristas que apoiaram Battisti no Brasil.

Mas na página 438, § 1, o entusiasmo dos magistrados atinge um verdadeiro paroxismo e eles se derretem pela perfeição de seu delator de estimação: As declarações de Mutti [...] são esclarecedoras, não apenas pela reconstrução dos episódios criminosos, mas também [...] porque ele reconstrói as fases do processo que conduz à realização desse fato gravíssimo, e o enquadra na história da organização.

Essa homenagem é compartilhada pela grande imprensa italiana, e até pelas famílias das vítimas, que, embora queiram linchar Battisti, que não foi o autor de suas desgraças, fazem cafuné nos delatores. A rancorosa organização de vítimas do terrorismo, Aiviter, quando se refere a Mutti, o chama de "Pierino", apelido carinhoso para Pietro, mesmo tendo participado dos assassinatos.

## A privacidade dos delatores

A revista *Panorama* publicou em janeiro de 2009 uma pretensa reportagem sobre Mutti, que dramatiza sua condição de homem honesto e humilde, contraposto ao intelectual altivo e seguro de si mesmo Cesare Battisti. Com base nessa "entrevista", o jornalista Amadori fez outra em janeiro 2011 com o mesmo Mutti, mas com uma novidade: uma *foto* dele, que leitores de 2009 exigiram para ter certeza de que ele estava ali mesmo. *Pena que a foto que trouxe o jornalista seja de 1982!*

Na última "entrevista", Mutti afirma que ele não está escondido e que pode se mostrar a quem quiser, mas Amadori não parece interessado em fotografá-lo, nem em fotocopiar seus documentos, nem sequer em registrar seus números.

A ocultação de Mutti, oposto à discreta exibição dos outros PAC durante os últimos anos, pode confirmar uma suspeita muito difundida: Mutti deve ter planejado junto com a magistratura os detalhes da fraude, e evita a exposição para não correr os riscos do "homem que sabia demais", ou, então, do "homem que mente e trai seus antigos companheiros".

Algumas fontes supõem que Mutti colaborou com a magistratura não apenas contando histórias, mas participando da montagem da fraude, e que é provável que esteja em algum país da África, vivendo de uma pensão, de *becco chiuso*. Outros acreditam que foi *apagado* pela polícia.

## Testemunhas

Nas tabelas seguintes sintetizamos os dados e declarações correspondentes a cada "testemunha", em cada um dos homicídios.

As informações dessas testemunhas não permitem concluir que o rapaz do casal descrito por elas seja Battisti, nem sequer que o casal visto no local seja o autor do homicídio. A polícia tinha fotos de Battisti, de modo que o reconhecimento teria sido possível se as percepções das testemunhas tivessem algum valor. Ora, quando se analisam as descrições das quatro testemunhas mais informativas, percebe-se uma situação pior: alguns dados são incompatíveis. Veja:

| Testemunhas do Ccso Santoro | | | |
|---|---|---|---|
| NOME DA TESTEMUNHA | O QUE SE SABE DELE OU DELA? | O QUE FOI PERCEBIDO? | COMO FOI CONFIRMADO? |
| ARDIZZONE | Nada | Um casal jovem próximo do local do homicídio | Não há confirmações externas. Cada uma dessas testemunhas desconhecidas diz o mesmo que a outra. Aliás, a presença de um casal numa rua movimentada de uma cidade não devia ser tão esquisita |
| DEL TOSTO | Nada | Um casal jovem próximo do local do homicídio | |
| GALATEO | Nada | Um casal jovem próximo do local do homicídio | |
| GESUATO | Nada | Um casal jovem próximo do local do homicídio | |
| LINASSI | Nada | Um casal jovem próximo do local do homicídio | |
| MELCHIOR | Nada | Um casal jovem próximo do local do homicídio | |
| MENEGON | Nada | Um casal jovem próximo do local do homicídio | |
| NIGRIS | Sexo: feminino | Um casal jovem próximo do local do homicídio | |
| PAGANO | Nada | Um casal jovem próximo do local do homicídio | |
| RONCO | Sexo: masculino. Profissão: aparentemente, policial | Um casal jovem, porém percebido no dia anterior ao homicídio | |
| SURIANO | Nada | Um casal jovem próximo do local do homicídio | |

| Testemunhas do Ccso Santoro | | | |
|---|---|---|---|
| NOME DA TESTEMUNHA | O QUE SE SABE DELE OU DELA? | O QUE FOI PERCEBIDO? | COMO FOI CONFIRMADO? |
| TRENTIN | Primeiro nome: Rosana Sexo: feminino | Acredita ter reconhecido Mutti perto do cenário do homicídio | A polícia diz que propôs a confirmação por fotografia, mas a testemunha desistiu |
| ZAMPIERI | Nada | Um casal jovem próximo do local do homicídio | Não foi |

| Comparação de descrições | | | | | |
|---|---|---|---|---|---|
| Testemunha | Cabelo | Barba | Corpo | Altura | Idade |
| PAGANO | Escuro | | Esguio | Um pouco mais alto que a moça | 25 |
| SURIANO | | | | 5 ou 6 cm mais alto que a moça | |
| ZAMPIERI | | Escura e abundante | Robusto | Um pouco mais alto que a moça (1,65 m) | |
| LINASSI | Escuro | Média | Regular | Mais alto | Jovem |

No caso Sabbadin há testemunhas reais, pois em sua loja estavam sua esposa Amalia, seu filho Adriano e dois fregueses, dos quais só um é conhecido; mas, por diversas razões, nenhum deles pôde ou quis identificar Battisti.

| Testemunhas do caso Sabbadin | | | |
|---|---|---|---|
| NOME | O QUE SE SABE DELE OU DELA? | O QUE FOI PERCEBIDO? | COMO FOI CONFIRMADA? |
| Giuseppe Rocco | Sexo: masculino | Viu entrar duas pessoas. Alguém com capa de chuva e barba fez os disparos. Não se lembrava do outro | A declaração foi feita em outubro de 1988, mas não teve nenhuma confirmação |
| Amalia Spolaore | Identificação completa: era a esposa de Lino | Diz ter visto dois homens, mas sempre se recusou a fazer reconhecimento fotográfico ou pessoal, aduzindo medo de represálias | A testemunha declinou fazer reconhecimentos nestes trinta anos por causa de temores |
| Adriano Sabbadin | Identificação completa: um dos filhos de Lino | Diz ter visto a pessoa que atirou em seu pai, mas não afirma que tenha visto Battisti. Ele diz que "sabe" que é Battisti, porque os *pentiti* disseram isso | Adriano repetiu até 2010 a mesma versão. Não conhece o matador e acredita nos delatores |

Passemos, agora, ao caso Torregiani.

Logo em seguida à morte do pai, Marisa, a filha do ourives, disse que ela "ouviu" (*ho sentito)* a presença de Battisti entre os que atiraram. Essa notícia foi publicada nos jornais. Veja, por exemplo, a do *Corriere*:[86] «*Io non ho dubbi — dice Marisa Torregiani. — Era dietro di me, fu lui che sparò*». "Eu não tenho dúvidas — diz Marisa Torregiani. — Estava atrás de mim; foi *ele quem atirou*." [Grifo meu.]

Mas essa versão nunca foi repetida, e a jovem tampouco deu novas declarações. A magistratura entendeu, sem dúvida, que a mentira seria péssima, porque na mesma sentença afirmava que Battisti não estava no local.

| Testemunhas do caso Torregiani | | | |
|---|---|---|---|
| NOME | O QUE SE SABE DELE OU DELA? | O QUE FOI PERCEBIDO? | COMO FOI CONFIRMADA? |
| Vincenzo Cagnazzo | Sexo: masculino | O carro no qual fugiu parte do grupo homicida. Anotou a placa. O veículo era da família de Fatone | A polícia foi até a casa de Fatone, onde seus parentes reconheceram o carro e contaram que Sante estava nervoso e até havia admitido que matara um homem |
| Alberto Torregiani | Plenamente identificado: filho da vítima | Percebeu que Battisti *não* estava entre os matadores | O fato é consensual e nenhuma pessoa minimamente séria tem contestado isso |

Do homicídio de Campana há apenas duas testemunhas, que são o pai da namorada e um homem de sobrenome Bruni. Os dados "irrefutáveis" que eles possuem seriam que o matador era louro e vestia uma jaqueta do mesmo estilo que a de Battisti (e mais alguns milhares de jovens italianos).

| Testemunhas do caso Campagna | | | |
|---|---|---|---|
| NOME | O QUE SE SABE DELE OU DELA? | O QUE FOI PERCEBIDO? | COMO FOI CONFIRMADA? |
| BRUNI | Sexo: masculino | O atirador foi um jovem louro com uma jaqueta de couro de rena | Segundo os juízes, o cabelo de Battisti (que na realidade era castanho--escuro) seria castanho--claro. Além disso, afirmam que "castanho-claro" é parecido a louro (*sic!*). *Haja imaginação jurídica!* |
| Lorenzo MANFREDI | Plenamente identificado: era sogro de Campagna | | |

## Provas materiais

A palavra "prova" aparece com pouca frequência nas sentenças, apenas para dizer que "as declarações coincidem com as provas". As sentenças 88, 90 e 93 não transcrevem debates ou depoimentos completos dos réus, nem relatórios de perícias. Afirmam, sim, que foram feitos exames, mas não há indicações para encontrar os laudos, nem resumos do que eles dizem. Apenas se declara que acusam *inequivocamente* Battisti, e se insiste no valor das delações (SENT88, 460).

Há algumas menções vagas às supostas provas, mas ninguém diz se foram encontrados impressões digitais, fios de cabelo, traços de roupa, restos dos disfarces, marcas de unha, gotas de sangue. Mais uma "prova" no caso de Santoro foi um retrato falado do matador, construído com base nas descrições das "inúmeras e coincidentes" testemunhas.[87] Esse retrato é reproduzido nas páginas centrais do livro de Cruciani, mas o autor tem o bom-senso de não pretender que o retrato se pareça com as fotos de Battisti daquela época.

A diversidade das ações que produziram as quatro mortes deve ter gerado também grande variedade de rastros probatórios. É possível que alguns testes tenham sido feitos, porém, não podemos ter certeza, pois os *faldoni* não foram acessíveis ao círculo de defesa do escritor. Para nós, as *provas* permanecem ocultas. De vez em quando, muito "economicamente", as SENTs se referem a alguns dos arquivos, mas não relatam coisa nenhuma sobre as perícias.

## Onde estão as testemunhas e os delatores?

Muitas das testemunhas podem estar ainda vivas e ser relativamente jovens. Um aspecto curioso é que diversas pessoas que querem investigar o caso Battisti não conseguiram em Milão nenhum dado sobre elas. Não se sabem nome completo, idade atual, nem domicílio de *ninguém*. Tampouco foi possível falar com os delatores não desaparecidos. Em 2012, o único desaparecido era Mutti e o único morto era Grimaldi.

Já os linchadores de Battisti têm manipulado o filho de Torregiani e um dos filhos de Sabbadin (Adriano), bem como, parcialmente, o irmão de Campagna e o filho de Santoro. Mas parece que os outros parentes não querem se prestar à manipulação, ou, então, nem a mídia nem os magistrados acham prudente que apareçam em público.

Veja a declaração de Adriano Sabbadin (que tinha dezessete anos na época do homicídio) de janeiro de 2011 no Facebook. No trecho mais significativo, descreve o momento em que viu que seu pai era baleado por um dos agressores:

*Dalle testimonianze di un pentito, emerse che Battisti sparò a mio padre i colpi di grazia quando era già stato colpito ed era a terra.*[88](Do testemunho de um delator, emerge que Battisti deu a meu pai o tiro de misericórdia, quando já estava baleado e no chão.)

> Observe que não há, *em nenhum dos quatro casos, alguém que diga que viu Battisti*, seja no próprio local do crime, seja nas redondezas; salvo o próprio Mutti.

Há mais uma objeção contra a existência dessas testemunhas incorpóreas. Todas as vítimas morreram antes de maio de 1979. Se os magistrados acharam *muito evidente* que algumas dessas testemunhas estivessem descrevendo realmente Battisti, por que o processo dele não foi aberto antes de sua fuga, já que esta ocorreu dois anos e meio depois?

Eles argumentariam que ainda não tinham aquele fantástico *pentito* Mutti que contou toda a "verdade". Isso quer

DEFESA POPULAR E REPRESSÃO

dizer que a investigação, salvo no caso Torregiani, só foi possível a partir de 1982, com Pietro Mutti. Como vimos, alguns depoimentos são de 1988. Como foi possível, então, fazer comparações tão precisas com diferenças tão grandes de tempo, tendo dados empíricos tão pequenos?

Aliás, mesmo se as delações de Mutti fossem verdadeiras, na Itália há ainda vários ex-PAC que estiveram envolvidos nos homicídios ou próximos deles. Alguns deles se sentiram ofendidos, em 2009, quando Cesare afirmou que havia sido vítima de delação, ainda que o escritor não enunciasse ninguém pelo nome. Mas, apesar desse protesto, *ninguém disse que Cesare era culpado de nenhum assassinato*. Se ele houvesse cometido *algum* daqueles quatro homicídios, seria muito difícil que *todos os PAC guardassem absoluto sigilo*. Observem que as únicas pessoas que o acusaram (Mutti, Fatone, Barbetta, Berzacola e Tirelli) não querem (ou não podem!) dar nenhuma entrevista.

| Autoria dos homicídios | | | |
|---|---|---|---|
| ALVO | AUTORES | PROVAS | RESULTADO |
| SANTORO | Mutti | Denúncia do Digos e dos *carabinieri* | Os juízes abafam o caso para acusar Battisti |
| SABBADIN | Giacomini | Confissão verificada | Condenação |
| TORREGIANI | Fatone, Grimaldi, Memeo e Sebastiano Masala | Confissões verificadas e testemunhas reais | Condenações, algumas delas negociadas |
| CAMPAGNA | Não se sabe com certeza, mas conjectura-se que Memeo pode ter sido também atirador | O motorista era Memeo, confessado por ele mesmo. O ataque foi atribuído a Battisti por Mutti e Fatone. *Memeo nunca denunciou Battisti como seu comparsa* | Condenação negociada |

# CAPÍTULO 10
## CAÇADA INTERNACIONAL

*A experiência da fuga é como um treinamento para o desejo da liberdade.*

Antonio Negri, escritor e filósofo italiano

A fuga e o exílio de Battisti mostraram o abandono da luta armada e uma dissociação sem alarde. Ignorando o que acontecia na Itália, Battisti morou com sua família em diversas cidades do México, trabalhou em projetos culturais, colaborou com a Nicarágua sandinista e se tornou escritor. Enquanto isso, seus pais e irmãos sofriam a pressão da polícia e dos magistrados. No começo dos anos 1990, Cesare e sua família voltaram à França, onde o primeiro pedido de extradição da Itália foi rejeitado. Aos poucos, sua obra literária lhe deu uma grande reputação e valiosíssimos amigos em todos os níveis da sociedade. Mas a cruzada dos novos inquisidores não se deteve, atravessou os mares e percorreu os continentes.

Nos capítulos anteriores, relatamos o que estava acontecendo nos tribunais de Milão. Um fato conduziu a outro e chegamos, assim, às delações da Sentença de 1988. Mas, enquanto isso, outras coisas estavam acontecendo com Battisti. Voltemos agora a 1981, quando Cesare escapou da prisão de Frosinone, com a ajuda de Mutti e seu grupo.

## O sequestro da família Battisti

A revista virtual *Carmilla Online* publicou, em abril de 2004, uma série de matérias intitulada *Una Famiglia in Carcere*, em que relatava o sequestro policial da família Battisti como vingança pela fuga de Cesare em 1981. A família era integrada pelo pai e pela mãe, com problemas de saúde, os irmãos Vincenzo, Domenico, Assunta e Rita, e os cônjuges e filhos deles, morando ainda em Latina, província natal do escritor. O irmão mais velho, Giorgio, havia morrido no ano anterior.

A primeira entrevistada foi Assunta. Ela conta que, logo após a evasão, os *carabinieri* prenderam-na e levaram-na à presença do procurador de Frosinone, cidade sede da prisão da qual Cesare tinha fugido, perto de Latina. Durante horas foi alvo de brados ameaçadores, maldições e insultos. Ficou presa durante dois meses em condições extremas, e ainda na época da reportagem, vinte e três anos depois, lembrava aquilo com angústia.

"Mantiveram-me na cela de segurança de Frosinone [...] As pessoas que me interrogavam se revezavam, insultavamme e até me *maltratavam fisicamente* [...] não sabia mais quem era e onde me encontrava, não podia nem ir ao banheiro, lavar-me, comer [...]"

A reportagem pergunta a Assunta se foi informada dos motivos da acusação e ela responde que as acusações eram [...] *cumplicidade na evasão*, associação com *grupo armado*, porte de *arma de guerra*, *roubo* de um veículo para fuga, *ferimentos aos carcereiros*.

Até a mídia de direita reconhecia que não houve violência durante a evasão da prisão de Frosinone, o que mostrava que essas acusações eram inventadas. Assunta pediu um advogado, mas não obteve. Ficou isolada numa cela, da qual era tirada bruscamente, a qualquer hora do dia ou da noite, para ser interrogada por períodos cuja duração não podia estimar. O interrogatório se baseava na agressão mental, na destruição psicológica, na criação de um clima de insegurança e irrealidade com longas sessões de perguntas, súbitas, inesperadas, sem pausa. O clímax foi atingido quando lhe fizeram acreditar que sua filha Moira, de catorze anos, também havia sido presa. Então, Assunta desmaiou.

Vincenzo e Domenico, irmãos de Cesare, foram presos no dia seguinte à evasão e levados ao quartel dos *carabinieri*. Ali, foram interrogados durante mais de quarenta horas sem comer nem dormir, sem ser informados do conteúdo das acusações, até que foram transferidos para outro quartel.

O jornal *La Stampa* de Turim dizia que os Battisti eram "uma família terrorista com um arsenal em casa", mas jamais divulgaram uma retificação. Os familiares dos ativistas eram punidos não por serem cúmplices, mas apenas por ter vínculos com o perseguido. Como em todo sistema teocrático, o delito de alguém contaminava todos os seus afetos.

Vincenzo menciona seu irmão menor na entrevista:

> Meu irmão Cesare cometeu erros, mas era apenas um garoto. Esteve preso, exilado por muitos anos, tem passado a vida fugindo desesperado [...] Perdeu um irmão e seus pais, e só teve conhecimento disso muito depois.

Moira, filha de Assunta, também guarda lembranças plasmadas na reportagem de 2004. Ela viu os *carabinieri* levarem sua mãe e sua tia Rita, e depois seu pai. Recorda a tevê e os jornais noticiando a evasão e a prisão dos familiares com máximo escândalo. "Todos os amigos se afastaram."

Moira estava desesperada pelas buscas diárias em sua casa, quando os policiais revistavam os quartos, dia após dia, com a ameaça constante de prendê-la. Uma noite, os *carabinieri* a levaram ao quartel de Frosinone, onde foi interrogada pelo procurador da região. Sintetizando sua experiência, Moira enfatiza os numerosos insultos e ameaças recebidas:

> Esta é a história que vivi, e que me deixou uma ferida interna que levarei para sempre. Daquela experiência ficou o terror de ver uma farda [...] Essa situação não está superada, apesar de meus esforços, já que a mídia *continua a semear ódio e difamação*. [Grifo meu.]

O irmão Domenico e sua esposa, Ivea, foram acordados às 3 da manhã, com a casa cercada pela polícia fortemente armada e por luzes intensas. Os tiras arrastaram os adultos, sem permitir que esperassem a chegada dos parentes que cuidariam das crianças pequenas. Domenico foi transferido do quartel ao presídio de Frosinone, onde ficou uma semana. Ivea foi conduzida, após três dias no quartel, à prisão de Latina, onde ficou detida.

## México e França

Durante os quase nove anos vividos no México, Battisti tentou poupar seus parentes da perseguição, e não se comunicou com ninguém na Itália. Sua vida transcorreu numa mistura de trabalhos braçais, vida familiar, momentos de penúria e atividade cultural. A diversidade de seus trabalhos, sua eclosão como escritor, as amizades talentosas que ganhou, tudo isso mostrava a reintegração à vida normal.

Em 1986, Cesare fundou a revista cultural *Via Livre*, cuja versão virtual foi ativada em 2001 por grupos de amigos que seguiram sua inspiração.[89] Outra contribuição sua foi a organização de uma das Bienais de Artes Gráficas do México.

Também ajudou a organizar o primeiro Festival Internacional do livro de Manágua,[90] em julho de 1987, aberto pelo ministro da Cultura, Ernesto Cardenal, e visitado por 60 mil pessoas que encontraram 20 mil livros de trezentas e cinquenta editoras.

Atraído pela doutrina de François Mitterrand,[91] lançada em 1º fevereiro de 1985 para proteger os italianos exilados pela repressão, em 1990 Cesare voltou com sua família a Paris, onde permaneceu até 2004.

Em 22 de fevereiro de 1985, Mitterrand rendeu contas à opinião pública de sua conversa com o primeiro-ministro italiano, Bettino Craxi. Nela, admitiu a existência de trezentos italianos refugiados desde 1976, dos quais o estado francês não tinha queixas. O compromisso de impedir sua extradição foi estabelecido verbalmente no dia 21 de abril de 1985, no 65º Congresso da Liga dos Direitos do Homem, a mais antiga ONG de direitos humanos do planeta.

Com intenção de radicar-se definitivamente em Paris, Cesare continuou a vida normal. Obteve um emprego de zelador, investiu em sua carreira como romancista e teve sua segunda filha, Charlene, em 1994. Durante os catorze anos em Paris, publicou quase vinte livros densos, alguns deles representando o mundo dos refugiados italianos, com toques autobiográficos, que culminariam na saga de sua própria liberdade, *Minha fuga sem fim*. Também relatou os Anos de Chumbo em *Dernières Cartouches*. A literatura de Battisti carrega a mistura das culturas conhecidas em sua corrida pela liberdade.

Apesar do caráter moderado da doutrina Mitterrand, a proteção aos perseguidos aumentou a sede de vingança italiana. Em maio de 1991, a Itália pediu a extradição de Battisti, mas a justiça francesa recusou, com base em considerações da Câmara de Acusação da Corte de Apelações de Paris. Ela denunciava que a Corte Europeia de Direitos Humanos considerava *inválida* uma condenação em ausência do réu que não permitisse novo julgamento em presença.

Durante os anos seguintes, Cesare atingiu notoriedade como escritor e ganhou muitos amigos e admiradores entre os intelectuais, os políticos progressistas e a população esclarecida. Em 1997, obteve sua residência por dez anos, e em 2003 conseguiu uma decisão favorável para se naturalizar francês.

### Paris vaut bien une pizza

Jacques Chirac não estava em risco de perder Paris, como Henrique IV,* mas sua vida seria mais próspera negociando com os italianos,[92] e *parte* desses negócios seria a entrega de Battisti. Apenas "parte", porque a Itália pretendia *mais*.

A primeira advogada francesa de Cesare, Irène Terrel, relata que o primeiro-ministro Berlusconi (que estava no segundo de seus três mandatos) exigiu em 2002 a extradição de cem refugiados. Chirac achou arriscado conceder, porque isso mostraria que a França estava fazendo *extradições maciças*. Então, os dois estados concordaram numa quantidade mais discreta: vinte refugiados. O que não ficava claro, porém, era por que a Itália fazia uma nova reclamação após mais de dez anos. A explicação é prática e simples: Chirac queria proclamar um novo tratado europeu (TCE, Tratado da Constituição da Europa), que seria importante para sua carreira política. Mas a Itália não queria assinar, porque o

---

*Um exemplo do efeito dos delatores: outro famoso *pentito* fabricado por Spataro, chamado Marco Barbone, foi utilizado pelo procurador em várias jogadas para incriminar diversas pessoas em outros processos.

TCE exigia o princípio de *não religiosidade*, e o Vaticano, com permanente domínio sobre a política e a vida italiana, opunha-se furiosamente. Havia, então, um impasse: Chirac precisava da aceitação da Itália para que o TCE vigorasse, e Berlusconi necessitava subornar seus parlamentares. Devia dar presentes à ultradireita, aos ex-stalinistas, aos juízes dos Anos de Chumbo e a vários outros. Os vinte refugiados seriam um ótimo presente. Berlusconi decidiu assinar e Chirac aceitou entregar as vinte pessoas, de maneira direta, sem julgamento prévio. Como a quebra da palavra da França era um grande "esforço moral", Chirac, uma pessoa sem escrúpulos, decidiu cobrar caro seu favor, e exigiu da Itália a construção de um novo trem-bala e a compra de dez Airbus.

Mas Chirac e Berlusconi, que queriam fazer aquela infame troca no maior sigilo, tiveram azar. O primeiro na lista a ser entregue foi Cesare Battisti, que possuía enorme popularidade e apoio entre a ativa e solidária intelectualidade francesa. Quando ele foi preso, imediatamente estourou uma reação de centenas de apoiadores e, alguns dias depois, todo o país estava envolvido em sua defesa. Chirac e seus cúmplices foram acusados de sujar a palavra de honra da França, dada por Mitterrand.

Alguns jornais publicaram as fotos dos vinte extraditáveis, mas o foco da opinião pública recaiu na figura de Cesare. Em seguida, surgiu um protesto de mais de 20 mil franceses, que aumentava diariamente de volume. A Itália devia inventar algo para acalmar aquela rebelião contra seus projetos, e utilizou a fábula que já havia sido forjada anos antes por Mutti e os magistrados: a índole perversa do escritor de romances. O mais famoso artigo da propaganda midiática da Itália foi publicado no *Le Monde* (cujo diretor foi subornado pela Itália) com a manchete: "Franceses, vocês estão enganados".

Battisti foi transformado num caso único, e todos os outros italianos refugiados (salvo Marina Petrella) foram esquecidos.

Nessa época, Cesare ainda não havia proclamado sua inocência. A escritora Fred Vargas foi a primeira a explicar essa atitude, no número 34 do jornal eletrônico *Gazette*.[93] Comenta que Cesare acreditava na justiça francesa e achava que sua proclamação de inocência pareceria mostra de desconfiança com relação ao estado francês. Além disso, o refúgio deve ser outorgado a todos os perseguidos, e não apenas aos inocentes, e a ênfase na inocência poderia parecer quebra de solidariedade.

Em minha opinião, Fred Vargas estava certa ao pensar que a refutação das calúnias italianas *não* era uma traição. Com efeito, declarar que ele não havia cometido nenhum homicídio era proclamar uma verdade, mas *não implicava, de maneira nenhuma*, que aqueles que haviam cometido homicídios políticos devessem ser excluídos do refúgio. *Toda pessoa*, culpada ou não de crimes, tem direito a um julgamento justo e a um tratamento humano. O julgamento deve servir para proteger a sociedade e ressocializar o réu, não para executar uma vingança. Até os assassinos nazistas tiveram julgamentos com direito a defesa, mesmo que a pena de morte não fosse uma punição correta para ninguém.

A posição de Fred Vargas foi robustecida pelo fato de que a perseguição, que inicialmente afetava vários refugiados, agora se centrava apenas em Cesare. Então, se ele era atacado pessoalmente, deveria ser defendido também pessoalmente, o que contribuiria para a defesa de todos.

Quando foi interrogado individualmente pelas autoridades, Battisti acatou o conselho de Fred Vargas e nunca mais deixou de denunciar a falsidade das acusações contra ele. Por um tempo, a situação dos refugiados ficou em paz.

Entre abril e maio de 1995, nas eleições presidenciais, o candidato da direita, Jacques Chirac, obteve 52,64% dos votos no segundo turno, contra 47,36% do socialista Lionel Jospin. Todavia, como foi vencedor nas eleições legislativas, Jospin foi nomeado primeiro-ministro em 1997, e declarou sua adesão à teoria Mitterrand em 1998.

Com um primeiro-ministro de esquerda e um parlamento progressista, a direita não podia agir à vontade, e Chirac teve que esperar. Até 2002, fim do governo de Jospin, os perseguidos italianos não foram incomodados. Mas, nesse ano, nas novas eleições presidenciais Chirac conseguiu formar governo e seu primeiro-ministro foi Jean-Pierre Raffarin (2002-2007), um empresário conservador.

Agora a situação mudaria. No começo do novo governo, a entrega de Battisti foi acertada pelo ministro da Justiça, Dominique Perben, com seu colega italiano, Roberto Castelli, um reacionário fanático que entrou várias vezes em conflito com o moderado presidente Ciampi. O encontro de Perben e Castelli incomodou os setores democráticos franceses, pois o italiano era conhecido por suas ideias racistas e por sua especial aversão contra a França.

Em fevereiro de 2004, Battisti foi detido, pois a Itália entrara com mais um pedido de extradição. Os magistrados franceses o deixaram em liberdade vigiada no dia 3 de março, por causa da pressão de milhares de celebridades que o apoiaram com grande energia, mas o processo continuava. Na França, como em todo o Ocidente, a justiça tem o poder de *proibir* uma extradição ou de *autorizar* sua realização, mas nunca de *obrigar* o chefe de estado a efetivá-la.

No dia 30 de junho de 2004, a Câmara de Instrução da Corte de Apelações de Paris autorizou a extradição. No dia 2 de julho, Chirac disse que não se "oporia" ao parecer. No dia 30, o primeiro-ministro Raffarin assinou o decreto de extradição. No dia 8 de julho, o governo anulou o decreto da naturalização de Battisti, praticamente deferida. Mas os caçadores novamente ficaram sem presa, pois o escritor deixou de ser localizável em 21 de agosto de 2004.

Um grupo expressivo de cidadãos franceses sentiu-se ofendido pelo ultraje de Chirac às tradições iluministas. *Como então aquela palavra "fraternidade" poderia continuar nos espaços públicos?*

No dia 29 de setembro de 2004, a Câmara Criminal da Corte de Cassação examinou um recurso contra a extradição, e o rejeitou no dia 18 de outubro. Finalmente, no dia 18 de março de 2005, o Conselho de Estado,[94] última instância nacional, confirmou o decreto de extradição. O Conselho não se importou com o caráter falso das procurações que foi detalhadamente mostrado na Corte.

Mas Cesare já não estava na França para assinar o "ciente". A partir de então, os "templários" italianos teriam uma nova cruzada, dessa vez sobre o Atlântico. Enquanto isso, a direita francesa entendeu que não devia ir mais longe: as extradições maciças não se concretizaram.

## O circo europeu dos direitos humanos

A Corte Europeia de Direitos Humanos condenou a Itália várias vezes por violações das convenções internacionais, e por ser o único país da Europa onde a tortura não é crime, e onde alguém pode ser condenado à revelia sem direito a outra chance. Entretanto, a Corte nem sempre agiu de maneira justa.

De fato, os advogados de Battisti interpuseram recurso junto à Corte contra o decreto do Conselho da França que confirmava a extradição. Mais uma vez, as procurações falsas foram o grande argumento da defesa. Mas aquele tribunal burocrático não prestou a mínima atenção. Pouco depois, em 2007, a Corte rejeitou essa apelação com um parecer notoriamente cínico.

> É bem conhecida a contaminação da Corte Europeia pela politicagem e os interesses financeiros e políticos dos governos, correlativa com o crescimento do macartismo e o racismo no Velho Continente. Há fatos documentados pelo próprio Conselho da Europa que causam apreensão em seus membros mais honestos. Entre novembro de 2003 e fevereiro de 2004, o tribunal recebeu 7.315 casos, dos quais declarou inadmissíveis 6.255 (85,5%). A situação piorou em 2008, quando aceitou 1.543 casos e descartou 32 mil (94%).

A Corte cuida dos interesses dos governos e só age quando as violações aos direitos humanos causam mal-estar maciço. Famílias pacíficas e trabalhadoras de africanos, com crianças, idosos e doentes, são desprezadas pela Corte em seus pedidos de proteção contra o racismo, e o total de casos de rejeição de ajuda humanitária já tem atingido 96%.

O site *Droits-humains, pour une France plus humaine et respectueuse des Droits de l'Homme*[95] é mantido por várias ONGs francesas independentes, e sua opinião é considerada imparcial. No artigo "European Court Human Rights" relata:

> Noventa e seis por cento dos pedidos são recusados sumariamente [...] Um terço de todos os pedidos é recusado por razões administrativas. O resto é geralmente recusado por um comitê "filtrador" de três juízes que tomam decisões *imotivadas*, as quais são comunicadas aos peticionários com uma carta burocrática padrão. [Grifo meu.]

Os setores esclarecidos franceses foram os primeiros a protestar contra seu governo e contra a Corte Europeia. A decisão da Corte sobre o recurso de Battisti contra a extradição é um panfleto padronizado, igual ao enviado a outros milhares de requerentes por causas diversas.

No Caso BATTISTI contra FRANÇA, no processo 28.796 de 2005, o tribunal declara o recurso *inadmissível* (vide a base de dados HUDOC[96] no site da Corte Europeia):

> *La Cour constate dès lors, au vu des circonstances de l'espèce, que le requérant était manifestement informé de l'accusation portée contre lui, ainsi que du déroulement de la procédure devant les juridictions italiennes et ce, nonobstant sa fuite. Par ailleurs, le requérant, qui avait délibérément choisi de rester en situation de fuite après son évasion de 1981, était effectivement assisté de plusieurs avocats spécialement désignés par lui durant la procédure.* (O Tribunal constata [...] que o solicitante estava manifestamente informado da acusação contra ele e sobre a evolução do processo junto às cortes italianas, a despeito de sua fuga. Além disso, o solicitante, que havia escolhido deliberadamente permanecer foragido após escapar em 1981, havia recebido efetiva assistência durante os processos, por vários advogados especialmente designados por ele.)

A corte repete as informações da Itália e mostra preconceito contra o direito de um detento a se evadir de maneira pacífica, apesar da tradição desse direito durante milênios. Aliás, os juristas europeus independentes têm repudiado a doutrina de que a revelia é prova de abdicação do direito de defesa.

## O espírito de 1968

Intelectuais, artistas, políticos e outras celebridades francesas lançaram uma campanha de adesão que atingiu milhares de nomes do topo da vida pública do país.[97]

Frédérique Audoin-Rouzeau (Fred Vargas), a líder do movimento internacional de defesa de Battisti, é uma arqueozoóloga e historiadora que ganhou a medalha de bronze do Conselho Nacional da Pesquisa Científica (CNRS) por sua seminal teoria sobre a propagação da Peste Negra na Idade Média. Como sua irmã gêmea Joëlle, artista plástica, adotou o sobrenome Vargas da personagem de Ava Gardner no filme *A Condessa Descalça*. Fred ficou ainda mais conhecida como romancista: escreveu mais de uma dúzia de romances policiais que a colocaram no cume da narrativa francesa e lhe valeram mais de vinte prêmios.

Tão prestigiada quanto discreta, ela foi o pior pesadelo dos inimigos de Battisti. A presença de Fred no cenário brasileiro assustou os reacionários, que não encontravam nenhum argumento para denigri-la, e simplesmente esbanjaram insultos aleatórios. Incansável, Fred tem percorrido a Europa em função desse caso e viajado muitas vezes ao Brasil para resolver os problemas do prisioneiro. Lidou elegantemente com o ressentimento da cúpula judiciária e com a negativa de considerar suas provas contra as acusações. Muito equilibrada, teve a humildade de entrar em discussão com alguns sórdidos personagens da imprensa marrom e da magistratura.

Fred deflagrou a grande campanha francesa que levou milhares de esclarecidos de todas as profissões a defender a causa de Cesare, junto com alguns iluministas italianos, como Valerio Evangelisti. Ela foi a primeira pessoa a perceber a fraude nas procurações usadas pelos tribunais italianos, e com base em sua descoberta, propôs sua análise pericial. (Vide Capítulo 11)

No dia 1º de março de 2004, o apoio dos intelectuais franceses atingiu seu ápice. No número 12, *La Gazette* publicou um manifesto organizado pelo historiador Pierre Vidal Naquet, pelo desenhista e cinegrafista Enki Bilal, por Fred Vargas e pelo cenógrafo Jacques Audiard, assinado por quinhentos e dez dos mais ilustres nomes da inteligência francesa. Mas essa foi só uma parte dos milhares que se manifestaram em outras regiões do país e do planeta. Entre os que o apoiaram desde o começo estavam o abade Pierre, o filósofo Bernard-Henri Lévy, o humorista Guy Bedos, o cantor Georges Moustaki, o escritor Daniel Pennac, o pintor Ernest Pignon, o grupo *Poulpe* de escritores do gênero neopolicial e muitos outros.

Centenas de políticos exorcizaram o "fantasma de Pétain". Cesare foi homenageado pelo prefeito de Paris, Bertrand Delanoë, e pelo conselho da cidade, que declarou Cesare colocado "sob a proteção da cidade de Paris". Uma cidade menor, Frontignan, declarou-o cidadão honorário.

François Hollande, secretário do Partido Socialista e futuro presidente do hexágono, prestou seu apoio a Cesare pessoalmente e instou a magistratura a repelir a extradição. Várias figuras políticas confrontaram Chirac, incluindo Danielle Mitterrand, a viúva de François, o ex-ministro ecologista Yves Cochet (um especialista nos desastres ecológicos do petróleo) e o lendário ex-ministro de Justiça Robert Badinter, eficiente inimigo da pena de morte.

Da mídia, o maior apoio veio do *Libération*, que manteve sua posição contra o linchamento e enviou enérgicas declarações ao Brasil. A proposta mais inteligente e sensível já feita sobre o caso Battisti foi a de seu diretor Laurent Joffrin. Em 2009, ele disse que o presidente brasileiro deveria aceitar a *prescrição moral* da pena sobre os delitos atribuídos a Cesare acima de quaisquer cálculos bacharelescos sobre prescrição burocrática.

Ele estava certo. Os cálculos confusos de uma aritmética leguleia colocavam uma alternativa absurda: por uma dia de diferença podia acontecer *a liberdade absoluta* ou *duas prisões perpétuas*.

O órgão oficial do Partido Comunista L'Humanité também participou da campanha contra a extradição. O prestigioso jornal *Le Monde* apoiou inicialmente a causa do refúgio, mas em 15 de abril de 2004, após ser pressionado pela Itália, seu editor-chefe Jean-Marie Colombani, muito vinculado à imprensa italiana, mudou acentuadamente seu tom. Na realidade, a maior parte da imprensa sabia que a posição de Battisti e outros refugiados era justa, mas as manipulações financeiras e as chantagens foram mais fortes.

A revista *Paris Match* dedicou a Cesare algumas reportagens bastante objetivas; a mais importante foi a de novembro de 2004, de uma página.

Durante a detenção de Cesare em 2004, os escritores Michel Quint, Claude Mesplede, Pascal Dessaint, Francois Joly e Guillaume Cherel definiram Battisti como "exemplo de humanidade" e exigiram de Chirac a rejeição da extradição.


## Battisti como escritor

O maior desafio de Battisti para a direita italiana não foi só o pensamento marxista, como no caso de Toni Negri e outros autores eruditos, mas as imagens cruas e realistas de uma sociedade eivada pelo preconceito, a vingança e a máfia que seus romances colocavam ao alcance do leitor não intelectual.

Vejamos um breve retrospecto da situação de Cesare em relação à perseguição italiana e à mudança da posição francesa:

Durante o processo dos anos 1980, o motivo para atribuir-lhe todos os crimes dos PAC era prático: o fetichismo inquisitorial concentra seu ódio em poucas figuras, *para que as grandes massas possam personalizar seus inimigos*, como Judas, Barrabás, Giordano Bruno, Galileu e outros. As fogueiras da velha Inquisição foram alimentadas por milhares de desconhecidos, mas a denúncia pública do pecado precisava de pessoas bem identificadas.

Então, Cesare foi um bode expiatório conhecido, mas, até o fim do século XX, ainda não célebre. Assim, ao retornar à Europa em 1990, a Itália o exigiu, como fez com outros; porém, quando o Conselho da França recusou o pedido, os inquisidores acataram.

Mas, em março de 1998, algo mudou. A casa editora Joëlle Losfeld lançou um importante livro de Cesare Battisti, *Dernières Cartouches* (*L'Ultimo sparo*, O último tiro). Claudio, figura romanceada do autor, é um jovem romano semimarginal que se junta a grupos armados que em 1976 se defendiam contra a aniquilação programada pelo estado. A história de Claudio não é propaganda política. Os militantes não são idealizados: eles se debatem entre a necessidade de dinheiro, a traição e o desencanto. O livro transmite, de maneira sucinta e descarnada, o clima de terror estatal, mas vai além. *Cartouches* é o único romance em qualquer língua que conta a participação de terroristas italianos na ditadura argentina de 1976 como instrutores dos genocidas de Buenos Aires.

Em minha opinião, Battisti não propõe uma justificativa ideológica da luta armada, mas uma explicação de *por que* dezenas de milhares de jovens fizeram essa opção ética e existencial, a despeito da grande probabilidade de serem massacrados. Essa explicação enfureceu os inquisidores italianos.

Com efeito, um trabalho ideológico pode ser debatido. Uma descrição romanceada, porém real, aceita pelo leitor popular, que narra as torturas, as crueldades, os crimes, os abusos, a barbárie era imbatível. Mais ainda na França, onde a imagem do fascismo e a Igreja estão carregadas de lembranças iníquas.

Os italianos, que acusavam Battisti de terrorismo, ficaram furiosos com uma resenha do prestigiado jornal *Paris Match*: "a obra ficcional de Battisti é a melhor condenação já escrita sobre o impasse absoluto do terrorismo".

A fama de Cesare o tornou alvo de reportagens e apresentações televisivas, nas quais ficou conhecido como o escritor italiano que de maneira mais real e simples denunciava as barbáries do estado italiano. *E talvez fosse o único que destruía a crença maciça de que o fascismo peninsular havia sido superado.*

# CAPÍTULO 11
## AS PROCURAÇÕES APÓCRIFAS

No primeiro julgamento de Battisti, ainda nem se pensava na farsa que depois montariam contra ele, e, portanto, foi-lhe permitido ter um advogado. Ele deu uma procuração a seu defensor, escrita por si mesmo à mão. É a essa procuração que chamamos de *legítima*.

Por outro lado, antes de fugir para a França, Cesare havia entregado a alguns amigos várias folhas em branco, assinadas por ele no rodapé. Todas essas assinaturas foram feitas no mesmo dia, com intervalo de alguns segundos.

No último julgamento italiano encerrado com a SENT88 a situação havia mudado. Dessa vez, *o tribunal queria imputar-lhe as quatro mortes dos PAC*. Ele estava ausente, e os juízes não tinham nem provas nem testemunhas. Mas, pelo menos, deveriam outorgar-lhe advogados, para evitar que a fraude ficasse ainda mais evidente. Então, designaram dois advogados para que simulassem defendê-lo. Eram o conhecido Gabriele Fuga e seu assistente Giuseppe Pelazza, um jovem advogado de causas sociais. Eles jamais se comunicaram com seu "defendido".

Fuga, cuja saúde parecia muito deteriorada pela prisão, esteve pouco tempo vinculado ao caso Battisti, enquanto Pelazza seguiu até o fim. É possível que Pelazza não gostasse da tramoia, mas fosse obrigado a aceitá-la por medo de represálias. Há um fato que apoia essa conjetura: quando se processava a extradição de Cesare na França, no começo de 2005,

Pelazza foi a Paris como advogado do escritor na Itália, e encontrou-se com Fred Vargas. A escritora disse a Pelazza que sabia que as procurações eram falsas, mas ele, em vez de tentar esclarecer o fato, ou, então, mostrar-se surpreso, evitou o diálogo e aproveitou a multidão para sair dissimuladamente; e voltou rapidamente à Itália.

Durante o julgamento, Pelazza havia tentado minimizar os danos de Battisti, mas as ameaças dos promotores devem tê-lo paralisado. O amargor do jovem aparece numa declaração feita no final do processo:

> "Todas as fases processuais de mérito, concernentes à reconstituição dos fatos homicidários de que o senhor Battisti foi acusado pelo 'arrependido' Pietro Mutti (que deu declarações a partir dos primeiros meses de 1982), deram-se na *impossibilidade de uma efetiva defesa.*" [Grifos meus.]

Ele e Fuga puderam representar o papel de defensores de Battisti porque possuíam documentos que foram registrados *como se* fossem procurações autênticas. Na realidade, eram *mandatos forjados*, para cuja falsificação foi utilizado o seguinte método:

> A procuração legítima que o tribunal guardava em seus arquivos foi usada como modelo da escrita real do réu.
>
> As folhas que ele assinou em branco tinham sua assinatura no rodapé. Essa assinatura era também legítima, mas todas as folhas haviam sido assinadas no mesmo momento.
>
> Para forjar duas das novas procurações, *alguém* (?) fez um decalque (palavra por palavra, mas não por linhas completas) do texto da procuração legítima sobre duas das folhas assinadas.

A *data* e o *nome da cidade* foram modificados à mão, sobre o texto calcado.

Foi por causa disso que, no fim da síntese cronológica do Capítulo 9 recomendei dois fatos para lembrar: (1) A existência de uma procuração autêntica escrita por Battisti pouco depois de sua captura; e (2) as folhas em branco assinadas entregues a alguém antes da fuga para o México.

É interessante observar que, entre 2008 e 2011, linchadores italianos e brasileiros justificaram todos os abusos judiciais contra Battisti, mas *nunca tentaram refutar a existência das procurações apócrifas.* Quando o tema era abordado, prefeririam desconversar.

## A descoberta

A percepção da falsificação surgiu em 2004. A Itália nunca mencionou essas procurações, mas, quando pediu a extradição de Battisti, o estado francês não pôde omitir a exigência dos documentos básicos do julgamento italiano. Portanto, a Itália teve que encaminhar cópias autenticadas das "procurações", e estas, por sua vez, foram obtidas pelos defensores franceses de Battisti.

Em 2005, Fred Vargas e os advogados Turcon e Camus descobriram a fraude. Mandaram fazer uma perícia técnica por uma especialista do Tribunal de Recursos de Paris, Evelyne Marganne, que encontrou outras fraudes, como *envelopes adulterados* e *algarismos* e *nomes deformados*.

Fred explicou que os italianos usaram a procuração real de Battisti e "fabricaram" novas procurações, *calcando* as legítimas sobre *duas* das várias folhas em branco que Cesare havia assinado no rodapé. O *decalque* serviu para que os falsos mandatos apresentassem um estilo de escrita idêntico à do réu, aprimorando a simulação.

Duas "procurações" falsas foram usadas:

A dirigida ao Tribunal de Udine com data de 10 de maio de 1982.

A dirigida ao Tribunal de Milão com data de 12 de julho de 1982.

Foram "fabricadas" duas procurações, porque, no começo de 1982, ainda não se sabia se Battisti devia ser julgado em Udine ou em Milão. Os magistrados imputaram-lhe quatro crimes, dos quais um aconteceu em Udine e dois em Milão. Finalmente, foi escolhido o Tribunal de Milão, porque nessa comarca se perpetraram mais delitos que em Udine.

Entretanto, surge uma charada interessante: desde 1979 sabia-se que duas mortes foram em Milão e só uma em Udine. Por que, em 1982, os magistrados tinham dúvida se o julgamento seria na comarca milanesa ou na outra? Aliás, por que não pediram, para maior segurança, também uma procuração para Vêneto, onde foi morto Sabbadin? A resposta parece simples. Inicialmente, quando se reabriu o processo em 1982, os magistrados *não sabiam* quantos crimes iriam atribuir a Battisti.

Com certeza, já tinham decidido atribuir-lhe o de Santoro (em Udine) e o de Campagna (em Milão), mas devem ter pensado que seria difícil acusar Cesare da morte de Torregiani, pois já tinham cinco culpados por esse delito. No caso de Sabbadin, os magistrados deviam saber já que o autor era Giacomini, pois ele foi capturado em 1979, e tiveram pelo menos dois anos para torturá-lo. A confissão de Giacomini foi datada nos autos em 1988, mas a autoria devia ter sido conhecida muito antes.

Os juízes devem ter refletido durante algum tempo: acusar uma única pessoa de *todos* os homicídios cometidos por um grupo parecia um exagero difícil de acreditar. Mas, com o passar do tempo, devem ter se animado e confiado em sua onipotência, e realmente estavam certos: a justiça italiana e a brasileira simularam acreditar no esquisito acúmulo de crimes numa pessoa só.

> *Observação*: Em 1990 apareceu uma nova procuração em favor de Pelazza e Fuga, que foi falsificada para simular que Battisti estava ciente dos fatos e encaminhando um recurso. O texto devia ser muito diferente das procurações anteriores, e *não existia* nenhuma procuração legítima redigida com fins de recurso. Portanto, a fraude se fez usando máquina de escrever, com a qual se criou o texto do recurso também numa folha assinada antes pelo réu. Essa procuração é menos relevante para nosso relato e não voltará a ser mencionada aqui.

## Perícia grafológica

Quando começou a pesquisa sobre os falsos mandatos, Cesare Battisti já não estava em Paris. Havia sumido no ano anterior, 2004, e estava em algum local desconhecido pelo público.

Após perceber que as procurações dadas aos advogados tinham traços suspeitos, Fred Vargas e os advogados Eric Turcon e Elisabeth Maisondieu-Camus contrataram a perita Marganne, que analisou todo o material e encontrou outras fraudes: as três procurações falsas haviam sido assinadas com uma diferença máxima de poucos minutos. Nas primeiras duas, a diferença entre as datas oficiais era de dois meses e dois dias. Nenhum sistema nervoso consegue preservar o registro exato de uma escrita durante mais de alguns minutos. Se você assinar três vezes em três papéis transparentes, com uma pausa de algumas horas, verá que as assinaturas, apesar de conservarem o padrão do autor, não serão exatamente coincidentes. A coincidência das assinaturas de Cesare mostraria que as três procurações foram assinadas no mesmo dia, com diferença de segundos. Mas cuidado! Segundo o tribunal, entre as duas primeiras havia dois meses de diferença, e a terceira foi assinada oito anos depois. Isto significa que houve alguma trapaça. Como as assinaturas eram *sim* de Battisti, a conclusão era óbvia: as três folhas foram assinadas em branco no mesmo momento, e os textos foram colocados em outras datas. As duas primeiras, que eram manuscritas, foram reproduzidas por *decalque*.

Vejamos a mais provável evolução dos fatos:

Janeiro de 1982, Mutti é capturado, brutalmente torturado e entregue aos magistrados.

É possível que, durante a tortura, Mutti tenha mencionado Battisti. É comum em qualquer movimento clandestino denunciar primeiro quem está mais longe, tendo, assim, a garantia de que não será pego.

Os magistrados podem ter pensado que culpar Battisti seria útil. Isso permitia utilizar os verdadeiros autores como delatores, concentrar as culpas numa única pessoa, fabricar um símbolo do "terrorismo" e vingar-se do único de todos os detentos que não se curvara à majestade dos inquisidores.

Decidida a fraude, Mutti e os magistrados podem ter forjado, juntos, aquela história que todos os linchadores fingiram aceitar.

Os magistrados pensaram levar a coisa mais longe: não apenas pôr a culpa em Battisti, como também reabrir seu processo e *condená-lo*, mesmo sem denúncia nem acusação formal.

Mas não tinham o réu em pessoa, não tinham provas, nem testemunhas. Precisavam, pelo menos, de advogados.

Deve ter sido aí que Mutti entrou com a solução. Ele tinha as folhas em branco assinadas. O arquivo do tribunal tinha a antiga procuração *legítima* manuscrita. Um simples decalque resolveria. No começo, um dos dois tribunais, Milão ou Udine, podia ser o fórum, pois havia mortos de ambas as comarcas. Portanto, foram falsificadas *duas* procurações, uma com data de maio para Udine e outra com data de julho para Milão. O fórum de Milão teve preferência.

A perita Marganne encontrou também um envelope suspeito, dentro do qual, segundo a magistratura, o Tribunal de Udine teria recebido a primeira procuração. Os falsificadores tinham um modelo de procuração, mas *não* um modelo de envelope; então, não podiam calcar, e tiveram que falsificar à mão.

Nele, havia muito uso de *maiúsculas* e letras *inclinadas*, truques típicos para deformar a escrita. A palavra "Udine" do envelope foi calcada na primeira procuração. O problema era que o escrito legítimo havia sido produzido para o Tribunal de Milão, e os falsificadores queriam fazer *duas* procurações, para cada um dos tribunais. Então, a palavra "Milão" devia ser substituída por "Udine".

Mas a perita descobriu também que os *algarismos* dos primeiros mandatos diferiam muito dos números que Battisti costumava escrever. A data da procuração legítima deve ter sido de 1979 ou 1980 (ninguém sabe isso com certeza, porque, após ser usada como modelo, desapareceu). Era necessário substituir essa data por estas duas: 10 de maio e 12 de julho de 1982. Para tanto, precisaram escrever de novo, imitando os números que usava Battisti; mas a imitação não foi um decalque e não conseguiu enganar a perita.

## Reconstruindo fatos

Além do envelope, das datas e de algumas palavras falsificadas, havia outro fato suspeito que Fred Vargas encontrou em 2007. Entre a primeira e a segunda procuração havia apenas algumas pequenas diferenças, mas a coincidência de tamanho, forma e localização das palavras na folha era quase total. Cada folha era *quase* uma fotocópia exata da outra. (Vide a figura na seção de imagens.)

As diferenças nos espaços entre palavras deviam-se a que o decalque fora feito *palavra por palavra*, e não *linha por linha*. Calcar linha por linha exigiria manter as folhas juntas durante maior tempo e teria sido mais difícil. A coincidência obtida, mesmo que não fosse 100% perfeita, era praticamente impossível numa escrita espontânea. Sua probabilidade é *quase* zero.[98]

Atualmente, o advogado Giuseppe Pelazza recusa entrevistas com o círculo de Battisti. Se ele o tivesse autuado com uma procuração *legítima*, por que teria medo de falar sobre o assunto em público?

# CAPÍTULO 12
## TREVAS SOBRE A DEMOCRACIA

*A Itália é o único país da Europa onde a palavra de um arrependido* (delator premiado), *desprovida de um miligrama de confirmações objetivas, possui valor probatório. Qualquer mitômano pode dar de presente vinte anos de prisão afirmando apenas com sua palavra que viu cometer um crime. De acordo com minha opinião, isto não se chama um estado de direito...* [Grifos e interpolações meus.]

ANTONIO TABUCCHI, escritor italiano, *Corriere della Sera*, 5 de março de 1999. (Tabucchi não é suspeito de simpatizar com Battisti. Ele recusou um convite para a Festa Literária de Parati, no Rio de Janeiro, Brasil, em 2011, aduzindo que não estava de acordo com a soltura de Cesare.)

Na primeira parte deste livro traçamos um panorama rápido com os elementos mais substantivos do surgimento da repressão na Itália. Mostramos como essa repressão gerou resistência popular e acabou criando a necessidade de movimentos de autodefesa. Olhando as instituições do estado italiano à luz do caso Battisti, após termos lido os detalhes dos julgamentos e da falsificação das procurações, vale a pena perguntarmos: Que tipo de democracia era aquela?

Para responder a essa pergunta devemos fazer outro *flashback* e analisar a continuidade temporal entre o movimento fascista em sua forma escancarada e seus atuais resíduos.

## Repressão e democracia

Além do código penal da época de Mussolini (Códice Rocco), outros instrumentos fascistas foram aproveitados pela democracia italiana: a OVRA (Organizzazione per la Vigilanza e la Repressione dell'Antifascismo) era tão perfeita que o exigente chefe nazista Heinrich Himmler a usou como modelo para construir a Gestapo alemã. Após a guerra, a lei não permitia manter o nome original, mas a OVRA sobreviveu com outras denominações, e seu arquivo foi batizado como Casellario Politico Centrale (CPC, Arquivo Político Central). Essas estruturas continuam, até o século XXI, conservando todo o seu poder repressivo.

O Novo Código de Leis da Segurança Pública, implantado em 1926 e revisado em 1931, não foi abolido, apenas um pouco modificado, e os artigos que o formavam foram distribuídos em diversas leis ordinárias, aprovadas em separado. O projeto repressivo italiano sobreviveu à esquerda armada, que foi o pretexto para sua manutenção, e ainda vigora.

A prestigiosa organização Antigone[99] considera que *nunca* as condições prisionais no país foram tão desumanas como no século XXI, e a Anistia Internacional disse que não percebe melhora no respeito aos direitos humanos ainda hoje. Tortura sistemática, brutalidade policial e aberrações jurídicas foram provadas por ONGs, investigadores independentes e entidades internacionais. O célebre político italiano do PCI, Luciano Violante, guru do neostalinismo, reconheceu o uso de métodos repressivos "não convencionais".

## A condição prisional

A tradição jurídica exige um tratamento especial para o preso político porque sustenta que, certo ou errado, ele está animado por sentimentos mais nobres que o preso comum. Essa visão despreza a causa social dos delitos "comuns" e o fato de que esses delitos podem ser, às vezes, instrumentos de sobrevivência das classes oprimidas. Todavia, apesar do caráter "aristocrático" da distinção entre crimes políticos e comuns, esse privilégio para os políticos é um avanço para a humanização do sistema penal em geral.

Na Itália é diferente. A brutalidade prisional acomete todos os marginalizados, mas os infratores políticos são mais atormentados. Na península, a real oposição é considerada terrorismo, mesmo quando se manifesta *somente* em termos verbais ou em atividade intelectual. No fundo, todas as tendências no Parlamento atuam como se nenhuma delas fosse oposição, pelo menos desde que a Rifondazione Comunista perdeu suas cadeiras.

Na Europa, não são possíveis, hoje, punições atrozes como as aplicadas no século XVII. Por isso, a maioria dos presos italianos sofreu tormentos *parcialmente* reversíveis, embora nem sempre leves. Segundo os relatos dos cativos, de seus advogados e das ONGs, as torturas de ativistas eram mais sádicas que as aplicadas a outros detentos. Um motivo essencial para isso é que o ativista não apenas viola a lei, mas pretende *modificar* o sistema social, saltando da condição de simples delinquente ao estado de *herege*. Por isso é tratado com leis especiais, análogas às usadas pela Inquisição.

Um caso de aniquilação prisional recente, entre outros muitos, foi o suicídio de Diana Blefari Melazzi, que se enforcou em sua cela em novembro de 2009 durante uma crise depressiva. Diana, membro das Brigadas Vermelhas, de trinta e oito anos, estava alojada na prisão de Rebibbia, em Roma, condenada à prisão perpétua por sua colaboração no homicídio de um jurista.

Seus advogados denunciaram que haviam pedido durante meses, sem obter resposta, um tratamento psiquiátrico externo. Mas Angelino Alfano, ministro da Justiça, acusou os denunciantes de mentirosos no programa de tevê *Mattino5*, e prometeu um inquérito, que nunca fez. Os advogados da vítima enfatizaram que ela foi abandonada por ódio ideológico. Disseram: "Deixaram-na cometer suicídio porque era uma prisioneira política. Se fosse da máfia, teriam caprichado nos cuidados".

A Itália é muito conhecida por seu sistema prisional 41 bis (chamado assim pelo Artigo 41 bis do Ato Administrativo Prisional da Lei 354 de julho de 1975). É comum dizer que o 41 bis foi criado para controlar a máfia. Isto não o faria mais humano, mas, além disso, é *falso*. O sistema foi inventado para a esquerda e só se estendeu à máfia após junho de 1992, quando esta assassinou o juiz Giovanni Falcone. Esse sistema é parecido ao Regime Disciplinar Diferenciado (RDD) criado no Brasil pela Resolução Penitenciária de São Paulo 026/10, que, "legislado" pelo governador, implantou um sistema de isolamento total que pode induzir o réu ao suicídio ou à loucura.

O 41 bis é aplicado em cárceres muito afastados, obrigando a família do preso a grande sofrimento físico e moral. O recluso fica numa cela estreita, sempre sob vigilância externa, sem recreação ou comunicação. Pode ficar privado de luz solar, ou ofuscado por luz intensa, mas está isolado de qualquer som, o que elimina sua noção de tempo e o induz à psicose. Seu único direito é receber alimentação para prolongar seu tormento.[100] A organização Antigone, a ONG Orizzonti Ristretti, de Pádua, e outras organizações de direitos humanos publicam informação sólida sobre essas sevícias.

Desde 2000 até o começo de 2009, houve quinhentos e dezoito suicídios por ano nas prisões "especiais", muitos deles de presos políticos. No mesmo período, houve outras 1.365 mortes geradas por causas violentas.[101]

> Em novembro de 2007, a Corte Europeia de Direitos Humanos condenou a Itália pelas condições brutais de prisão sob esse sistema. Por *unanimidade*, decidiu que violava dois artigos da Convenção Europeia dos Direitos Humanos. Mesmo no sul dos EUA, onde o tratamento prisional é extremamente cruel, alguns juízes se recusaram a extraditar para a Itália mafiosos perigosos. A juíza conservadora D. D. Sitgraves entendeu que o 41 bis era uma forma sistemática e contínua de tortura, e negou a extradição do perigoso mafioso Rosario Gambino, em setembro de 2007.

## A aplicação de tormentos

Os investigadores têm relatado torturas "moderadas": espancamento com os punhos ou com bastões de madeira, chutes nas partes vitais, privação de sono, humilhações, afogamentos, queimaduras leves, posições dolorosas, coação para engolir grande volume de água salgada, hiperluminosidade, estrondos nos ouvidos. "Especialidades" de alguns oficiais são pressões na genitália, introdução de objetos na vulva e no ânus, arrancamento de pelos de locais sensíveis e destruição de dentes. As ameaças de morte e tortura contra familiares, *especialmente crianças*, foram eficientes para obter confissões, mas não encontrei confirmação de que houvessem sido cumpridas (talvez porque ninguém desobedeceu). Em relação ao uso de fogo, relatam-se queimaduras com cigarros e fósforos. É imprecisa a forma de aplicação de eletricidade.[102]

Os italianos usaram também *tortura química* contra os grupos de esquerda. Os produtos para impingir tormentos químicos incluem drogas que geram alucinações e psicoses, substâncias paralisantes, dolorosas e intoxicantes, culminando em ácidos e compostos cáusticos. Geralmente, a CIA recomenda "medicamentos" para tormento psíquico, que deixam menos traços.

É difícil avaliar a real quantidade de vítimas fatais ou mutiladas, porque algumas pessoas morreram na prisão por suicídio ou por falta de atendimento médico, e os laudos foram forjados. Robert J. Art e Louise Richardson[103] mostram que a aplicação de tormentos contra os brigadistas era uma rotina monitorada pelo judiciário. Quando não era possível abafar os fatos, os juízes simulavam inquéritos, no fim dos quais os algozes eram absolvidos, e os poucos condenados eram soltos em seguida com elogios pelo empenho em seu trabalho.

Vejamos dois exemplos de suplício de 1982 aplicados a membros das Brigadas Vermelhas. O brigadista Cesare Di Leonardo foi levado à câmara de torturas em fevereiro de 1982, onde sofreu cinco dias de sevícias. Engoliu água salgada, recebeu eletricidade nos testículos e fogo na virilha. Os tiras lhe fizeram cortes nas panturrilhas e nas coxas e os rechearam com sal; e aplicaram percussão simultânea nas orelhas para aumentar a pressão nos tímpanos. Di Leonardo teve uma lesão séria num ouvido. Finalmente, sofreu vários simulacros de execução.

Emmanuella Frascela, brigadista torturada junto com Di Leonardo, sofreu tormentos físicos com especial cunho sexual. A moça foi despida e seus pelos pubianos arrancados a frio. Os algozes ameaçaram estuprá-la e acabaram introduzindo um pé de cadeira em sua vagina. *Esse fato é altamente expressivo*. A miséria emocional dos torturadores é tão grande que muitos deles não conseguem ereção nem com atos de sadismo, e precisam violentar seus prisioneiros usando objetos.

A metodologia dos juízes coincide com o modelo geral receitado no *Manual do Inquisidor* (III; § 47) para o caso de um herege rebelde. Um réu que clama inocência ou se recusa a aceitar a acusação é necessariamente culpado.

Outra forma de crime contra a sacralidade das hierarquias italianas é tratar as autoridades sem servilismo. No Artigo 724 do Código Penal punem-se as expressões consideradas lesivas ou críticas para a religião católica. As leis protegem o papa contra qualquer piada ou irreverência. A famosa atriz Sabina Guzzanti foi processada em 2008 por fazer escárnio da sexofobia do pontífice.[104] A pena poderia ter sido de cinco anos, mas o juiz a perdoou porque "o papa, em sua infinita bondade, também a teria perdoado".

Em seu livro sobre a Itália, T. Spotts e T. Wieser[105] descrevem a tendência censora da magistratura. Os juízes proibiam filmes, romances e outras obras artísticas nacionais, incluindo as que eram grandes sucessos no exterior. Também normatizavam a indumentária das mulheres para evitar a luxúria.

A discriminação religiosa e racial variou muito de um estado ao outro, antes da unificação da Itália. Mas a perseguição foi se tornando maior quando o Vaticano recobrou sua força, e mais ainda quando fez aliança com o fascismo em 1922. Por causa da velha tolerância em alguns estados italianos menos confessionais, a Itália tinha muitos membros da comunidade bíblica Testemunhas de Jeová, fundada nos EUA no século XIX. A seita é conservadora, mas tem um traço fortemente progressista: seus membros rejeitam o serviço militar a despeito das punições.

O primeiro "objetor de consciência" italiano, Remigio Caminetti, apareceu na 1ª Guerra e foi uma testemunha de Jeová que em 1916 se recusou a servir no exército. Durante o fascismo, houve outros pacifistas condenados a onze anos de prisão e, após a 2ª Guerra, multiplicaram-se os refratários, sendo quase todos punidos. Quando ainda os parlamentares de esquerda tinham expressão, decidiu-se que o direito dos objetores devia ser respeitado. A Lei 772, que formalizava esses direitos, foi aprovada em 1972, estando em plena vigência em 1974, porém, apenas como letra morta.

Com efeito, apesar dessa lei, as testemunhas e outros objetores foram punidos com serviços civis de duração desmedida, e com prisão e tratamento desumano, mesmo quando aceitavam realizar o serviço substitutivo. Os objetores presos que enviavam queixas ao mundo exterior eram processados de novo por "divulgar segredos militares" e "difamação". Segundo relatório da Anistia Internacional de 1977, havia mais duzentas testemunhas presas na prisão de Gaeta, um velho castelo medieval com péssimas condições sanitárias.

No relatório de 1979, a Anistia denunciou as represálias dos tribunais militares contra os perseguidos que não aceitavam os abusos. Sandro Gozzo serviu doze meses numa comunidade agrária, e, cumprido o prazo legal em 1978, voltou para casa. Mas, em 1979, foi sentenciado a sete meses de prisão por se recusar a continuar o serviço *após* o período obrigatório.

Franco Pasello preferiu fazer o serviço civil e recusou o militar. Por causa disso, não tirou o documento de recruta, porque pensou, com muita lógica, que se optasse pelo serviço civil não precisaria do documento militar. Mas os tribunais militares entenderam isso como um desafio e o condenaram duplamente: catorze meses de prisão por recusar o recrutamento e outros doze meses por não ter documento militar. Quem duvida da existência de um poderoso esquema de tortura na Itália atual pode ler, entre as poucas coisas que se publicam na península, alguns breves artigos da imprensa

## Documentos Falsificados para o Julgamento de Battisti

**AS PROCURAÇÕES FALSIFICADAS*** À esquerda, o texto para o Tribunal de Udine, com data de 10/05/1982. À direita, o texto para o Tribunal de Milão de 12/07/1982. Observe que as palavras são quase xerox uma da outra. Apenas diferem os espaços entre elas, pois o decalque foi feito palavra por palavra e não linha por linha. Pense se conhece alguém que poderia escrever duas cartas iguais, de maneira independente, em datas diferentes, sendo a coincidência quase absoluta.

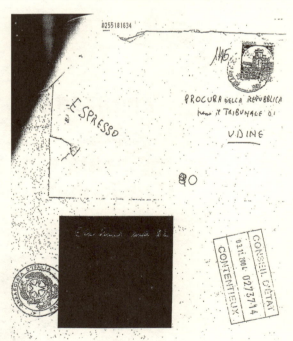

Alguns dos documentos falsificados em Milão, para simular que Battisti tinha sido defendido realmente por advogados. Maiores detalhes estão nos Capítulos 11 e 19, e no site do autor

Envelope onde, segundo a justiça italiana, Battisti teria enviado uma das procurações. A perícia demonstrou que as palavras escritas não correspondem ao tipo de grafia de Battisti. Aliás, várias palavras estão propositadamente distorcidas para ocultar os autores da falsificação. A palavra "UDINE" neste envelope e na primeira procuração são idênticas. Isto mostra que foram calcadas de uma mesma fonte.

## Supermassacres Fascistas (*Stragi*) entre 1969 e 1980

*Piazza Fontana*

Em 12/12/1969, Gladio faz o primeiro supermassacre em Milão, no Banco Agrícola de Piazza Fontana
Mortos: 17   Mutilados: 88

O jornal *Corriere della Sera*, ao fechar sua edição, ainda não tem a contagem completa. Nessas horas morrerão outros quatro feridos.

A polícia acusou do massacre o anarquista Giuseppe Pinelli, que foi torturado durante três dias e jogado pela janela do quarto andar da delegacia de Milão.

Delfo Zorzi foi um militante fascista que colocou os explosivos na Piazza Fontana. A justiça não pôde evitar condená-los mas os juízes o deixaram fugir para o Japão. Nunca foi pedida sua extradição, mesmo antes de obter a cidadania japonesa.

O agente da Gladio e militante fascista Carlo Digilio colaborou tanto com o massacre de Brescia quanto com o da Piazza Fontana, mas, apesar de ser condenado, nunca cumpriu pena. Seu caso foi reaberto após sua morte!

O inspetor Luigi Calabresi dirigiu a sessão de tortura contra Pinelli. Tempo depois, foi executado por um movimento de esquerda independente.

## Piazza della Loggia

**28/05/1974**
Massacre da Piazza della Loggia na cidade de Brescia. Durante um ato antifascista, terroristas de direita colocaram explosivos.
Mortos: 8
Mutilados: 102

## Trem Italicus

**04/08/1974**
O trem internacional Italicus foi explodido por fascistas do grupo Ordine Nero e membros da sociedade secreta P2, aliada do Vaticano.
Mortos: 12
Mutilados: 48

Massacre na estação de trem de Bolonha em 02/08/1980, na qual houve um total de mais de 300 vítimas.

O Massacre de Bolonha foi o ato terrorista com explosivos de maior impacto que acontecera em tempos de paz em Ocidente. Em número de vítimas só é superado pelas chacinas policiais na América Latina e pelo ataque a Nova York em 11/09/2001.
O tamanho do massacre não permitiu que passasse despercebido. No entanto, muitos acreditam que os fascistas condenados tenham sido apenas bodes expiatórios dos verdadeiros autores: fascistas de alta patente das forças armadas.

## Manifestações Populares e Repressão

**Década de 1970**
Em diversas cidades da Itália, jovens estudantes e trabalhadores ganham as ruas para protestar contra a truculência policial, a militarização das cidades e a repressão dentro das faculdades e das fábricas.

Em diversas cidades da Itália, jovens do Movimento Autonomista, especialmente da **Autonomia Operária**, se preparam para defender-se dos ataques da polícia e de bandas fascistas apoiadas pelo estado e pelas forças de repressão.

Jovens fascistas atuando como tropa de choque, sob o olhar satisfeito do famoso fascista histórico Giorgio Almirante, que aparece à direita do leitor.

## Repressão em Roma

*(Acima, à esquerda)* Confronto entre a polícia e os assistentes do funeral de um jovem assassinado por fascistas.
*(Acima, à direita)* Assembleia na Universidade La Sapienza, em Roma (03/1977)
*(Abaixo, esquerda)* O policial Giovanni Santone, vestido à paisana e armado, se infiltra numa passeata. Logo, a menina da foto abaixo será morta a tiros.
*(Abaixo, à direita)* Tiroteio entre policiais e estudantes.

**Georgiana Masi**, estudante de 19 anos, morta a tiros pouco depois da entrada de policiais na passeata.

## Assassinatos de Estado

Em cima: o cadáver do influente jornalista **Mino Peccorelli**, um homem que "sabia demais", assassinado por ordem de **Giulio Andreotti** (*abaixo*), o mais poderoso político da história italiana, com a ajuda do mafioso **Badalamenti**.

## Perseguição e Prisões de Battisti

Cartaz pedindo a cabeça de Battisti. Pode ser vivo ou morto, tanto faz.
Como nos filmes de pistoleiros, TUDO VALE no reino da máfia e do fascismo.
Acima, uma foto do policial Campagna, morto por um guerrilheiro de que ninguém se lembra.

O jornal progressista francês *Libération*, de 19/03/2007, publica a notícia da captura de Battisti no Brasil. A manchete diz: **Battisti detido / Butin** eleitoral. Isto se refere à candidatura para presidente de Nicolas Sarkozy, que planejou o sequestro de Battisti no Brasil, com a cumplicidade de elementos locais, para aumentar seu caudal eleitoral entre a ultradireita.

Gaetano Saya, militante fascista, ex-membro da Gladio, chefe do grupo paramilitar DSSA dedicado a sequestros e homicídios. É líder de um movimento racista contra estrangeiros. Tentou sequestrar Battisti em 2004, mas fracassou. Em 2009 fundou um partido neonazista, com o símbolo no fundo.

Em 2009, a perseguição a Battisti ainda continua. Ele recebe a suas filhas, após muito tempo sem vê-las, na prisão de Papuda, em Brasília. À esquerda, a filha mais nova, Charlene. À direita, Valentine (Tina).

Prisão em Brasília, 2008. Sete guardas fortemente armados para conduzir um homem desarmado e algemado.

## Solidariedade Francesa

Passeatas pela liberdade de Battisti em Paris, durante o mês de fevereiro de 2004

Paris, junho 2004
Reunião cultural do grupo de apoio a Battisti. No primeiro plano, a escritora e historiadora Fred Vargas.

Reuniões culturais do grupo de apoio a Battisti, em Paris, em junho de 2004, em reafirmação da decisão da sociedade esclarecida de confrontar o pedido de extradição com forte resistência.

Manifestações contra o pedido de extradição da Itália, em Paris, 2004. Uma passeata diante da Corte é vigiada pela polícia. Um grupo de manifestantes usando uma faixa com as cores da bandeira nacional protesta junto à prefeitura.

Fred Vargas, escritora de romances policiais de enorme sucesso, arqueóloga premiada e historiadora (*acima*), e Jo Vargas, delicada e criativa artista plástica (*direita*). Irmãs gêmeas, também idênticas em sensibilidade, talento e coragem. Elas percorreram muitas vezes a Europa e o Brasil em defesa de Battisti, representando os grupos de apoio europeus.

Bertrand Delanoë, prefeito de Paris desde 2001, colocou Battisti sob a proteção da cidade.

Michel Tubiana, presidente de honra da ONG francesa Liga dos Direitos do Homem, assinou uma carta ao presidente brasileiro Lula da Silva alertando-o da fraude do julgamento italiano.

François Hollande, político francês, visitou Battisti na prisão e pediu que a extradição fosse rejeitada. Atualmente é presidente da França.

## Solidariedade Brasileira e Italiana

Rui Martins, jornalista brasileiro, radicado na Suíça, foi o primeiro que alertou as forças progressistas brasileiras sobre a manobra fraudulenta para condenar Battisti na Itália e tentar extraditá-lo no Brasil.

Celso Lungaretti, escritor, jornalista e ex-preso político brasileiro, foi o porta-voz dos movimentos de solidariedade com o escritor perseguido. Em seu prestigioso *blog* Náufrago da Utopia, publicou mais de 300 matérias sobre Battisti.

Susanna Marietti, ativista de Direitos Humanos dos detentos, membro da ONG italiana Antigone, teve colaboração destacada no processo de denunciar a fraude contra Battisti.

Patrizio Gonnella, presidente da Associação Antigone, escreveu uma mensagem substancial para o presidente do Brasil, Lula da Silva. Nela denunciava que Battisti poderia ser morto na Itália.

O autor ministra uma palestra sobre as fraudes jurídicas para condenar Cesare Battisti, num ato na cidade de Fortaleza (Ceará, Nordeste do Brasil). Participam ativistas, juristas e parlamentares. À direita do leitor, Rosa Fonseca e Maria Luiza Fontenelle, fundadoras do grupo marxista Crítica Radical.

Na prisão de Papuda, em Brasília, em 2009. Militantes e parlamentares formam uma corrente de amizade na prisão. Rosa Fonseca, Ivan Valente, Eduardo Suplicy, Chico Alencar, Luiz Couto, Pedro Wilson, Praciano, Chico Alencar, Velozo, Pedro Ribeiro, José Nery, Fátima Cleide, João Pedro e outros.

Dalmo de Abreu Dallari, um dos maiores juristas da América Latina, enfrentou as decisões arbitrárias do judiciário brasileiro e escreveu numerosas matérias sobre os abusos contra Battisti. Sua intervenção foi fundamental para unificar um grande grupo de juristas contra o linchamento do escritor.

Magno de Carvalho é o líder do sindicato de trabalhadores de Universidade de São Paulo (SINTUSP) e membro do coletivo sindical progressista CONLUTAS. Magno e muitos parceiros sindicais deram fundamental apoio a Battisti durante a prisão e depois dela.

Abril de 2012. O SINTUSP organizou na Universidade de São Paulo um dos lançamentos do livro de Battisti *Ao pé do muro*. Houve cerca de 400 assistentes e numerosas e enérgicas manifestações de apoio ao escritor.

Luís Roberto Barroso foi advogado de defesa de Battisti na segunda fase do julgamento da extradição. Um eminente especialista na constituição e em direito humanitário, fez brilhante defesa no STF e fez uso de diversas matérias para esclarecer o público, que incluíam também assuntos políticos, como a repressão na Itália, as torturas o espírito de vingança etc.

Maria Regina de Toledo Sader, uma conhecida geógrafa e militante de esquerda que fora professora da Universidade de São Paulo, foi membro do círculo de apoio ao escritor perseguido. Aqui, em novembro de 2011, ela participa de uma reunião de amigos na casa do autor.

Tarso Herz Genro, ministro da Justiça do governo Lula, é uma figura histórica do marxismo brasileiro. Ele concedeu a Battisti a condição de refugiado e enfrentou com serenidade e coragem a onda de calúnias baixíssimas que o estado italiano e seus mercenários lançaram contra ele.

Eduardo Matarazzo Suplicy, a celebridade brasileira que mais tempo e esforço dedicou à causa de Battisti, aparece com ele na prisão de Papuda, Brasília, em 2009. Ele está emprestando seu telefone para que Battisti fale com seus amigos da França.

Luiz Inácio Lula da Silva é o mais popular chefe de estado na história do Brasil. No dia 31 de dezembro de 2010, assinou o decreto de recusa da extradição. Como em qualquer país, recusar uma extradição é um ato soberano do chefe do estado. No entanto, o presidente do Supremo Tribunal Federal, frustrado, levou sua vingança ao limite: só soltou Battisti em 8 de junho de 2011, após ter criado um clima de incerteza, com veladas ameaças de que mesmo assim o escritor seria deportado.

Eduardo Suplicy numa de suas muitas apresentações públicas em defesa de Battisti, faz referência ao livro *Minha fuga sem fim*, que segura na mão esquerda.

Rosa Fonseca (à esquerda) e Maria Luiza Fontenelle, do grupo Crítica Radical, defenderam Battisti com todos os métodos legais, confrontando-se até com os guarda-costas de alguns juízes.

Uma passeata de grupos progressistas se manifestando durante o julgamento da extradição

Na Itália não foram possíveis as manifestações de rua, e as reuniões em locais fechados tiveram alguns problemas. Mesmo assim, os apoiadores de Battisti fizeram conhecer sua indignação.

Valerio Evangelisti, escritor italiano, autor de fascinantes romances neopoliciais e históricos, publicou numerosas provas das fraudes judiciais contra Battisti.

Erri de Luca, escritor italiano premiado em toda a Europa, reconhecido como um dos maiores autores italianos, militante de esquerda e defensor da causa de Battisti.

## Vida Normal: O Pai e o Escritor

México, 1985. Cesare Battisti brinca com sua pequena filha Valentine, chamada Tina, que é o apelido do nome em espanhol (Valentina). O lugar é um dos típicos parques públicos do México.

Paris, 1995. Cesare Battisti com sua filha mexicana Tina, e, no colo, Charlene, recém-nascida.

Paris, 1995. O três novamente, agora num parque da Cidade Luz.

Paris, 1999. Com as filhas, curtindo uma vida normal, interrompida entre 2004 e 2011.

Da esquerda para a direita e de cima para baixo:
1. *Terras queimadas*, 2000
2. *A água do diamante*, 2006
3. *Terei tua pele*, 1997
4. *Nunca mais sem fuzil*, 2000
5. *Avenida revolução*, 2001

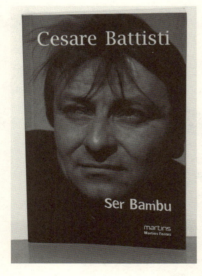

Os três livros publicados no Brasil (2009, 2010, 2012). Com base em sua experiência de perseguição, Battisti narra a vivência da fuga, do exílio e da cultura brasileira vista através dos detentos.

**Rio de Janeiro, abril de 2012.** Após mais de quatro anos de prisão ilegal, Battisti volta à vida normal de escritor. Na Livraria da Travessa, do Rio, apresenta seu último livro, Ao pé do muro.

**Rio de Janeiro, abril de 2012.** Com a maravilhosa paisagem como pano de fundo, Battisti se reencontra com a liberdade. Fascistas, mafiosos, inquisidores e stalinistas ficam em suas tocas, tramando novas investidas.

de centro, que sempre foi contrária à esquerda alternativa, e não pode ser acusada de parcialidade.[106]

## "Colaboradores da justiça"

Em 1982, a Itália aprovou a Lei 304, que criava a atividade de delator (*pentito*). Os Artigos 1 a 5 regulavam a nova "profissão", e os Artigos 6 e 9 enumeravam os "prêmios": redução de pena, liberdade condicional etc.. Como o *pentitismo* não estava bem definido, os inquisidores capricharam para prestigiar o ofício, definindo suas regras nas leis posteriores.

> Essas leis chamaram de *pentito* àquele que se "demite" de seu grupo antes da sentença, se entrega aos juízes e conta tudo sobre seus colegas.
>
> O *dissociado* é aquele que confessa seus "crimes" e ajuda a justiça a estabelecer a "verdade", mas, teoricamente, não é obrigado a delatar, apenas a confirmar delações já feitas.
>
> O *colaborador da justiça* é mistura de *pentito* e de dissociado, mas também ajuda no processo de encontrar provas: é uma espécie de policial voluntário.

Mutti era um *pentito*, mas foi sempre chamado de "colaborador" pelos juízes. Já Cavallina era um dissociado, mas a forma como ganhou sua liberdade é, ainda hoje, muito obscura. *Pentiti*, dissociados e colaboradores adquiriram na Itália um poder desconhecido em outras partes do Ocidente, e se constituíram em verdadeiros fabricantes de provas.

O *pentitismo* e seus afins têm recebido críticas no mundo todo, de advogados, de juristas, de ativistas e até de magistrados. Quando o Brasil julgou, em 2009, o pedido de extradição de Battisti para a Itália, o juiz Marco Aurélio de Mello,[107] do STF, um magistrado liberal, manifestou sua desconfiança das informações dadas por alguém que, dessa maneira, "salva sua pele". Num processo do ano anterior, até o ministro Carlos Menezes Direito, católico ultraconservador, disse que a delação não era prova.[108]

No Capítulo 3 da sentença de 1988 (p. 129), os magistrados se esforçam em dotar de validade à *chiamata in correità* (acusação de cumplicidade). No caso Battisti, os juízes não se assustaram com as queixas dos advogados contra as contradições de Mutti e aplicaram o método da delação sem hesitar; mas, em outros casos, as exageradas mentiras dos *pentiti* provocaram enorme escândalo.

O *pentitismo* italiano não está sujeito a confrontos com a prova empírica. (Vide a citação Tabucchi na epígrafe deste capítulo.) Nos EUA, um promotor pode negociar com um réu uma diminuição de sua pena se ele fornecer uma informação importante, que possa ser conferida, mas a palavra do delator não é aceita como prova. Já na península itálica, o *pentito* serve ao mesmo tempo como prova e como testemunha. Em harmonia com o que Erri de Luca chama o "caráter mercenário da Itália", o *pentito* ganha "descontos" em função do número de pessoas que delata ou dos crimes que lhes atribui. Alguém pode passar de uma sentença de vinte anos à liberdade imediata se delatar vinte pessoas e obtiver um "bônus" de um ano a cada delatado. Já houve delator que imputou a uma mesma pessoa mais de cem homicídios!

A fabricação de delatores pode não depender do valor de sua informação. Eles eram usados para caçar presas para a polícia, mas também como agentes de desmoralização, pois, ao fazer sua confissão de "arrependimento", mostravam que sua ideologia os havia levado à desgraça. Aliás, alguns delatados podem ser delatores de outros, criando uma corrente infinita de cumplicidade. Dessa maneira, a magistratura consegue uma equipe gratuita de voluntários, que, ao perceber que salvaram sua pele graças à delação, se tornam mais confiáveis que um alcaguete ocasional.

Mas há outro motivo para a existência de delação: a tortura. Há uma crença simplista de que a maior parte das pessoas, quando têm fortes convicções ideológicas e morais, pode resistir a todos os tormentos físicos e psíquicos. Essa visão desumana induziu grupos armados não esquerdistas, como o Sean Fein da Irlanda e os Montoneros da Argentina, a condenar à morte alguns militantes por "falar" durante os tormentos.

Na realidade, resistir a algumas formas de tortura prolongada é praticamente impossível. Todavia, na Europa Ocidental atual, é difícil submeter pessoas a torturas contínuas e truculentas. As histórias dos PAC parecem mostrar que quando os suplícios se tornavam públicos, os magistrados ordenavam amenizá-los ou detê-los, especialmente se os delatados não tinham nenhuma importância.

As acusações de cumplicidade levaram ao plano secular os velhos hábitos católicos da culpa, da confissão, da intriga e da entrega pérfida dos parceiros. No sul da Alemanha, o confessionário foi uma das armas mais poderosas do nazismo para obter informações das famílias católicas.

Uma forte semelhança entre a justiça italiana fascista e pós-fascista e os tribunais teológicos está na avaliação dos inimigos. A pena merecida depende menos do delito que das crenças do réu. Por exemplo, o homicida italiano Carlo Fiorino cumpriu sete anos de prisão, apesar de ser acusado de sequestro e assassinato, enquanto intelectuais que só podiam ser indiciados por criticar a direita por meio de discursos ou livros ganhavam décadas de xadrez.

O *pentitismo* conquista o réu por meio de um processo de humilhação. Ninguém sabe se a contrição do arrependido é verdadeira, mas seu mergulho na lama satisfaz o sadismo de magistrados e "vítimas". O *pentimento* é um ato religioso, é uma renegação da antirreligião do mal, ou seja, da esquerda.

Os *pentiti* são aceitos pelas vítimas da luta armada porque as ajudam a se vingar dos ativistas "irreconciliáveis". Não sabemos se, intimamente, as vítimas conseguem "perdoar" os *pentiti*, mas, na conduta exterior, mostram-se compreensivas com eles, porque o *pentimento* indica uma mudança de ideologia, e o dano que os agora arrependidos causaram antes com seus atos violentos será compensado pelas novas cabeças que ajudem a cortar. O aspecto místico do arrependimento é fundamental para entender o uso que a justiça faz dos delatores.

Se não levássemos esse fator em conta, a delação premiada seria claramente contraditória. Com efeito, as leis civis proíbem que pessoas que são "partes interessadas numa causa" testemunhem, mesmo em causas banais. Como pode ser, então, que uma pessoa que ganha quinze ou vinte anos de desconto de prisão possa ser *confiável*? Aliás, os magistrados, salvo em raros casos, acham que qualquer um que descumpre a lei (sendo de baixo nível social) é um monstro sem moral nem valores. Então, como podem acreditar na sinceridade de um deles?

O mesmo maniqueísmo resolve a contradição. O juiz ou promotor acha que, embora o *pentito* atue por interesse pessoal, o fato de se humilhar, de presentear o magistrado com o espetáculo de seu sofrimento moral é suficiente prazer para admitir a declaração do *pentito*. Aí, então, desaparece a contradição, porque, se a declaração for verdadeira ou falsa, isso já não interessa. Ela servirá para mandar aos calabouços vários outros monstros não arrependidos.

## Um salto aos dias de hoje

As autoridades italianas justificaram o que chamam de "severidade" (*sic!*) da justiça com o pretexto da dita "violência da esquerda". Se fosse assim, no século XXI, quando a esquerda italiana já estava derrotada, a tortura deveria ter desaparecido. Vejamos, porém, evidências da *continuidade* do sadismo repressivo. Deve-se notar, em primeiro lugar, que a variação de crueldade no sistema em função das mudanças de governo é *mínima ou nula*. Com Prodi, Berlusconi ou qualquer outro a situação é idêntica.

Além dos casos de agressão maciça contra africanos, ciganos ou pessoas marginalizadas em geral, executados por turbas incendiárias ou armadas, houve, nos últimos anos, vários escândalos de tortura policial e assassinato na prisão.

Há numerosos casos recentes de morte sob tortura apenas por desconfiança, ódio ou necessidade de diversão dos policiais. Tal é o caso de Stefano Cucchi (1978-2009),[109] Federico Aldrovandi, estudante de classe média alta de dezoito anos,[110] o marceneiro Aldo Bianzino, de quarenta e quatro anos,[111] Marcello Lonzi, de vinte e nove anos,[112] e outros. Casos truculentos de tortura ou execução policial, pelos motivos mais banais, são os de Manuel Eliantonio, Luigi Acquaviva, Mauro Fedele, Renato Biagetti, Nicola Tommasoli e Abdul Guibre. Vide o relatório da Anistia Internacional.[113]

Mas não se pode argumentar que os numerosos crimes dos policiais, tolerados pela magistratura, são apenas abusos: na realidade, eles são procedimentos sistemáticos frequentes em escala nacional. Com efeito, o absoluto descumprimento da Itália dos acordos sobre direitos humanos foi denunciado por várias organizações.[114]

TERCEIRA PARTE | A INQUISIÇÃO TROPICAL

*Se um pedido de asilo afetasse as relações com a Inglaterra e os Estados Unidos, a América Latina deveria estar afetadíssima; porque todos os corruptos do Equador, todos os banqueiros que quebraram aqui foram pedir asilo nos Estados Unidos [...] Isto [o direito de asilo] é uma figura estabelecida no direito internacional e qualquer país tem o pleno direito, dentro de sua soberania, de analisar a possibilidade de dar asilo a um cidadão do mundo. [Interpolação minha.]*

RAFAEL CORREA DELGADO, presidente do Equador, em 21 de junho de 2012, referindo-se ao pedido de asilo do ativista Julian Assange.

*Após o tremor de terra, que havia destruído três quartos da cidade de Lisboa, os sábios desse país não encontraram nada mais eficiente para preservar o reino de outra enorme desgraça que entreter o povo com um auto de fé. Foi decidido pela Universidade de Coimbra que o ato de queimar vivas algumas pessoas por meio de fogo lento, e com grande cerimônia, seria uma forma infalível de prevenir novos tremores de terra.*

VOLTAIRE, CANDIDE (1759), cap. 6

*O Inquisidor deve ser honesto em seu trabalho, de uma prudência extrema, de uma firmeza perseverante, de uma erudição católica perfeita e cheia de virtudes.*

EYMERICH E DE LA PEÑA: *Manual dos inquisidores*, Parte III. Sec. A.1.

## CAPÍTULO 13
## A SAGA BRASILEIRA

Depois de mais de dois anos no Brasil, Battisti foi capturado em 2007 por um comando de forças policiais nacionais e estrangeiras. Entregue ao Supremo Tribunal Federal, esperou na prisão o desenrolar do processo. No fim de 2008 pediu refúgio. Neste capítulo, fazemos uma resenha do contexto legal que apoiava a decisão de dar-lhe refúgio. Fechamos o capítulo mencionando as declarações de alguns magistrados e ex-magistrados, que provam que a determinação de extraditar Battisti estava aprovada antes da sentença, a despeito do simulacro de julgamento.

### Síntese cronológica

Vamos ordenar temporalmente os principais fatos desta fase:

**Fim de 2004** – Battisti chega ao Brasil e se instala no Rio de Janeiro.

**18 de março de 2007** – Um comando conjunto de policiais brasileiros e franceses prende Cesare em Copacabana. O deputado ecologista Fernando Gabeira declara sua intenção de lutar contra a extradição do escritor. Este é confinado na Superintendência da Polícia Federal no Rio de Janeiro, e fica sob a tutela do Supremo Tribunal Federal (STF).

Fontes francesas afirmam que alguns ministros do STF *sabiam que Battisti estava sendo seguido*. O Brasil e a França teriam aproveitado o "momento certo" para combinar a detenção.

**19 de março de 2007** – Cesare é transferido para Brasília. A Itália exige sua extradição. Seu advogado francês, Eric Turcon, denuncia a irregularidade do julgamento na Itália. Gabeira se pronuncia contra o revanchismo italiano.

**20 de março de 2007** – O STF dá quarenta dias de prazo à Itália para apresentar um pedido oficial de extradição.

**4 de Maio de 2007** – A Itália protocola pedido formal de extradição.

**Março-abril de 2007** – O magistrado Celso de Mello do STF é incumbido de apreciar o processo de Battisti. O advogado Luiz Eduardo Greenhalgh, membro do Partido dos Trabalhadores (PT), assume a equipe de defesa.

**Outubro de 2007** – Celso de Mello aduz motivo íntimo para "repassar" a outro magistrado o papel de relator no processo.

**13 de novembro de 2007** – O novo relator é Antonio Cézar Peluso.

**28 de novembro de 2008** – O Conare (Comitê Nacional para os Refugiados) nega refúgio a Cesare em primeira instância por três votos a dois. Votam contra o perseguido o representante do Ministério da Justiça, o Ministério de Relações Exteriores e a Polícia Federal. Cáritas, instituição da Igreja, manda um voto negativo escrito, mas ele não é aceito. A minuta da reunião é mantida em sigilo.

**13 de janeiro de 2009** – O ministro da Justiça, Tarso Genro, em segunda instância, concede refúgio a Cesare de acordo com a Lei 9.474, e fundamenta sua decisão nos riscos que Battisti correria na Itália.

**14 de janeiro de 2009** – O Ministério de Relações Exteriores da Itália pede ao governo brasileiro que "reconsidere sua decisão". A Itália começa um período de dez meses contínuos de ataques verbais e provocações, que incluem injúrias e procacidades contra as mulheres e os juristas brasileiros.

**20 de janeiro de 2009** – O senador brasileiro Eduardo Suplicy, ativo defensor dos direitos humanos, oferece sua colaboração para que a Itália *entenda* as razões do refúgio.

**15 de janeiro de 2009** – Fala-se que Battisti ganharia a liberdade a qualquer momento, pois as leis brasileiras e internacionais proíbem a prisão de refugiados. Porém, o STF manterá essa prisão até que consiga, com um ardil jurídico, anular seu refúgio.

**16 de janeiro de 2009** – Cesare é acusado de usar passaporte falso para entrar no Brasil, uma infração cometida por milhões de refugiados no mundo todo.

**16 de janeiro de 2009** – O advogado Luiz Eduardo Greenhalgh defende publicamente a legitimidade do refúgio, contra provocações e críticas insultuosas da direita.

**20 de janeiro de 2009** – Conforme informa a mídia, começam os contatos "discretos" entre o embaixador italiano e o presidente do STF, dos quais não vaza nem uma sílaba, apesar do afinco dos jornalistas mais experientes e relacionados.

**27 de janeiro de 2009** – Primeiro pedido ao STF pela libertação de Cesare apresentado pela defesa. O Ministério Brasileiro de Relações Exteriores (Itamaraty) simula apoiar Battisti, explicando aos italianos a legalidade dos procedimentos brasileiros. O Itamaraty mostra absoluta indiferença às injúrias disparadas pelas instituições italianas contra o Brasil em geral e o governo em particular. A Itália tenta mobilizar a União Europeia.

**28 de janeiro de 2009** – O STF autoriza jornalistas a entrevistar Battisti na prisão.

**1º de fevereiro de 2009** – O STF encerra suas férias e afirma que começará a julgar o caso Battisti.

**2 de fevereiro de 2009** – O Parlamento Europeu, após muitas recusas e desconforto, aprova a inclusão do caso Battisti em sua agenda. A grande mídia brasileira "esquece" que o *quorum* para a votação dessa inclusão foi de apenas 20,3% do total.

**3 de fevereiro de 2009** – O presidente do STF inicia uma longa campanha de provocações, proferindo declarações hostis contra Battisti e ameaçando governo e políticos progressistas. Durante um longo tempo, seu discurso apresenta seu estilo já clássico de displicência com o poder executivo, mostrando abertamente seu intuito de desestabilizar o governo.

## Captura e refúgio

Entre 1976 e 1980, chegaram do Cone Sul ao Brasil milhares de perseguidos sem documentos. Alguns deles foram "tolerados" até encontrarem refúgio em países desenvolvidos e outros ficaram clandestinos, mas a proporção dos que foram expulsos ou encarcerados (sem contar os que foram sequestrados pela Operação Condor)[115] foi pequena. No entanto, o estado brasileiro não conferiu asilo individual nem refúgio coletivo.

A permissão para que o Alto Comissionado da ONU para os Refugiados (Acnur) pudesse funcionar no Brasil com apoio da Igreja foi parte da política de distensão do novo ditador Ernesto Geisel. Essa "hospitalidade" foi oferecida porque os massacres na Argentina (1974-1983) tornaram impossíveis as tarefas do Acnur em Buenos Aires, onde estava sediado, e porque a ditadura brasileira queria melhorar sua face.

A INQUISIÇÃO TROPICAL

Só em 1989, pelo Decreto n.º 98.602, o Brasil passou a ser receptor oficial de refugiados, em quantidades ínfimas. Mas a legalização completa foi realizada nos anos 1990, pela Lei 9.474/97 (Lei de Refugiados), cujo Artigo 11 criou um departamento no Ministério da Justiça: o Comitê Nacional para os Refugiados (Conare). O país já era signatário da Convenção de Genebra de 1951 desde janeiro de 1961, e do Protocolo de Nova York de 1967 (que estabeleceu o refúgio universal) desde 1972. Entretanto, os governos brasileiros não cumpriram os compromissos fixados nesses tratados até o fim do século.

Num texto editado pelo Acnur e o Conare, *O reconhecimento dos refugiados pelo Brasil*,[116] os autores, ao se referir à falta de aplicação do Protocolo de 1967 pela ditadura militar nos anos 1970, advertem:

Tal fato [*a falta de aplicação dos tratados pelo Brasil*], contudo, não foi impedimento para a produção nacional de engenhosas alternativas jurídicas de caráter humanitário, capazes de oferecer proteção internacional a cidadãos não europeus.

O fato de que fossem necessárias "alternativas de caráter humanitário" (nem sempre engenhosas) para aplicar convenções internacionais claramente reconhecidas pelo país mostrava que, por um lado, a ditadura não cumpria esses acordos, e, por outro, que os agentes humanitários oficiais tinham medo dos militares. O desinteresse da burocracia estatal pelos direitos humanos, seja em democracia ou em ditadura, é tradicional na região.

Em 2005, o chefe mundial do Acnur, António Guterres, surpreendeu-se pela diferença entre os 4 mil refugiados que protegia o Brasil e os quase 2 milhões do Paquistão,[117] um país paupérrimo sufocado por conflitos religiosos e terrorismo. Ainda mais larga é a brecha com o Equador, cujo território é trinta e uma vezes menor que o do Brasil, mas acolhia um número nove vezes maior de refugiados.

Em 1999, o Brasil estava no 77º lugar (em ordem decrescente) em número absoluto de refugiados. Em proporção ao tamanho demográfico, aparecia na 103.º posição, abaixo do Chile (99º) e da Bolívia (96º). Em 2005, estava, em quantidade, em 79º lugar, e *per capita* era o 134º, abaixo da Nicarágua (118º).

Battisti chegou ao Brasil na segunda metade de 2004, sem documentos legítimos, e só foi preso em 18 de março de 2007, por policiais brasileiros e franceses. Esse sequestro violava a Convenção Americana de Direitos Humanos, a Convenção de Genebra de 1951 e o protocolo de 1967, pois todos eles *proíbem* prender estrangeiros que fogem da perseguição de outros países.

Inicialmente, protegeram Battisti o deputado ecologista Fernando Gabeira e o ex-deputado do Partido dos Trabalhadores Luiz Eduardo Greenhalgh. Após sua detenção, Cesare foi internado na Polícia Federal de Rio de Janeiro e enviado logo após à carceragem federal em Brasília. O relator de seu processo junto ao Supremo Tribunal Federal (STF) determinou em julho de 2007 que a Polícia Federal deveria lhe conceder reuniões sigilosas e diretas com seus advogados.[118] A ideia dos amigos de Battisti de pedir *refúgio* para ele só se concretizou dezesseis meses depois.

Várias fontes descreveram os primeiros dias de prisão do escritor. Um comentário veio do irmão mais velho, Vincenzo Battisti, dado à revista italiana *Panorama*. Um estudo detalhado de sua situação foi publicado numa excelente reportagem de Mário Sérgio Conti na revista brasileira *Piauí*. Ele registra que o prisioneiro não usufruía dos direitos básicos garantidos pela lei. O fato foi comunicado ao relator do caso, que decidiu transferi-lo.

Em todos os países do Ocidente, o refúgio é concedido por organismos especializados. Em alguns deles, o estado receptor cuida do trabalho, da saúde e da educação dos refugiados. Na Suécia, por exemplo, o gabinete de imigração (*Invandringen Verket*) consulta os ministérios para orientar essa assistência, mas estes não podem decidir sobre a admissão de candidatos. No Brasil, inversamente, várias entidades têm ingerência nos processos do refúgio.

O Conare é presidido pelo representante do Ministério da Justiça, o que é correto, mas outros ministérios também têm voto. A Polícia Federal deveria apenas fornecer os antecedentes criminais dos candidatos, mas está autorizada a votar sobre a admissão.

O Ministério de Relações Exteriores (MRE) é irrelevante para o refúgio territorial, que é um problema *interno* e não *externo*, mas também tem voto. Em teoria, o Conare concede voto "às ONGs de direitos humanos", mas, na prática, a eterna representante dessas ONGs é Cáritas, uma dependência da Igreja Católica.

Em síntese: o único membro do Comitê realmente especialista em refúgio é o representante do Acnur, mas ele também é o único que *não tem direito* de voto! Apenas pode dar alguma opinião, que nem sempre a burocracia aceita. No caso de Battisti, o Conare jogou no lixo a opinião do Acnur.

O Conare, como outras instituições, cumpre a função de "vender" a imagem internacional do país, uma preocupação cosmética histórica das castas dominantes. Para o Brasil, o refúgio não é uma instituição humanitária, mas uma espécie de privilégio concedido aos que depois podem ser usados como propaganda do cumprimento pelo país do direito internacional.

Logo após a captura de Battisti, a Itália entregou um pedido de extradição por intermédio do ministro da Justiça, Clemente Mastella. Este, para evitar críticas brasileiras sobre a "severidade" das leis italianas, declarou que a prisão perpétua era puramente teórica e que na península ninguém cumpria mais de vinte e seis anos de prisão. Isso era sabidamente falso, pois muitos prisioneiros já amargavam mais de quarenta anos de reclusão em condições aterradoras.

Essa mentira visava confundir os brasileiros para garantir a entrega de Battisti e saciar o espírito de vingança das "vítimas". Portanto, essa tramoia favorecia tanto o objetivo de Mastella como o dos parentes dos supostos assassinados por Battisti. Todavia, apesar da boa vontade de Mastella para com o revanchismo dos familiares, estes ficaram furiosos pelo que consideravam uma fraqueza do ministro: queriam linha dura e nada de diálogo com os *brasucas*.

Mas o ministro, numa reunião publicada nos principais jornais italianos, esclareceu, com seu típico estilo chulo, que aquelas promessas de interromper a prisão perpétua aos vinte e seis anos de prisão eram apenas uma fábula *per fregare i brasiliani* (para foder os brasileiros). Referindo-se a Battisti, garantiu que *il farabutto* (o palhaço) cumpriria prisão até seu último suspiro. O Itamaraty, com sua histórica "paciência" com os países ricos, ficou calado. O mesmo fizeram a mídia brasileira e a magistratura.

Foi em novembro de 2008 que os amigos de Battisti pediram o refúgio do escritor oficialmente ao Conare. O Capítulo V da Lei 9.474 considera esse Comitê *apenas uma primeira instância*, cuja deliberação pode ser apelada junto ao ministro da Justiça. O sigiloso comitê rejeitou a solicitação por três votos a dois.

Votaram contra o refúgio Gilda Santos Neves, do Itamaraty, a Polícia Federal e o próprio presidente do Conare. Já a Cáritas enviou um voto negativo, mas sem comparecer à reunião, fiel à doutrina da Igreja de "fazer caridade sem vaidade". O fato foi confuso, porque todo o caso Battisti esteve coberto de mistério e manobras esdrúxulas; mas alguém disse que o voto não presencial era inválido.

Causou surpresa, entretanto, que o *próprio* presidente do Conare, Luiz Paulo Barreto, subordinado do ministro da Justiça, Tarso Genro, também votasse contra. Segundo explicara o ministro Genro a seus amigos, Barreto tinha "problemas de consciência" para votar em favor Battisti, e ele, em vez de demitir o funcionário de sua função do Conare (que não afetava o resto de sua carreira), preferiu esperar o recurso contra o resultado e conceder o refúgio pessoalmente.

Juridicamente, Genro havia usado seu direito de atuar em segunda instância, mas a discrepância com Barreto encorajou a então cúpula do STF, a direita política e a mídia a lançar fortes provocações contra o governo. Foi usado o bordão "o Conare negou o refúgio", como maneira de indicar, com extremo grau de cinismo, que o ministro agia ilegalmente.

Para justificar a outorga de refúgio, Genro escreveu uma peça histórico-jurídica que mostrava seu senso social e seu conhecimento da perseguição política italiana. Denunciou fatos irregulares do julgamento de Milão (falta de provas, de testemunhas, de advogados isentos, de documentos autênticos). Também alertou sobre os riscos que correria Battisti na Itália, e salientou a febre peninsular de vingança. Todavia, a referência de Genro às *torturas* italianas, que deveria ter merecido grande ênfase, foi muito leve.

## As bases legais do refúgio

O Brasil sempre concedeu asilo a ditadores, genocidas e torturadores, mas o estado tem fama de acolhedor também de verdadeiros perseguidos. Essa fama tem sua origem na generosidade e simpatia das massas populares, evidente para qualquer estrangeiro. Mas os beneficiados por essa meiguice ignoram que a grande massa que dá ao Brasil esse aspecto carinhoso carece de poder de decisão e de acesso à informação.

Em 1997 foi aprovada a lei de refúgio 9.474, que marca um progresso em relação à anomia e à iniquidade de períodos anteriores, mas está pautada por interesses publicitários, e só cumpre função humanitária de vez em quando... e por acaso.

Proíbe-se nela, sem nenhuma ressalva, o refúgio dos "terroristas" e dos traficantes de drogas. "Terrorista" é um termo usado para estigmatizar inimigos políticos, mas a lei nem se incomoda em esclarecer se aceita ou não a proposta do Conselho de Segurança da ONU.*

Quanto à droga, a Lei não diferencia níveis de tráfico, fingindo ignorar que, em muitos países, os pequenos e médios portadores de droga são reféns dos grandes cartéis e só podem escapar dessa escravidão fugindo para outro país, como acontece com muitos colombianos refugiados no Equador.

O refúgio é uma proteção para os que correm risco de julgamento injusto, não um prêmio à virtude. Ora, ao rejeitar certo tipo de refugiados, a lei 9.474 sela a famigerada doutrina draconiana que defende que *algumas pessoas não merecem julgamento justo*. Com efeito, por mais grave que seja o crime, se o réu pudesse ser abusado em seu país de origem, o refúgio deveria ser indiscutível. Mas a lei favorece, em seu lugar, o linchamento.

O Artigo 1 da Lei 9.474 admite como refugiados os que não queiram voltar a seu país por *fundamentado* medo de persegui-

---

* Henrique IV foi um candidato ao trono da França, que devia se converter ao catolicismo para ser coroado. Daí vem o ditado: "Paris bem vale uma missa".

ção. Esse medo pode, às vezes, ser avaliado com critérios psicológicos, sociológicos, políticos e geográficos. Mas não pode ser aferido com base em teorias filosóficas ou na leitura de códigos penais. Então, um juiz pode e deve obrigar o poder executivo a outorgar refúgio como medida protetora, mas *não pode* recusar um refúgio concedido pela autoridade do estado.

> Esse conceito é fundamental, pois aparecerá durante o julgamento de extradição de Battisti pelo Supremo Tribunal Federal. Cinco juízes do STF se atribuíram o direito de revogar um refúgio dado pelo executivo, uma gigantesca aberração jurídica que viola todo o direito internacional dos países ocidentais.

O Inciso III do Artigo 1 protege os que precisam deixar seu país devido à "grave e generalizada violação dos direitos humanos". Tampouco se elucida a expressão "grave e generalizada". A interpretação mais sensata é que essas violações são as que afetam potencialmente qualquer *membro de um conjunto designado*. Mas, durante o julgamento de Battisti, vários membros do STF fingiram não admitir que na Itália houvesse esse tipo de violação. Eles devem imaginar que "grave e generalizada" significa pelo menos um milhão de mortos, como em Ruanda. Na Itália houve, entre prisões, torturas e condenações, umas 30 mil ocorrências. Quanto mais é necessário?

O Artigo 3 menciona condições de exclusão copiadas do Artigo 1, seção F, do Estatuto de Refugiados da Convenção de Genebra de 1951, com algum toque "inovador". Excluem-se do direito a refúgio os autores de crimes *contra a paz*, de *guerra* e *contra a humanidade*. No entanto, a lei se furta a defini-los, e o judiciário os interpreta a seu total arbítrio, como o revela o asilo dado a hipercriminosos de guerra nazistas há quarenta anos.

Outra exclusão, puramente vernácula, proíbe refúgio aos autores dos crimes "hediondos". A lei que define esses crimes (Lei 8.072 de 1990) parece ter emprestado seu nome dos *heinous crimes* do *Common Law*, mas, no caso do direito inglês, claramente se admite que o termo é puramente *descriptive and non juridical*.* Na Lei 8.072, apenas o Inciso (I) do Art. 1 faz pensar em "crimes contra a humanidade". O Artigo 2 menciona a *tortura* como crime não passível de indulto, mas *não como hediondo* (!). O *genocídio*, que mudou toda a legislação mundial e é usado sempre como crime contra a humanidade, nem sequer é mencionado!

Os casos de refúgio aceitos pela Lei 9.474 podem ser interpretados com ambiguidade ilimitada, favorecendo a arbitrariedade de sua outorga ou rejeição.

No Artigo 7 § 1º proíbe-se a deportação de um estrangeiro a um país onde sua vida ou liberdade esteja ameaçada. Os artigos da lei mais relevantes ao caso Battisti são o 29 e o 30, que reconhecem o direito de recurso contra decisões negativas do Conare e proclamam *inapelável* a decisão do ministro.

Também são fundamentais os Artigos 33 e 34. Estes dois *impedem* a extradição de refugiados e preocuparam os inquisidores de Battisti, que procuraram os artifícios mais descabidos para deturpá-los. Vejamos:

A distinção entre *refúgio* e *asilo* é clara em alguns casos, mas, quando se enfatiza a função protetora de ambos, os conceitos parecem idênticos, inclusive em documentos oficiais. Contudo, a dualidade foi explorada por vários magistrados para denigrir a decisão de Tarso Genro sobre o caso Battisti, acusando-o de "dar refúgio sob o disfarce de asilo".

---

* A elucidação do conceito de *terrorismo* pelo CS da ONU, ainda incompleta, foi formulada num relatório de novembro de 2004: "*Ato Terrorista* – Qualquer ato que tenda a produzir a morte ou ferir gravemente civis não combatentes, com o propósito de intimidar uma população ou obrigar um governo ou organização internacional a fazer ou deixar de fazer algo".

A instituição do *refúgio* é uma proteção que organismos internacionais como o Acnur outorgam quase sempre *fora* do país perseguidor a grupos perseguidos por sua etnia, religião, opinião e outros atributos. Existem casos mistos, mas, em termos gerais, o refúgio é uma medida de proteção do seguinte tipo:

(a) maciça ou grupal;
(b) outorgada fora do local de perseguição;
(c) baseada em riscos coletivos;
(d) assumida por um país de maneira indefinida, ou pelo Acnur, de maneira temporária.

O refúgio pode ser também individual, como fica evidente na própria Lei 9.474. *Asilo* é um termo pouco usado fora das Américas, mas existe em várias nações europeias, onde aparece quase como sinônimo de *refúgio*.

Nos EUA, os *asilados* são um tipo específico de refugiados: aqueles que já estão no território protetor.[119] Com essa definição, o refúgio concedido por Genro a Battisti *seria também um asilo*. Mesmo em publicações especializadas e documentos dos organismos internacionais, "asilo" e "refúgio" são usados como sinônimos, o que torna ridícula a pretensão de diferenciá-los rigidamente.

A polêmica sobre esses dois conceitos instigou as Nações Unidas a oferecer uma definição mais precisa de *asilo* (porém, ainda imperfeita), mas não foi incorporada à documentação brasileira, nem parece ser conhecida por alguns magistrados.

"*Asilo*: Proteção concedida por um país, em seu território, à revelia da jurisdição do país de origem, baseada no princípio do *non-refoulement* [não devolução] e que se caracteriza pelo gozo dos direitos dos refugiados reconhecidos pelo direito internacional de asilo e que, normalmente, é concedida sem *limite de tempo*.[120]" [Grifos meus.]

Nessa elucidação, percebe-se que o asilo é um subconceito do refúgio. Na América Latina há também um uso discricionário de *asilo*, quando se entende que o *asilado* é um hóspede do país outorgante do asilo, e sua outorga só depende do chefe, sem necessidade de existência de risco no país de origem. De fato, não foram os muitos tiranos que o Brasil asilou que corriam risco. Eram suas vítimas.

No Brasil, enquanto o conceito de *refúgio* é definido pela Lei 9.474, o conceito de *asilo* é usado sem definição, e aparece como princípio fundamental do estado brasileiro, segundo o Artigo 4, X, da Constituição Federal. Então, como a constituição *não* define "asilo", mas o considera um princípio básico, isso significa que só será possível usá-lo aceitando uma definição informal. É muito natural, e às vezes inevitável, que o asilo seja identificado com o refúgio.

Contudo, quando um ministro decide proteger alguém, como fez Genro, seu único recurso é o *refúgio*, pois só para o caso de *refúgio* (e não para o de asilo) existe lei específica.

A outra lei relevante ao caso Battisti, a 6.815/80, veio substituir o antigo Estatuto do Estrangeiro, que fora criado para favorecer a imigração de europeus, brancos e cristãos. Em 1980, a ditadura militar brasileira percebeu que nem todos os brancos e cristãos eram bons, e fez o Parlamento brasileiro aprovar uma norma ainda mais draconiana que a anterior, com o voto contrário da oposição.

A Lei 6.815 é a única que normatiza o processo de extradição em seu Título 9º. O Inciso VII do Artigo 77 *proíbe* a extradição por crime político, um fato que foi utilizado por quatro dos nove magistrados do STF para votar a favor de Battisti. No § 2º do Inciso VIII desse mesmo artigo, reserva-se ao STF a exclusividade para decidir se o crime é *comum* ou *político*, mas apenas *quando o propósito é a extradição*, e não quando o propósito é o refúgio.

O Artigo 81 ordena a prisão do extraditando para evitar sua fuga, uma medida que foi aplicada a Battisti ilegalmente durante os quinze meses e três dias (entre janeiro de 2009 e abril de 2010) em que vigorava sua condição de refugiado. O Artigo 83 outorga ao STF a exclusividade para se pronunciar sobre a extradição, mas isso é apenas uma condição *necessária*: precisa-se do parecer do tribunal para extraditar, mas o judiciário não pode *impor* extradição nenhuma.

## Procurando ajuda internacional

A longa prisão de Battisti me convenceu da necessidade de pressão internacional. Em 21 de julho de 2009, apresentei uma queixa à Comissão Interamericana de Direitos Humanos (CIDH), ligada à OEA, contra as violações perpetradas pelo STF. Preferi me basear na Declaración Americana de los Derechos y Deberes del Hombre, aprovada na Colômbia em 1948, conhecida como Carta de Bogotá, que continha quatro artigos perfeitamente claros.

Denunciei as infrações aos Artigos 24, 25, 26 e 27, incluindo o direito de todo refugiado a permanecer em liberdade. O Artigo 24 garante o direito de apresentar *petições respeitosas* a qualquer autoridade. Em 11 de fevereiro de 2009, o senador Eduardo Suplicy havia entregado ao STF uma petição de Cesare para ser ouvido, mas os inquisidores a ignoraram. Todos sabiam que Battisti nunca havia sido acusado formalmente de homicídio, e que tinha sido condenado sem interrogatório nem declaração.

O Artigo 25 exige que o juiz verifique *sem demora* a legalidade da prisão, e que processe o réu ou o liberte. Quando escrevi a denúncia, Cesare somava mais de dois anos de prisão. O Artigo 26 enuncia o antiquíssimo princípio de *presunção de não culpabilidade*, mas o juiz Celso de Mello havia insinuado à imprensa que o tribunal poderia "modificar sua jurisprudência" e o refugiado poderia ser extraditado. O Artigo 27 é uma declaração expressa do direito de buscar e receber asilo, algo pelo qual vários inquisidores do tribunal demonstraram um desprezo absoluto.

A CIDH me informou, cento e sessenta e dois dias depois, que minha denúncia seria aceita para uma primeira avaliação, numa época em que, embora Battisti continuasse preso, duas de minhas denúncias já não tinham vigência. Então, desisti.

Além das instituições públicas internacionais, diversas ONGs de vários países se mostraram solidárias. Seu apoio cingiu-se, como era natural, ao grau de relevância que o caso podia ter em seus respectivos países. Pessoal do México, Portugal, Chile e Espanha ofereceu um apoio expressivo.

O único resultado negativo foi da Argentina, onde tentei conseguir a solidariedade dos movimentos de familiares de desaparecidos e de celebridades pacifistas, incluindo pessoas com quem eu havia colaborado em minha juventude. Battisti foi preso em 1979, quando estava com vinte e quatro anos, que era a idade média das dezenas de milhares de jovens sequestrados e assassinados pela ditadura desse país (1976-1983). Pensei que, em homenagem ao holocausto de seus parentes, os ativistas dariam pelo menos um apoio formal com alguma declaração, mas, apesar de minha insistência durante vários meses, não obtive nenhuma resposta, nem sequer negativa.


## Sentenças prontas para usar

O procurador-geral da República do Brasil era Antonio Fernando de Souza. Considerado um católico fiel, ele não hesita em questionar a ciência moderna, afirmando que existem alternativas às pesquisas com embriões.[121] Mas vai além de profanas vulgaridades biológicas. Ele sabe que o espírito é criado no momento da concepção, e, por isso, opõe-se ao direito das mulheres sobre seu corpo. Mas, no caso Battisti, mostrou-se um pouco mais eclético.

Emitiu, ao longo do processo da extradição, vários pareceres diferentes. No primeiro, em abril de 2008, explorou seu talento dramático: Cesare mostrava "desprezo pela vida humana". Num novo parecer, logo após o refúgio, deu uma "opção" ao STF: o tribunal poderia julgar o mérito *ou não* (*sic!*). Se decidisse julgar, Battisti devia ser extraditado. Se optasse por não julgar, o processo deveria ser extinto e o prisioneiro solto. Um raciocínio simples, porém verdadeiro: afinal era uma *tautologia*.

Souza também admitia que o tribunal podia mudar seu "entendimento" e extraditar um refugiado. O Artigo 33 da Lei 9.474 diz que *o refúgio impede a extradição*, de uma maneira absolutamente categórica. Numa linguagem mais simples, o procurador reconhecia ao STF o arbítrio absoluto. Faltou dizer: "O réu não tem poder para se defender". Mas, alguns meses depois, o procurador se pronunciava pela extinção do processo sem julgamento do mérito.

Em julho de 2009, quando o mandato de Souza acabou, foi substituído por Roberto Gurgel. Na primeira sessão do julgamento da extradição, em 9 de setembro de 2009, Gurgel mostrou que seria absurdo aceitar que a Itália anulasse as garantias da lei brasileira. Destacou que nenhum funcionário nacional precisava de autorização do país requerente para conceder refúgio, que o pedido da Itália era um atentado contra os direitos humanos e que a decisão adotada deveria ser *a mais favorável ao réu*.

Mas as ideias do procurador Souza pareciam ser mais populares entre os juízes que as de Gurgel. Por exemplo, pouco antes do julgamento, o magistrado do STF José Celso de Mello Filho conversou várias vezes com a imprensa dizendo que o tribunal poderia *mudar* sua jurisprudência.[122]

A jurisprudência é o acúmulo de interpretações da lei feitas por um tribunal sobre determinada jurisdição. O uso dela como se fosse uma aplicação adequada da lei é totalmente subjetivo e nada tem em comum com um procedimento de indução científica, porque no direito não existem variáveis externas com as quais se possa controlar uma experiência. No direito, só temos essa jurisprudência e a chamada "doutrina" (as "lavras" de outros juristas).

Ainda assim, tendo em conta o arbítrio que impregna a "verdade" jurídica (mesmo quando as intenções são boas), a jurisprudência é um mal "menor". Pelo menos, dá certa segurança de que os erros e as injustiças sejam sempre os mesmos, e *não maiores*. Então, por que a cúpula do STF queria modificá-la *nesse momento*?

A mudança de jurisprudência foi necessária na passagem de regimes a outros totalmente diferentes, como entre nazismo e democracia, ou quando é descoberto um grave erro nas sentenças anteriores. Ao admitir que o STF podia mudar sua jurisprudência com a exata intenção de "fritar" Battisti, alguns procuradores e juízes estavam mostrando alegremente que o cumprimento da lei era apenas um grande carnaval com uma escola de samba desafinada.

Um ex-presidente do STF, Carlos Mário da Silva Velloso, redigiu um documento de trinta e cinco páginas[123] (aparentemente, a pedido de outros juízes) no qual tripudiava do refúgio dado por Genro a Battisti. O documento é um *nonsense* radical, um verdadeiro achado teratológico, mas vou resumi-lo brevemente para apoiar ainda mais a evidência de que a extradição estava aprovada *a priori*.

A INQUISIÇÃO TROPICAL

Há apenas dois pontos substantivos no meio de um mar de retórica bacharelesca. O jurista diferencia refúgio de asilo, um recurso muito comum quando se deseja esmagar um perseguido nos dois sentidos: como refugiado e como asilado. A "tese" deduzida dessa definição é a ilegalidade do acionar do ministro Genro, pois ele havia dado *asilo* a Battisti fingindo que era refúgio, e atuara com ampla liberdade, o que só cabe ao chefe do estado (§ 82).

> É óbvio que Tarso só tinha uma lei que regulasse a proteção de perseguidos, chamem-se "refugiados" ou "asilados": a 9.474. O texto da lei contém dezoito vezes a palavra *refúgio* e setenta e oito vezes a palavra *refugiado*, mas não contém *nenhuma vez* a palavra *asilo* ou *asilado*.

Então, como Genro deu asilo sob o disfarce de refúgio, segundo o julgador, a lei deveria conter o asilo, talvez travestido de anãozinho, embutido no refúgio. Aliás, a mesma lei dizia que essa decisão cabia ao ministro da Justiça. Qual seria, então, sua usurpação da chefia do estado de que Tarso era acusado?

Na seção XII, § 1.1, Veloso faz referência aos julgamentos da extradição 232, requerida por Cuba, e da extradição 524, requerida pelo Paraguai, nos quais se afirma que *a extradição não fica abolida pelo refúgio*. Todavia, a primeira extradição foi julgada em 1969, e a segunda em 1990, portanto, tudo isso aconteceu *antes* da Lei 9.474; como sabemos, esta "destrói" a extradição quando se concede refúgio ao potencial extraditando.

Durante o julgamento da extradição de Battisti usaram-se as falácias mais ridículas já ouvidas num tribunal. Uma delas é a que diz que *não se deve rejeitar extradição pedida por um país democrático*. Qualquer leitor de jornais sabe que dezenas de países democráticos recusam extradições pedidas por países também democráticos. Mas o Brasil já recusou extradições da própria Itália. Será que, em 2005, a Itália não era ainda democrática como em 2009? Veja esta tabela e confira os dados, para ter ideia da canalhice desses argumentos:

| Algumas extradições recusadas a países democráticos | | | | |
|---|---|---|---|---|
| Extraditando | País | Ano | Condição | Número |
| Achille Lollo | Itália | 1993 | Transitado em julgado | 581 |
| Pasquale Valitutti | Itália | 1994 | Transitado | 597 |
| Luciano Pessina | Itália | 1997 | Transitado | 694 |
| Pietro Mancini | Itália | 2005 | Denunciado | 994 |
| Fernando Falco | Argentina | 1989 | Condenado sem defesa | 493 |
| Padre Medina | Colômbia | 2007 | Refugiado no Brasil, decisão acatada pelo STF | 1008 |

Estes casos podem ser consultados com todos os detalhes no site do STF, procurando pelo número de extradição. Além destes, a Itália fez outros requerimentos, tornando-se a "campeã" desses pedidos. Até 2009, a península havia reclamado setenta e sete extraditandos.

## CAPÍTULO 14
## LINCHADORES MIDIÁTICOS E POLÍTICOS

Sharon Tiller (personagem de Lindsay Crouse) – *Este é um país grande, com imprensa livre. Você pode trabalhar em outro lugar.*
    Lowell Bergman (personagem de Al Pacino, marido de Sharon) – *"Imprensa livre?" A imprensa é livre para quem é proprietário dela.*
    Filme O *Informante*, a partir de 02:11:40

*Após a colocação de Cesare Battisti em liberdade vigiada em Paris, a mídia italiana tem disparado, derramando-o sobre a opinião pública, todo o metal fundido durante anos nos altos fornos do rancor, da vingança, da obsessão pela segurança.* [Grifos meus.]
    Wu Ming 1, pseudônimo do escritor italiano Roberto Bui

No Brasil, salvo no caso de alguns colunistas das revistas *ISTOÉ* e *Época*, alguns jornais de cidades médias ou pequenas, e casos excepcionais de canais ou rádios, a mídia comercial foi contrária a Battisti em cerca de 80% dos casos. Todavia, publicações independentes como *Piauí* e outras que mencionarei no Capítulo 16 foram extremamente objetivas. Uma aliança tão unânime da grande mídia em favor do linchamento é um fato excepcional na história. Não se registra cumplicidade *total* no caso de Alfred Dreyfus (França, 1894), Sacco e Vanzetti (EUA, 1920), o casal Rosenberg

(EUA, 1953) etc., em que a *mídia* esteve dividida, embora a divisão não fosse equitativa. Neste capítulo, vamos analisar os principais traços das campanhas da mídia brasileira e italiana, e também o papel provocador de alguns políticos (que não foram tão unânimes como a mídia).

## A mídia brasileira

O Brasil é mencionado como exemplo de miscigenação e tolerância racial; isso vale para a enorme maioria popular, mas não para a ínfima minoria formada pela classe alta e média alta, com forte identidade branca e cristã e saudosa veneração de suas raízes europeias. Essa camada é pequena, mas era mais que suficiente para esgotar as 320 mil cópias que o jornal a *Folha de S.Paulo* vendia em 2008, e outras publicações de jaez similar. Mais característica ainda é a burguesia de São Paulo, um estado que capricha na reprodução caricata do capitalismo americano.

Grande parte (em alguns casos, a maioria) da classe alta e média alta, de São Paulo defende a tortura, a pena de morte, os massacres policiais em favelas e a "faxina" contra crianças marginais. Evidencia racismo e preconceito de todo tipo, pretende proibir o acesso de negros às grandes universidades, simpatiza com o *bullying*, atividade em que sua maior universidade é centro de excelência, e vota por políticos do *Opus Dei*. O estado já alojou a Febem,[124] uma das prisões para menores mais truculentas do planeta. Os sucessivos governadores têm ordenado ou tolerado chacinas de pobres, afro-brasileiros e detentos desarmados, configurando o segundo maior caso de massacres num país ocidental desde 1945.

Nesse estado, a febre linchadora contra Battisti teve especiais dimensões, pois o caso do escritor treinou a classe

A INQUISIÇÃO TROPICAL

média e alta para o confronto com seus inimigos cotidianos (movimentos sociais, grupos de esquerda, ativistas de direitos humanos etc.). Mas também em outros estados houve, em diversa medida, uma exaltação do ódio contra o exilado.

Nas principais cidades, entre 2009 e 2010, jornais, revistas, canais de tevê e rádios repetiram todos os dias as acusações italianas, acrescentando comentários ainda mais exorbitados que os originais e frequentemente inventados. Essas mensagens tinham várias utilidades: (1) Convencer o cidadão simples de que, se o fugitivo fosse solto, vitimaria toda sua família. (2) Atiçar rancores e frustrações, revelando que os 5 mil "criminosos estrangeiros" que o Brasil refugiava custavam a cada contribuinte uma fortuna (nada menos que 38 centavos de real por ano, em valores de 2010!).

A direita sempre acusou o moderado governo Lula de ser um aliado das FARC da Colômbia, e, graças ao caso Battisti, acrescentava agora sua cumplicidade com um "terrorismo europeu". O "escândalo" do refúgio foi noticiado com manchetes garrafais nas primeiras páginas. Os artigos em prol de Battisti só foram publicados numa proporção muito menor, como cartas de leitores e em breves linhas internas. Os textos objetivos mereceram publicação só quando os autores eram celebridades. Mesmo assim, o lendário García Márquez ganhou alguns míseros caracteres. A grande imprensa recusava informar sobre atos públicos, passeatas, lançamento de livros, e até se negava a aceitar abaixo-assinados *pagos*.

Esse foi o único caso conhecido de perseguição em que a grande mídia nos países envolvidos teve quase total unanimidade. O famigerado Joseph Goebbels teria cometido suicídio ao comprovar como a manipulação é desnecessária quando os veículos midiáticos fazem, por própria vocação, uma verdadeira profissão da infâmia. Mas, quando uma notícia revelava um fato vergonhoso originado na Itália, essa mesma mídia se mostrava discreta ou silenciosa. Vejamos alguns exemplos:

Em janeiro de 2009 o presidente Napolitano mandou ao presidente Lula uma carta de protesto pelo refúgio de Battisti, numa forma inusitada: divulgou o texto para os jornalistas antes de enviá-lo ao próprio Lula, que recebeu o desprezo com discrição e mesura.[125] Então, a grande mídia brasileira sugeriu que o presidente era um sujeito inculto incapaz de mostrar sua felicidade por ser tratado como um vassalo especial pelo poderoso político. Afinal, o remetente era tanto o chefe de um império decadente como subserviente do possante império americano.

Os ministros, deputados, magistrados e até policiais da Itália e seus advogados no Brasil insultaram o governo, os políticos, os juristas, as mulheres e o povo em geral. Os jornais se fizeram de "surdos", mas, quando era impossível ocultar os ultrajes, criticavam a incapacidade brasileira de aceitar críticas.

## Mídia impressa

A *Folha de S.Paulo*, um dos jornais favoritos das elites, foi grande propagandista da ditadura de 1964 e ativa colaboradora logística, emprestando seus caminhões aos comandos militares de tortura, que os usaram para deslocar cadáveres dos mortos em tormentos.[126] "Converteu-se" à democracia na década de 1980, quando a repressão já não produzia lucros. Atualmente, debocha dos defensores de direitos humanos e oferece suas páginas aos genocidas militares aposentados. O jornal insulta e usa palavras como *terrorista* para quem não é nem foi. Além disso, enfatiza todos os fatos negativos que encontra sobre o caso Battisti, mas omite os fatos positivos apresentados por fontes fidedignas.

Em 19 de janeiro de 2009, o jornal ofereceu seu melhor espaço ao magistrado italiano Armando Spataro, onde ele contou uma versão dos fatos mais iníqua que a dos autos italianos. A *Folha.com* (versão eletrônica do jornal) deu apoio "implícito" aos vingadores, como Alberto Torregiani, o filho do ourives, cujas opiniões receberam ampla difusão, muitas das quais a seção latino-americana de ANSA teve o pudor de não publicar. Entre janeiro de 2009 e fevereiro de 2010, a *Folha.com* divulgou quinze das "reflexões" do jovem Torregiani. Alberto exigia de Battisti *provar* (!) sua inocência, e pedia uma chance para depor no STF, como se aquilo fosse um inquérito.

Tanto ele quanto outras vítimas italianas pleiteavam em suas manifestações um encontro "olho no olho" com Battisti. O senador Suplicy lhes ofereceu a possibilidade de marcar esse encontro dentro da prisão, mas, seguindo seu temperamento gentil, deu ao convite um caráter de ajuda, e não de desafio. Inversamente, eu difundi a proposta em todas as minhas redes, mas acrescentando meu desafio pessoal afirmando que aquelas chorosas vítimas estavam blefando... e não viriam. (De fato, não vieram!)

A *Folha* fez algumas exceções na campanha negativa e publicou breves notícias e algumas matérias assinadas favoráveis a Battisti. Em 28 de janeiro de 2009, a versão eletrônica divulgou dezenove linhas com a opinião da ONG italiana Antigone, oposta à extradição. Em 25 de novembro, cedeu espaço em sua seção *Tendências/Debates* a uma carta do filósofo francês Bernard-Henri Levy, intercedendo por Battisti. Com o mesmo destaque, divulgou em 18 de junho de 2010 e em 28 de fevereiro de 2011 artigos do advogado defensor de Cesare, Luís Roberto Barroso.

O jornal cometeu alguns "erros" de tradução. Durante uma fala da escritora Fred Vargas, na edição de 2 de fevereiro de 2009, a *Folha Online* traduziu a expressão *"militants de gauche*" (militantes de esquerda), usada pela romancista, com um termo "um pouco" diferente: *terroristas*. Já não se fazem tradutores como antigamente!

Mas sua contribuição mais criativa foi a de 20 de novembro de 2009,[127] quando publicou uma notícia de um fato acontecido no ano interior.

Em abril de 2008, a Polícia Federal e o procurador da República haviam suspeitado da ligação de Battisti com terroristas brasileiros, e a *Folha* havia visto os únicos "dados probatórios". O *thriller* era assim:

O delegado Cléberson Alminhana, da Polícia Federal, iluminado talvez por leituras de Freud e Adler, denunciou a "tendência" de Battisti a atividades terroristas. Encantou-se com a aventura do "computador das FARC", capturado pelos americanos e colombianos após violar a fronteira do Equador e matar vários guerrilheiros adormecidos em março de 2008. Cléberson, que disse ter encontrado vários CDs suspeitos, "investigou o computador de Battisti" e foi apoiado pelo procurador Orlando Cunha, que afirmou que a ligação de Battisti com terroristas era *notória*. O delegado Fábio Galvão não quis ficar por baixo e acrescentou que Battisti "se comunicava com a organização terrorista Brigada Vermelha" (no singular!).

Finalmente, a polícia "científica" admitiu não ter encontrado ligação nenhuma com o terrorismo, e que a "Brigada Vermelha" não deu seu ar da graça. Quando o circo pegou fogo, os policiais reconheceram que as sugestões para a investigação vinham da embaixada italiana, mas não falaram da gratidão dos mandantes.

A *Folha*, como outros órgãos fraternos, ficou furiosa quando, em 8 de junho de 2011, Battisti foi solto pelo STF. Mas o esforçado jornal não desprezou as novas chances de tumulto.

Uma delas foi uma reportagem humilhante de Battisti, que um repórter do jornal conseguiu fraguar aproveitando-se de seu parentesco com a pessoa que gentilmente hospedava o escritor.[128] Outra foi uma notícia inventada, segundo a qual o lançamento do último livro de Battisti, *Ao pé do muro,* que seria apresentado em São Paulo, havia sido cancelado *sine die* pelo próprio escritor.

A *Folha* impressa usou seus espaços mais caros e até duas matérias editoriais para publicar compactos libelos contra o refúgio de Battisti, a favor de sua extradição e contra qualquer "bastardo" que sugerisse que o linchado era inocente.

O *Estado de São Paulo (Estadão)* é o jornal da "nobreza brasileira", de estilo sóbrio e conservador, porém, mais sério que os outros. Incluiu comentários denigrativos sobre Battisti e seus simpatizantes, mas também algumas matérias sérias. No começo de 2011, o correspondente em Paris, Andrei Netto, perguntou-me sobre as procurações falsificadas no tribunal de Milão, e, dias depois, publicou uma equilibrada nota sobre as descobertas de Fred Vargas, mostrando o assunto como suspeito.

O jornal *O Globo,* membro do maior grupo de comunicação, foi outro apologista da ditadura. Em 16 de fevereiro de 2009 publicou um editorial no qual afirmava que a extradição de Cesare contribuiria para o fim do terrorismo no mundo (*sic!*). Em 12 de junho de 2009, comentou as alegações do advogado Luís Barroso, distorcendo suas declarações com comentários obscuros. Em 10 de setembro de 2009, lançou veneno contra pessoas *já refugiadas* no Brasil, numa suja tentativa de reabertura de feridas já fechadas. Em 28 de novembro de 2009, *O Globo* se referiu a Battisti como "ex-militante [...] das Brigadas Vermelhas", apesar de os PAC e as Brigadas nunca terem tido nada a ver, e qualquer jornalista sabe disso.

O semanário *Veja*, do grupo Abril, vende cerca de um milhão de exemplares às classes média e alta e veicula matérias com poucos dados e muito comentário. O magazine combate os movimentos sociais e étnicos, os grupos de direitos humanos, os apoiadores do ensino popular e outros similares. Também estimula o linchamento em geral, ridiculariza as garantias jurídicas e ovaciona os grupos de extermínio da polícia. Alguns de seus colunistas têm traços psiquiatricamente disfuncionais, um fato que é infrequente na mídia escrita brasileira.

O magazine é especialista em "surpresas", como notícias sobre corrupção e conspirações baseadas em dossiês não verificáveis. Uma amostra da laia de seu pessoal foi a tentativa de um jornalista de invadir o quarto de um ex-ministro num hotel.[129] Chama a atenção sua extrema agressividade contra seus inimigos, usando termos injuriosos ou ridicularizando formas de comportamento, atividades profissionais, vida privada e até deficiências pessoais.

Um blogueiro da versão eletrônica da *Veja*, Augusto Nunes, edita a seção "Sanatório Geral", onde "interna" seus desafetos, como se as doenças mentais, caso existissem, fossem motivo de chacota. Em novembro de 2009, publicou sarcasmos contra a defesa de Battisti pelo senador Eduardo Suplicy, estimulando leitores anônimos que escreveram comentários irreproduzíveis. Um deles propôs atacar o parlamentar fisicamente quando andava pela rua.

*Carta Capital* é um semanário com cerca de 90 mil exemplares que, desde 1994 até o começo do caso Battisti, foi elogiado por leitores jovens que "não eram de esquerda e não sabiam". Seu fundador foi o italiano Demétrio Carta, dito "Mino".

A *Carta* defende um estado nacionalista modernizante, gerido por uma espécie de aliança de classes com hegemonia empresarial, e antagoniza o imperialismo americano e os

A INQUISIÇÃO TROPICAL

capitalistas ligados a ele. Parece ideologicamente afim com o ex-comunismo italiano e apoia o PT no Brasil. Quem conhece o jornalismo latino-americano vai achar sua posição muito semelhante à do conhecido comunicador argentino Jacobo Timerman (1923-1999).

A *Carta* foi o segundo veículo mais empenhado numa intensa campanha contra Battisti. A revista despejou ataques sem pausa em todos os seus números durante vários meses. Eles iam contra os políticos que apoiavam o italiano, os advogados da defesa, os movimentos de solidariedade, os juristas progressistas, as organizações humanitárias e os escritores franceses, especialmente Fred Vargas. Além de rixas pessoais e desafetos ideológicos, os textos mostravam velhos rancores da Itália dos anos 1970, e até de conflitos europeus, como o tradicional desconforto dos italianos com os franceses.

Essa campanha foi marcada por exageros e críticas fora de contexto, mas também por alguns dados inventados. Várias matérias atribuíram a grupos afins aos PAC delitos de homicídio (por exemplo, o do delator Guido Rossa), cujos autores, segundo os próprios italianos, eram das Brigadas Vermelhas. Alguns artigos escrutaram a vida pregressa e privada de Battisti em fatos alheios à política. O ímpeto foi tão forte que chegam a criticar a obra literária de Fred Vargas.

O colunista mais qualificado, Walter F. Maierovitch, disse que, sendo Fred Vargas uma romancista, o que se poderia esperar dela eram *dados romanceados*, desprezando o fato de que ela é premiada pesquisadora em história e arqueologia. Maierovitch é o mais inteligente desse grupo, como demonstrou, em 14 de outubro de 2011, ao declarar, com visível amargura, que a provocação do procurador federal em Brasília, Hélio Heringer, pedindo a anulação do visto de Battisti e sua deportação a um terceiro país, era "lamentavelmente" inviável.

## A televisão

No Brasil, a riqueza econômica das redes de tevê, a alfabetização subfuncional do povo, o cansaço gerado pelo trabalho estafante, a falta de tempo e a pobreza da maioria tornam a tela doméstica a principal fonte de informação e de lazer. A epidemia dos programas *trash* afeta em especial o estado de São Paulo, que tem o pior sistema de ensino público do país.

A Rede Globo, eficiente formadora de opinião, foi a voz mais influente da ditadura (1964-1985), mas se tornou tolerante com a democracia tentando assumir uma imagem de "correção". Em geral, seu estilo é moderado, atuando sobre o pré-consciente do espectador, e atacando de forma explícita só de vez em quando. Dedicou ao caso Battisti umas poucas notícias ou programas breves, nos quais a visão negativa foi predominante.

Em 27 de novembro de 2009, seu *Jornal Nacional* apresentou uma matéria "educativa" sobre refugiados. Começou com rápidas cenas de numerosos filmes policiais famosos nos quais os bandidos, após cometer seus delitos, diziam *"Vamos para o Brasil"*.

Outros programas da Rede Globo, tanto na TV paga como na aberta, são menos "sutis". Seu canal pago de notícias, Globonews, convidou uma vez um ex-ministro de Fernando Collor, Antonio Rezek, a discursar sobre o Tribunal de Justiça de Haia. Aumentando a tensão sobre o caso, Rezek, que foi membro dessa Corte, enunciou como inevitável uma condenação do Brasil pelo fato de proteger Battisti, algo que qualquer calouro de direito sabe que é falso.

Quando Battisti foi solto, em 8 de junho de 2011, alguns apresentadores do Globonews explodiram em convulsiva indignação. Uma comparação entre os mesmos jornalistas,

A INQUISIÇÃO TROPICAL

quarenta e quatro dias depois, mostra a calma e a indiferença usadas para relatar o ataque de Anders Breivik em Oslo.

A Rede Record, dirigida por igrejas evangélicas pentecostais, mostrou maior neutralidade. Para se referir a Cesare usou os termos "ex-ativista" e "ex-militante" e transmitiu informação bastante equilibrada. No dia da soltura de Battisti, o jornalista Murilo Henrique Silva ofereceu-me falar pelo canal, mas não pude comparecer.

A rede de tevê Band (Bandeirantes) se especializa em programas humilhantes, noticiários sensacionalistas e documentários policiais regados a sangue de bandidos, de suas vítimas e até de pessoas acidentadas. Seu mais caricato apresentador lançou uma violenta campanha *contra os ateus* (!), que deflagrou protestos dos não religiosos e até dos crentes menos intolerantes. A Band é o único canal de tevê que assumiu uma posição oficial em prol da extradição de Battisti, divulgada em forma de *slogans*. Seu âncora mais famoso é Boris Casoy, arauto do estado policial e ativo inimigo de militantes dos direitos humanos.

No caso Battisti, ele estendeu sua cruzada aos defensores do escritor, aos que tentou calar com processos por injúria. Sua iniciativa de forjar uma acusação de calúnia contra Celso Lungaretti foi rejeitada pela justiça. A afirmação feita pelo escritor de que Casoy teria participado, em sua juventude, de grupos de choque da direita foi considerada um caso de uso legítimo do direito de opinião.

Em fevereiro de 2009, a Band fez uma entrevista com Maurizio Campagna, irmão de Andrea Campagna (o policial morto pelos PAC em abril de 1979), na qual se pressupunha, desde o começo, que Battisti era culpado. O canal ajudou a reviver a tristeza do homem, cuja indignação, após trinta anos do incidente, não parecia brotar de maneira espontânea.

Um retrato fiel do jaez do canal foi que seus apresentadores acusaram o escritor não apenas das mortes, mas também de se *defender das acusações*. No dia 22 de junho de 2011, quando Battisti conseguiu a imigração no Brasil e sua licença de trabalho, um comentarista tentou assustar o público advertindo que agora *os brasileiros teriam que conviver com um assassino*!

O Sistema Brasileiro de Televisão (SBT) é uma das grandes redes do país, dedicada a programas populares e juvenis, e com pouca ênfase em aspectos políticos ou sociais. No dia da soltura de Battisti, alguns de seus apresentadores compararam o italiano aos grandes ditadores e criminosos nazistas (*sic!*). Recomendo assistir a um filme do YouTube, que reproduz um dos programas de notícias daqueles dias.[130] Enquanto uma apresentadora descompõe o "terrorista", na linha superior da tela aparece esta frase:

Italy can do here in Brazil, the same as the USA did in Pakistan

Na realidade, essa provocação já havia sido usada pela própria Itália.

A internet é o único meio no qual a penetração das mensagens de ódio é menor que das mensagens positivas. Os *blogs* venenosos, apesar de muitos, são pouco relevantes, reiterativos, recheados de insultos e dirigidos a um público que concorda com eles antes de ler. Como sua audiência não precisa de informação, mas de combustível para seus rancores, esses *blogs* são "olhados", mas nem sempre lidos. Aliás, mensagens de ódio raramente são amenas, e os blogueiros não seduzem nem a ralé que compartilha seus valores. Os textos são redigidos por fanáticos, racistas, homofóbicos, paranoicos, militaristas e místicos, entre outros. Um deles exige que o governo atenda aos "milhões" de pessoas que exigem a extradição.

Os sites e *blogs* de grupos parafascistas têm fãs no público *hooligan*, que se tonifica com "editais de execução" contra marxistas, liberais, negros, nordestinos, judeus, *gays* e outros "degenerados". Os sites militares são geralmente adjetivados como nacionalistas, republicanos e patrióticos, ou com referências antropomórficas ao país ("Acorda, Brasil!", "Reage, minha Pátria", e outras pieguices). Os sites fascistas clássicos estão em decadência. O Sigma Reluzente, portal oficial da doutrina integralista, tinha apenas uma foto de Cesare com o título "Fora, Battisti", e um curto comentário grosseiro.

Os poucos *blogs* editados por partidários da doutrina neoliberal são totalmente medíocres e produzem tédio. Escritos por frios defensores do darwinismo empresarial, não mostram nem a emoção agressiva dos fascistas clássicos. Consideram Battisti um produto de seu grande inimigo, o Partido dos Trabalhadores, ao qual não conseguem vencer em eleições gerais, mas evitam ser confundidos com os nazistas, dos quais alguns deles se consideram vítimas históricas.

## A mídia italiana

A grande imprensa italiana trata o caso Battisti de forma parcial e intrigante, porém mais limpa que a brasileira.

O *Corriere della Sera,* publicado em Milão desde 1876, é considerado de "centro". De fevereiro de 2009 até setembro de 2010, publicou matérias sobre o caso quando se produziam fatos novos, mantendo um estilo mesurado, com comentários descritivos e pouca adjetivação.

O *La Stampa,* fundado em Turim em 1867, ficou sob o controle da Fiat. Seu tratamento do caso Battisti empata com o dos piores pasquins brasileiros.

O *La Repubblica* foi fundado em Roma em 1976, com um matiz ideológico entre a esquerda e o PCI. Foi pensado para o leitor culto, restrito a notícias de grande interesse, sem crônica policial nem esportiva. No fim dos anos 1970, denunciou a Maioria Silenciosa pró-fascista e despiu a imagem do ourives Torregiani, mostrando sua faina parapolicial. Foi o pesadelo dos magistrados, aos que acusou de abusos e torturas.

Já os livros sobre Battisti, salvo o publicado na França por Fred Vargas, procuram denigrir o escritor com toda a sua munição.

O livro lançado na Itália em 2010, *Gli amici del terrorista*, escrito por Giuseppe Cruciani, apresentador de rádio e tevê, mostra corda não apenas para enforcar Battisti, mas para todos os seus simpatizantes, de Fred Vargas, Gabriel García Márquez e Erri de Luca a Tarso Genro, Eduardo Suplicy e falecidos como Mitterrand.

Na autobiografia do magistrado Armando Spataro (*Ne valeva la pena*), as aventuras dos PAC e a figura de Battisti ocupam apenas dez páginas (148 a 159) do Capítulo 11, onde seu amargor pela dificuldade de capturar sua presa aparece amenizado pela necessidade de dedicar espaço a seus muitos outros objetos de desconforto.

## Os políticos

A chegada de Battisti ao Brasil, sua prisão, refúgio e julgamento (entre 2004 e 2009) aconteceram durante os dois governos de Luiz Inácio Lula da Silva, fundador e líder do PT.

Após a saída dos militares do poder visível em 1985, fragmentou-se o sistema bipartidário imposto pela ditadura, gerando comunidades com maior identidade interna. Os grupos de esquerda aproveitaram a relativa liberdade e assumiram perfil próprio. O PT, fundado em São Paulo em 1980, foi a grande novidade. Virou uma ampla frente de centro-esquerda, com uma ideologia baseada na defesa da democracia real, no compromisso com os movimentos populares e na rejeição dos imperialismos. Em suas tendências internas militavam marxistas de diversos estilos, católicos da Teologia da Libertação e sindicalistas reformistas.

Enquanto isso, a ultradireita se firmou na oposição. O antigo Partido da Frente Liberal (depois Democratas, DEM) aglutinou as maiores dinastias feudais, os ruralistas, os empresários mais arcaicos e os defensores do trabalho escravo. Seus adeptos são ativamente opostos à igualdade social, racial, religiosa e sexual, à ecologia e aos direitos humanos. Usam paramilitares contra os movimentos sociais, geram trabalho infantil, louvam o arbítrio judicial e a brutalidade policial e reivindicam os crimes da ditadura.

Por sua vez, o Partido Social Democrata Brasileiro (PSDB), aliado eleitoral e operacional do DEM, é mais heterogêneo. Reúne o capital industrial e financeiro moderno e os alinhados com os EUA. Possui alguns membros-chave que pertencem ao Opus Dei, que, estando no poder no estado de São Paulo, têm protagonizado a repressão maciça mais truculenta da história da região, incluindo na comparação os abusos da ditadura contra passeatas e favelas.

Em 2007, quando Cesare Battisti foi detido no Rio de Janeiro, o presidente Lula fez poucas declarações sobre o caso. Quando Tarso Genro lhe outorgou o refúgio, os setores de centro e direita do PT pressionaram Lula para que desautorizasse o ministro e se livrasse do incidente com a Itália; mas, após o presidente apoiar Genro, as divergências se tornaram silenciosas. Então a bancada do PT na Câmara de Deputados assinou uma declaração de solidariedade.

O Itamaraty entendeu que a extradição favoreceria seu papel de "subimperialismo obediente" e não hesitou em denigrir sutilmente a imagem do perseguido, mas, logo depois, ficou em silêncio. Todavia, outros membros do executivo mostraram as garras. O ministro da Defesa fez comentários negativos, mas seus esforços contra o refúgio foram sigilosos, combinando sua influência de antigo juiz com sua obediência aos "subordinados" militares. Ele comandou um ativo e silencioso *lobby* pró-extradição.

O falecido vice-presidente do Brasil também se pronunciou contra Battisti em 2009. Ele era conhecido como empresário tipo *sweat shop*, "fraternal" com a ditadura, homofóbico, inimigo dos movimentos sociais e do direito humanitário e fã das armas nucleares. Foi frequente visitante de manchetes por confusas vendas para o estado e outras "operações". Finalmente, compreendeu que a extradição do italiano era irrelevante para seus lucros e abandonou a campanha.

O Congresso Nacional não foi maciçamente contrário a Battisti. A oposição principal veio da ultradireita, formada pelo DEM e alguns partidos nanicos. O PSDB e o PMDB tiveram reações diversas dependendo de cada setor, e toleraram o apoio que alguns de seus aliados deram a Cesare.

Na época do caso Battisti, a Comissão de Direitos Humanos e Legislação Participativa (CDH) do Senado era presidida por Cristóvão Buarque e José Nery, alinhados com causas progressistas, e tinha dezenove membros titulares, mas nem todos se manifestaram sobre o assunto da extradição.

O partido DEM se definiu em nível nacional contra o refúgio e produziu um documento oficial acintoso, no qual profetizava um apocalipse por causa da presença do escritor italiano. O senador Heráclito Fortes, que era presidente da Comissão de Relações Exteriores e Defesa Nacional, limitou-se a propor uma interpelação a Genro. Em março de 2009,

A INQUISIÇÃO TROPICAL

o ministro compareceu e esclareceu pontos cruciais de sua decisão de dar refúgio. Denunciou que a Itália havia usado documentos falsos contra Battisti e acrescentou que "dezenas de vezes o STF anulou penas porque [...] o réu não teve direito a ampla defesa".[131]

Em 4 de fevereiro de 2009, na plenária do Senado, o senador do DEM Demóstenes Torres chamou Cesare de "traficante e assassino", o que indignou o senador Suplicy, que estava lendo uma carta em seu apoio.[132] No dia 12 de fevereiro de 2009, na tribuna do Senado atacou de novo Battisti, seus protetores, amigos e advogados. Também justificou as injúrias do deputado neofascista italiano Pirovano contra os brasileiros.[133] Já em novembro de 2009, manifestou teatralmente sua decepção quando o STF "reconheceu" o direito do chefe do estado a decidir sobre a extradição. Quase lacrimejando, disse: "O STF nasceu para mandar e todos nós para obedecer".

A imagem do senador Torres como moralista e austero, em que muitos fingiram aceitar, acabou afundando em março de 2012, quando ficou evidente sua cumplicidade com um esquema criminoso diversificado.[134] Finalmente, em 11 de julho de 2012, perdeu seu mandato no Senado, quando cinquenta e seis senadores votaram contra ele e dezenove a favor, num fato que só havia acontecido uma vez na história do Parlamento. Pode parecer um exagero, porém, é facilmente verificável, observando os casos mais conhecidos, que os inimigos de Cesare se caracterizaram por seu superlativo cinismo. Outro exemplo é um senador evangélico, também oposto ao refúgio e um fingido moralista: ele já havia sido investigado por *desvio de dinheiro que devia ser usado para comprar ambulâncias*! Mas foi salvo. O esquema da corrupção generalizada funcionou a seu favor.

Na Câmara dos Deputados houve poucos parlamentares agressivamente opostos ao refúgio. A maioria era neutra ou silenciosamente contrária, mas alguns membros de centro-direita tiveram atitudes serenas. Houve poucas reais provocações. Um deputado coronel da polícia do Partido Trabalhista Cristão (PTC) fez um discurso de repulsa ao refúgio, em fevereiro de 2009, no qual debochou dos membros da CDHM. O PTC é um dos herdeiros da ditadura e aloja militares, policiais e politiqueiros de aluguel, partidários dos linchamentos e da truculência.

As propostas de políticos corruptos de perfil delinquencial concorreram pelo campeonato do absurdo. Em 2009, um legislador da ultradireita, chefe de um grande esquema de corrupção e propugnador de uma lei de censura na internet, prontificou-se junto à Itália para anular o refúgio de Battisti (!) com base num *decreto legislativo*, uma figura não aplicável nesse caso. Para oferecer uma pechincha, também deu um *bônus:* modificar a Constituição Federal e os critérios do asilo político.

Em agosto de 2011, já estando Battisti livre, um senador de um encrave sulista de imigrantes germânicos sugeriu que os refúgios fossem "submetidos a plebiscito". Um deputado das oligarquias escravistas do Nordeste propôs reformular a lei de refúgio, fazendo que uma extradição pedida por um país estrangeiro impedisse o executivo nacional dar refúgio a um perseguido.

# CAPÍTULO 15
## LINCHADORES JURÍDICOS E SEUS AMOS

*Vocês vencerão porque têm abundância de força bruta. Mas não convencerão. Para convencer, é necessário persuadir. E, para persuadir, vocês precisam de algo que não têm: razão e direito.*

MIGUEL DE UNAMUNO, escritor espanhol, no dia 12 de outubro de 1936, quando as hordas fascistas entraram na Universidade de Salamanca, da qual era reitor.

(É uma resposta ao brado do general Millán Astray, fundamentalista católico, genocida e racista, mentor do ditador Franco, que gritou: "Morra a Inteligência! Viva a morte!")

Os linchadores do capítulo anterior se completam com os operadores de direito que se arrastam, seja no poder público, seja na academia, seja no serviço particular, pelos ocultos cenários da subserviência. Entretanto, eles não estão sozinhos. Mesmo que não os conheçam, têm amos que traçam sua ação e indicam o que devem fazer. Esses amos são os verdadeiros donos do poder; os senhores das armas e os aristocráticos diplomatas cujo cenário de atuação é o mais oculto. Acima de todos eles, como cabe à relação entre império e colônia, estão os linchadores italianos.

## Os operadores jurídicos

Na cruzada contra Battisti reuniram-se leguleios, professores medíocres e mercadores da justiça. Como seus únicos combustíveis eram o ódio e o lucro, nenhum de seus membros teve a têmpera para sustentar uma batalha exaustiva, especialmente quando o dinheiro peninsular começou a diminuir.

O ex-ministro do STF Francisco Rezek fez uma "descoberta" que outros juízes já haviam reivindicado em vão. Em fevereiro de 2009, sustentou que o Artigo 33 da Lei de Refugiados, que proíbe a extradição de pessoas refugiadas, era *inconstitucional*. Parece que nos doze anos de existência da lei, o atarefado jurista não teve tempo de lê-la e compará-la com a constituição. Argumentos semelhantes foram difundidos por inquisidores menores.

"Para dar o refúgio, Lula precisa afirmar que existe perseguição na Itália, um país democrático, o que seria muito complicado",[135] disse Belisário dos Santos Jr., membro da Comissão Internacional de Juristas da Organização das Nações Unidas (ONU) e ex-secretário de Justiça do Estado de São Paulo. Belisário já era adulto quando foram negadas as extradições que estão em nossa tabela do fim do Capítulo 13. Naquela época, ele até protegeu um dos requeridos de extradição.

Em janeiro de 2009, José Gregori, ex-ministro da Justiça (2000-2001) e secretário de direitos humanos do município de São Paulo, foi além. Disse: "Sabe Deus se [Battisti] vitimou ou não [os quatro mortos]". Mas logo explicou que o ódio dos parentes das vítimas *deveria bastar para negar o refúgio*. Gregori não esclarece se também vale o enunciado contrário: se os parentes das vítimas achassem Battisti uma gracinha e lhe dessem um prêmio, então *sim* ele deveria ser refugiado? Mas o jurista ainda tem muito para dizer:

"Não se pode jogar uma bomba numa estação e matar cem inocentes", afirma, em referência ao estrago de Bolonha

A INQUISIÇÃO TROPICAL

de 1980. Até a cúpula do STF evitou essa acusação, pois todos sabem que o crime de Bolonha foi cometido por um comando fascista e aconteceu quando Cesare estava preso.[136] Pelo jeito, o caso Battisti teve a triste virtude de convocar todo o cinismo e a infâmia das celebridades.

O conjunto mais abundante de linchadores jurídicos é o dos advogados de "pé de patíbulo". Eles detestam a inteligência, veneram o poder, acham os direitos humanos coisa de bandidos e "frescos" e assistem três vezes por semana aos dois DVDs de *Tropa de Elite.** Alguns escaparam do livro de Dan Brown, *O Código da Vinci*, e defendem o Opus Dei, mas sem usar o silício. Seu trabalho é subterrâneo, dando as caras apenas quando sua impunidade está garantida por uma massa de linchadores.

Alguns sofismas escritos corretamente, com uma dose mínima de jargão jurídico e poucas mensagens de ódio, são publicados nos periódicos especializados.

O *Consultor Jurídico* (*Conjur*), por exemplo, publica artigos de advogados formados em "direitos humanos", descrevendo as "violações" ao direito internacional cometidas pelo governo ao dar refúgio a Battisti. No número de 20 de fevereiro de 2009, o *Conjur* publicou uma matéria com o título "Ao conceder refúgio, Tarso Genro foi além da lei". Mas, inversamente, em fevereiro de 2010, um jornalista desse veículo, Claudio Tognolli, entrou em contato comigo, procurando esclarecer seriamente alguns aspectos do caso. Enviei-lhe a documentação sobre a falsificação das procurações, mas, apesar de seus esforços, foi censurado por seus chefes.

O periódico *Jus Navigandi* tem nível comparável ao *Conjur*. Já *Ius Vigilantibus* mistura "ciência" jurídica com imprensa marrom. Até 2011, o site desse periódico publicou

---

* O único país que leva a sério a teoria dos "crimes hediondos" é as Filipinas, que a normatiza em seu Ato Republicano 7659, modelo de maniqueísmo e de documento obsoleto.

trinta e sete artigos sobre o caso Battisti, dos quais apenas cinco têm objetividade.

Outro celeiro de "especialistas" que fornecem argumentos "científicos" para o linchamento são as universidades, onde sempre alguém encontra a maneira de fazer um bico. Os acadêmicos sem talento precisam esmolar elogios, especialmente onde a concorrência é mais dura. Eles "impressionam" os jornalistas por sua condição de doutores ou "livre-docentes". Vejamos:

Segundo uma professora de direito internacional da Universidade de São Paulo (USP), o governo estaria "abrindo precedente para [a entrada de criminosos no país]". Já outra professora, esta de direito penal, reuniu dois objetivos: enlamear Battisti e contribuir com o golpe branco da oposição, vinculando o refúgio dado por Genro às políticas de Cuba e Venezuela. Em 13 de setembro de 2010, a *Folha de S.Paulo,* em sua seção Tendências/Debates, publicou um artigo dessa professora destinado a bajular o STF e denigrir o governo por sua cumplicidade com o "terrorismo".

Eu sempre pensei que se envolver em polêmicas sem nível intelectual nem ético não ajuda a esclarecer, mas, pelo contrário, dá relevo aos promotores de mentiras e estultícias, que, se fossem ignoradas, só interessariam a alguns maníacos isolados. Apesar disso, acatei uma proposta dos grupos de solidariedade a Battisti de refutar essa matéria. O então advogado de Battisti, Luís Roberto Barroso, já havia respondido, mas a *Folha* publicou seu texto apenas como carta de leitor.

Redigi uma refutação documentada com o mesmo número de caracteres que o libelo, e pedi ao editor Rodrigo Russo e à *ombudswoman* Suzana Singer que lhe dessem o destaque equivalente. Reforçando minha proposta, o senador Suplicy manteve uma longa conversa telefônica com Russo, a qual acompanhei totalmente. Suplicy lembrou gentilmente o boicote da *Folha* ao nosso trabalho, e o editor se comprometeu a tratar meu artigo com a maior objetividade. Mas objetividade não significava *publicação*. Russo encontrou um ardil fácil para não publicar minha matéria e convidar-me a escrever outras no futuro.

## Militares e diplomatas

Durante os governos de Lula, os militares se pronunciaram em público poucas vezes, mas sempre com ameaças. No caso de Cesare, suas queixas foram divulgadas pela via "recreativa" do Clube Militar, numa linguagem mais moderada que a habitual. Seu presidente publicou uma nota breve condenando a concessão de refúgio. Apesar das ofensas contra Genro, percebia-se o esforço para fingir objetividade. Os militares comparavam a atitude do governo, "permissiva" para com a esquerda, com a "severidade" ao perseguir genocidas e torturadores da ditadura.

O Ministério de Relações Exteriores (MRE), além de votar contra o refúgio no Conare, manteve uma discreta companha contra Battisti. Nos *clippings* jornalísticos postados no portal do MRE,[137] os textos sobre o escritor são os mais negativos publicados pela imprensa. O MRE jamais reagiu às injúrias da Itália contra o governo, salvo fracamente, uma única vez, quando o governo italiano insultou abertamente Lula no último dia de seu mandato.

## Alianças linchadoras

Na Itália, a febre vingadora também atingiu setores mais populares, mas não eram tantos nem tão envenenados como pretendia a mídia peninsular e a reverberação dada pela mídia brasileira. A aliança linchadora na Itália abrangeu os fascistas e os stalinistas, ajudados em parte pelas sociedades secretas.

Na história documentada das relações internacionais é impossível encontrar uma aluvião de injúrias, sarcasmos e humilhações tão obscenos como os desfechados pela Itália contra o Brasil durante o período mais agudo do caso Battisti. Para essa santa cruzada juntaram-se os fascistas tradicionais, os politiqueiros vinculados à máfia e à Igreja, os pós-stalinistas e uma legião de bajuladores e subservientes.

Quase ninguém escapou das baixarias lançadas por eles sobre tudo que fosse brasileiro: o presidente Lula, o ministro Genro, os parlamentares progressistas, os juristas democráticos, os advogados de defesa de Battisti, as mulheres brasileiras, o futebol e o turismo.

## Os fascistas contra Battisti

Depois de 1990, estando ocultos em outros partidos, muitos políticos neofascistas passaram a ter uma grande presença nos poderes públicos e tiveram um papel central no caso Battisti. Seus acordos com a máfia, a Igreja e as empresas colocaram seus membros em cargos-chave, apesar de nenhum desses governos ser explicitamente fascista. Vejamos:

Gianni Alemanno (nascido em 1958) foi membro do MSI (Movimento Social Italiano) e secretário de seu setor juvenil. Foi ministro de Berlusconi entre 2001 e 2006 e prefeito de Roma de 2008 até 2011. É genro do fascista clássico Pino Rauti, mas sua posição é moderada.

Giancarlo Fini (Bolonha, 1952), presidente da Câmara de Deputados em 2010, filou-se ao MSI aos dezessete anos, mas é considerado apenas um fascista ideológico, sem atuação no movimento. Um caso mais importante é o de Ignazio Maria Benito La Russa (Sicília, 1947), ministro da Defesa de Berlusconi, líder da Frente da Juventude do MSI, cujos atos vandálicos comandou entre 1970 e 1973.

Militantes e simpatizantes neofascistas ganharam cargos menores no governo, no parlamento, nos colegiados regionais e nas prefeituras. Estes foram os que usaram maior violência verbal contra Genro, e os que mais provocaram o governo brasileiro. Eis uma síntese:

O jovem ministro da Justiça da Itália na época do asilo, Angelino Alfano (Sicília, 1970), ameaçou impedir o ingresso do Brasil no Grupo dos Oito. Alfano foi pulando de partido em partido à procura de vantagens, passando da DC ao partido Forza Italia de Berlusconi, denominado depois Popolo della Libertà.

La Russa ameaçou "acorrentar-se à porta da embaixada brasileira em Roma" para manifestar seu repúdio ao refúgio de Battisti, e "prometeu" torturá-lo se caísse em suas mãos.

O ex-ministro, primeiro-ministro, senador e presidente Francesco Cossiga (nascido em 1928), o principal executor da repressão dos anos 1970, insultou Genro e Lula, acusando o ministro de "falar cretinices". Conivente primeiro com a Gladio e depois denunciante da mesma, justificou sua fama de incondicional militante do Vaticano. Sua mentalidade tortuosa no estilo eclesial facilitou suas diversas viradas na direção mais vantajosa. Manifestou-se nos últimos anos partidário de uma anistia geral.

O ministro para Assuntos Europeus, Andrea Ronchi (nascido em 1955), considerou "vergonhosa" a decisão de outorgar o asilo a Battisti. Ronchi nunca foi um fascista batalhador, mas apenas um serviçal, cuja obscura figura se enriqueceu socialmente com amigos "brilhantes" como Roberto Jonghi Lavarini, fundador do círculo nazista Cuore Nero, membro da Fundação Pinochet, defensor da *apartheid* na África do Sul e admirador do holocausto realizado pelo nazismo.

O vice-prefeito de Milão, Riccardo de Corato, propôs um boicote aos produtos brasileiros. Em 1985, Corato foi eleito vereador pelo MSI, e em 1996, senador pela Alleanza Nazionale. O vice-presidente da Comissão das Relações Exteriores do Senado da Itália em 2009, Sergio Divina, propôs um boicote turístico. Divina se define como um "liberal de direita", mas é conhecido por sua ideologia fascista.

Nem todos os fascistas são trágicos: o deputado Ettore Pirovano é grotesco e cafajeste.[138] Referindo-se à desconfiança que Genro havia manifestado pelas fraudes judiciais italianas, ele advertiu que não achava que "o Brasil seja conhecido por seus juristas, *mas sim por suas dançarinas*".

Finalmente, o advogado da Itália no Brasil, Nabor Bulhões, expressou-se oficialmente contra Genro, fazendo jus a suas conhecidas qualificações éticas, ou seja, lançando insultos e calúnias. Bulhões foi advogado do ex-presidente Fernando Collor, único chefe de estado brasileiro objeto de *impeachment*, de seu tesoureiro, Paulo César Farias, que morreu num acerto de contas do submundo político, e de várias outras figuras acusadas de crimes perpetrados por meio do poder público.

## Cáritas in falsitate

Não, não é o título da encíclica papal, mas talvez possa ser interpretado como o real conteúdo dela. O chefe da Cáritas de São Paulo, padre Ubaldo Steri, declarou aos jornalistas que, como membro do Conare, não havia visto motivo para dar refúgio a Cesare. Sem mostrar animosidade, advertiu que se o escritor era inocente como dizia, poderia provar isso

A INQUISIÇÃO TROPICAL

num novo julgamento. Steri sabia, é claro, que o caso de Cesare havia sido encerrado e a Itália *não podia abrir nenhum outro julgamento*.

Um grupo alternativo dentro do grupo católico Justiça e Paz apoiou a causa de Battisti e participou de vários atos por sua liberdade, mas a Igreja mostrou-se (aparentemente) neutra. Alguns militantes católicos, pouco cientes das complexidades do poder, exigiram dos bispos um apoio como o que deram aos asilados do Cone Sul dos anos 1970. Mas, naquela época, a Igreja precisava mostrar aos militares que deviam escutar sua voz, e deviam honrar a colaboração dada pelos prelados à Marcha que deflagrou o golpe de 1964.

## O circo do Parlamento Europeu

O governo italiano pediu apoio contra o Brasil ao Parlamento Europeu, mas a Comissão Europeia, que tem o poder executivo, respondeu em 29 de janeiro de 2009 que os assuntos jurídicos bilaterais com países fora da União Europeia (UE) não eram de sua alçada. Após muita pressão, em 2 de fevereiro, o Parlamento aceitou incluir o requerimento da Itália em sua agenda. O placar para a inclusão foi de cento e quatro votos a favor e quarenta e nove contra. Os cento e cinquenta e três parlamentares que votaram representavam apenas 20,78% dos setecentos e trinta e seis membros oficialmente registrados em 2009.

O ecologista sueco Carl Schlyter[139] protestou dizendo que "em um estado de direito, o Parlamento não deve interferir em procedimentos jurídicos". Finalmente, após discutir seis propostas não aceitas (algumas muito agressivas), os poucos eurodeputados reunidos aprovaram o documento P6_TA (2009) 0056, em que se pedia discretamente ao Brasil tomar uma decisão baseada nos princípios comuns com a UE. A moção foi aprovada por quarenta e seis votos contra oito, num *quorum* de cinquenta e quatro deputados.

Portanto, os votos a favor da moção italiana significaram 6,25% do total de eurodeputados! O documento não mereceu comentários na Europa, salvo um no semanário político *MaltaToday*, no qual a jornalista Anna Mallia[140] ironizou aquela votação.

A comissária da UE para a Agricultura, Mariann Fischer Boel,[141] do grupo liberal Venstre da Dinamarca, que votou contra a proposta italiana, enfatizou duramente a falta de jurisdição da UE para interferir em conflitos com países externos.

## A contribuição stalinista

Sucessivas divisões do PCI, após 1990, geraram uma pequena esquerda parlamentar (Rifondazione Comunista) e um grupo grande ex-comunista, o Partito Democratico di Sinistra (Pd). A Rifondazione sofreu diversos percalços, perdeu suas cadeiras no legislativo, e sua identidade atualmente é complexa, embora seja o grupo que mais conserva o espírito clássico do marxismo.

A maioria do Pd se tornou um partido profissional, diferenciado da direita só por seu desafeto emocional pelo fascismo. Apesar disso, a tradição de esquerda se conserva em alguns poucos militantes de base, mas a maioria é uma mistura de neoliberalismo com uma caricatura decadente do stalinismo.

Giorgio Napolitano, presidente da Itália durante o caso Battisti, é mais radical que os comissários que organizavam purgas na URSS. As vítimas do stalinismo podiam fazer autocrítica e alguns eram perdoados. Mas Napolitano vai além. Vejamos essa advertência, que mostra a eternidade da culpa e a impossibilidade de redenção:[142]

O estado democrático, seu sistema penal e penitenciário, tem se mostrado generoso, porém [...] os terroristas não deveriam [...] procurar tribunas nas quais se exibir e tentar ainda se justificar. [Mesmo] *quem já pagou* suas contas com a justiça deve atuar com discrição e mesura. As responsabilidades morais não acabam pelo fato de ter cumprido penas, *mesmo no caso de eventual reabilitação*. [Grifos meus.]

Em novembro de 2009, durante uma visita à Itália, Lula foi pressionado para apressar a extradição pelo ex-primeiro-ministro Massimo d'Alema, ex-secretário-geral do Pd, autor da tocaia contra o líder curdo Abdullah Öcalan. Em 1998, Öcalan, perseguido pela Turquia, que o procurava para executá-lo, passou por vários países e chegou finalmente à Itália, onde d'Alema lhe fez acreditar na proteção dada por seu governo. Mas, pouco depois, foi capturado pelos turcos no Quênia, aonde chegou por causa de uma tocaia atribuída a D'Alema.

Pietro Franco Fassino é outro ex-líder do Pd, contrário à eutanásia e à adoção de crianças por casais *gays*, mas também inimigo de perseguidos políticos que fogem da Itália e de estrangeiros pacíficos que querem entrar nela para trabalhar. Em 2002, colaborou com o fascista Castelli para sabotar a doutrina Mitterrand,[143] mas, em 2009, defendeu a repatriação de imigrantes líbios que chegavam à Itália fugindo da barbárie de Gaddafi. Ele propôs amizade e colaboração com o patológico tirano líbio, criando alarme na representante do Acnur, Laura Boldrini.[144]

Esse pragmático dignitário não criticou Lula; apenas esperava que o presidente brasileiro tivesse *coerência* no caso

Battisti. E esclareceu: "coerência é seguir o voto do STF". Mas também se mostrou paternal para com a esquerda brasileira: "Creio que a esquerda no Brasil não tenha uma informação e uma visão exatas".

# CAPÍTULO 16
## OS PROTETORES DE HEREGES

*Se os hospedeiros [de hereges] são infiéis, serão processados sem maiores investigações e condenados às penas previstas habitualmente: prisão perpétua, entrega ao braço secular, confisco de bens.*

EYMERICH E DE LA PEÑA: *Manual dos Inquisidores*, Parte I, § 24, xvi

*Na adversidade, um homem sozinho não é nada, é um homem perdido ou morto. Eu nunca estive sozinho. Por isso quero aqui agradecer a todos os que me ajudaram, de uma forma ou de outra...*

CESARE BATTISTI: *Declaração pública durante o lançamento no Rio de Janeiro de seu livro* Ao pé do muro (Abril de 2012)

Para os inquisidores tradicionais, os hereges estavam protegidos por bruxas que se reuniam em festas diabólicas. Para a nova Inquisição, os protetores são ativistas de direitos humanos, políticos progressistas e intelectuais, e as sociedades de bruxos chamam-se agora ONGs, partidos e sindicatos de esquerda. Na primeira seção, descrevemos a ação das ONGs de direitos humanos, na segunda, concentramo-nos no pequeno, mas ativo grupo de senadores e deputados brasileiros que ajudaram na defesa de Battisti. Depois, descrevemos a fundamental relevância dos juristas progressistas. Também movimentos e grupos organizados prestaram um apoio incalculável.

## Direitos humanos

Um mês após a detenção de Battisti, o Fórum de Entidades Nacionais de Direitos Humanos do Brasil se pronunciou por sua liberdade e organizou uma visita à prisão junto com a Comissão de Direitos Humanos da Câmara de Deputados.

O Grupo Tortura Nunca Mais (GTNM), fundado em 1985, confrontou a perseguição com energia, comparando Cesare aos resistentes contra a ditadura brasileira. Em fevereiro de 2009, o grupo difundiu um comunicado apoiando Genro, exigindo a liberdade do prisioneiro e a extinção do processo. Denunciou o clima de maniqueísmo criado pela imprensa, com esta expressão: *"Lógica fascista, histérica, e mesmo terrorista"*.

Em maio de 2009, tanto o Conare quanto o Acnur divulgaram críticas contra a usurpação pelo judiciário das funções próprias do governo. Apesar de sua obscura recusa do pedido de refúgio de Battisti, o presidente do Conare, Luiz Paulo Barreto, externou preocupação pela transformação do direito de refúgio numa discussão jurídica, chamando a atenção sobre a falta de conhecimento dos juízes em assuntos de relações internacionais.

O representante do Acnur no Brasil, Javier López-Cifuentes, advertiu que a intervenção do STF enfraquecia a instituição do refúgio, como tornou evidente a imediata exigência da Colômbia, de Cuba e do Irã de recuperar os refugiados que fugiram de suas garras. Cifuentes pediu audiências a vários juízes do STF para explicar sua posição, mas, em 14 de maio, a Itália, num ato que burocratas brasileiros qualificaram de "histérico", exigiu da Acnur seu afastamento. O acatamento dessa pretensão pela ONU mostrou a impressionante corrupção dos organismos internacionais. Lamentavelmente, Cifuentes preferiu o silêncio e evitou a contestação.

Mas houve muitas reações dignas. A Associazione Antigone é uma ONG de direitos humanos da própria Itália, especializada nos direitos dos prisioneiros e criada no final dos anos 1980. Em 2009, entrei em contato com seu presidente, Patrizio Gonnella, e a coordenadora nacional, Susanna Marietti, para pedir-lhes que explicassem ao presidente Lula os riscos que pesariam sobre Battisti se ele fosse extraditado para a Itália. Gonnella enviou a Lula um *e-mail* em inglês em 23 de novembro de 2009. O original está em meu site, mas esta é uma parte:

> "As condições de vida nas prisões italianas nunca foram tão ruins como são agora. A superlotação priva os prisioneiros de toda dignidade e coloca sua vida no limite. Mais de sessenta detentos cometeram suicídio durante 2009, um número nunca visto antes. Muitas pessoas têm morrido em circunstâncias que ainda não foram investigadas, entre as quais estão a violência e a falta de cuidado médico. O regime prisional regido pelo Artigo 41 bis da Lei Penitenciária Italiana é tristemente conhecido por ter sido várias vezes criticado pela Corte Europeia dos Direitos Humanos. As sentenças de prisão perpétua são quase sempre cumpridas integralmente, apesar de a Constituição Italiana dizer que as sentenças devem servir para a reintegração social [...] Nós consideramos realmente que a vida de Battisti (que, atualmente, é uma pessoa perfeitamente integrada à sociedade, e já se passaram várias décadas desde a época em lhe foram imputados aqueles crimes) *seria posta em risco se fosse extraditado ao nosso país.*" [Grifo meu.]

Após a detenção de Cesare, os apoiadores se reuniram em torno de projetos sistemáticos de solidariedade. Em Fortaleza (Ceará, Nordeste), o Movimento em Defesa da Liberdade para Battisti, encabeçado pelo grupo Crítica Radical, coordenado por Maria Luiza Fontenelle e Rosa Fonseca, destacou-se por sua enorme dedicação e permanente presença. Outros movimentos surgiram em São Paulo, Rio de Janeiro e Brasília. Uma parte desses ativistas criou o portal de internet Cesare Livre,[145] que difundiu as notícias relevantes, e até junho de 2011 tinha trezentas e noventa e nove matérias postadas.

Os relatórios da Anistia Internacional (AI) sobre a Itália entre 1977 e 1990 (alguns de pouca divulgação) foram essenciais para orientar meu trabalho e munir de argumentos os apoiadores. A partir de 1978, os documentos denunciavam todas as aberrações jurídicas e prisionais que relatei neste livro. Em 1981, a AI foi incumbida de investigar, *pela primeira vez,* o uso da tortura em território europeu! Em seus documentos recentes, a AI mostra que durante os Anos de Chumbo não houve pausa na tortura e que ela continua até a época atual.[146]

A ONG francesa Liga dos Direitos do Homem, a mais antiga organização de direitos humanos, foi fundada em Paris em 1898. Em 23 de novembro de 2009, Gérard Alle, membro do Comitê de Apoio a Cesare na França, o presidente da Liga, Jean-Pierre Dubois, e o presidente de honra, Michel Tubiana, enviaram uma carta sobre o caso ao presidente Lula. Nela, lembravam a falta de provas e de testemunhas e o papel dos "arrependidos" na condenação. A carta desmascarava o jogo político italiano e cobrava uma decisão do presidente brasileiro.

## Políticos humanitários

O primeiro membro do governo brasileiro que protegeu Battisti foi o ministro da Justiça Tarso Fernando Herz Genro.

Ele lidou com as injúrias da mídia brasileira e italiana, com as agressões de políticos e magistrados de direita, e ignorou as desaforadas ofensas do relator do caso no STF. Denunciou o clima de perseguição, arbítrio e terrorismo de estado na Itália dos anos 1970, questionou a neutralidade da justiça italiana, criticou a falta de garantias e se referiu à fraude de documentos, um fato que ainda era pouco conhecido em 2009.

Genro queixou-se das manobras do judiciário brasileiro, criticou o mafiosismo político italiano sem falsas gentilezas, e, mesmo afastado do caso e sendo governador do Rio Grande do Sul, continuou apoiando o escritor. Entretanto, não denunciou aos organismos internacionais a aberrante decisão da Corte de anular um refúgio político, o que deixou até agora aberto o descabido antecedente de que um grupo de juízes possa atacar livremente a ordem humanitária internacional.

Quando Cesar foi solto, Tarso o recebeu no palácio do governo estadual, parabenizou-o e reafirmou que sua integração à sociedade brasileira era merecida.

Desde o começo, o presidente Lula apoiou o ministro da Justiça com base na defesa da soberania nacional. Ele falou sobre o assunto poucas vezes, das quais a mais significativa foi a de novembro de 2009, quando se queixou da insolência do STF, cujo presidente, Gilmar Mendes, fazia contínuas provocações. Todavia, Lula já havia declarado que "obedeceria" se a Corte o "obrigasse" a entregar o refém, o que significava subordinar a um corpo vitalício uma decisão que cabia a um político eleito por ampla maioria, implicando a desmoralização da divisão de poderes.

Mais de 20% dos deputados prestaram solidariedade ao refúgio com declarações ou participação em atos. O pronunciamento maciço da bancada do PT teve setenta e nove votos. Entre a esquerda desse partido, o PSOL (Partido Socialismo e Liberdade) e outros grupos parlamentares, houve mais de quinze deputados que mantiveram uma atividade constante ao longo de toda a campanha.

O primeiro deputado vinculado a Cesare foi Fernando Gabeira do PV (Partido Verde), que o acolheu logo depois de sua chegada ao Rio de Janeiro. Dois presidentes da Comissão de Direitos Humanos e Minorias da Câmara de Deputados, Darci Pompeo de Mattos, do PDT (Partido Democrático dos Trabalhadores, de centro-esquerda), e Luiz Couto, do PT, organizaram visitas à prisão e ajudaram na publicação de matérias esclarecedoras. Em 23 de janeiro de 2009, Mattos assinou uma declaração oficial da Comissão de Direitos Humanos da Câmara em favor do refúgio e de Genro.

O Partido Comunista do Brasil (PCdoB) mobilizou seus deputados e senadores contra a extradição. Foram favoráveis a Cesare todos os legisladores do PSOL, especialmente os deputados Chico Alencar e Ivan Valente, que militaram com intensidade na causa do perseguido.

José Eduardo Cardozo, ex-deputado pelo PT e ministro de Justiça desde 2011, foi um dos primeiros políticos que visitaram Cesare na prisão e apresentou formalmente o apoio do PT. Em 27 de fevereiro de 2009, organizou um ato a favor do refúgio, no qual enumerou as falácias italianas e enfatizou o caráter político dos delitos atribuídos a Battisti. Atos, palestras, falas na tribuna e outros eventos legislativos continuaram em março.

Vários senadores, como Cristóvão Buarque, do Partido Democrático Trabalhista, presidente da Comissão de Direitos Humanos do Senado, Paulo Paim, do PT, e alguns membros da bancada evangélica (Marcelo Crivella e Marina Silva, que foi candidata presidencial em 2010) definiram-se abertamente a favor do escritor italiano. Outros, como Eduardo Suplicy, do PT, José Nery, do PSOL, e Inácio Arruda, do PCdoB, exerceram um papel ativo em todos os aspectos da defesa.

Eduardo Matarazzo Suplicy, senador pelo PT de São Paulo desde 1980, é um caso infrequente de político simples e objetivo, sem formalismos nem arrogância. Respeitoso, porém decidido, adere sempre às causas humanitárias, a despeito de ignorar hierarquias e incomodar membros de seu próprio partido. Seu senso de luta o mantém em ação constante, viajando para outros países para impulsionar suas investigações. Num estilo que só se encontra em sociedades muito avançadas, ele se embrenha na defesa da cidadania, mesmo em casos sem repercussão política.

Por sua trajetória irretocável, Suplicy não é vulnerável às provocações e aos ataques da direita, que não encontram nenhum pretexto real para agredi-lo. Com um passado desportista e afeiçoado ao rock, contrasta com os parlamentares rançosos, que invejam sua capacidade de conquistar a confiança e o afeto das pessoas.

Suplicy se comprometeu com o caso Battisti no começo do processo e atacou o problema em várias frentes: parlamento, grupos políticos, ativistas dos direitos humanos, mídia, sociedade. Mantinha informado o Senado, tentava esclarecer magistrados e jornalistas e rebatia mentiras dos veículos de comunicação. Deu a Battisti auxílio psicológico para aumentar sua segurança e amenizar sua depressão. Foi o principal elo entre o prisioneiro e o exterior, entregando suas cartas e possibilitando as visitas de amigos, apoiadores e familiares.

## Intelectuais e juristas

Os intelectuais brasileiros mais famosos, afetados pelo elitismo comum no meio, não foram solidários como os franceses, nem mesmo como os italianos, salvo numa meia dúzia de casos. Nas grandes universidades, os únicos que defendem os direitos humanos são os sindicatos de funcionários, professores isolados e algumas entidades estudantis. Em compensação, em muitas partes do país, docentes de escolas de ensino básico, escritores e artistas populares colaboraram com comitês de solidariedade, escrevendo matérias, assinando manifestos e convocando atos.

Na Pontifícia Universidade Católica de São Paulo (PUCSP), o jornalista e historiador José Arbex Jr. promoveu a realização de um ato celebrado nessa universidade em 14 de abril de 2011, com a presença de mais de trezentos alunos.

Entre os artistas, o mais comprometido foi o cineasta Sílvio Tendler, famoso por seu trabalho documental militante e por ter recebido numerosos prêmios, entre eles o Salvador Allende (2005).

Os operadores jurídicos se dividiram em dois grupos. Já falamos dos linchadores; falaremos, agora, dos protetores.

Dalmo de Abreu Dallari, professor emérito da USP, especialista em teoria do estado, amplamente reconhecido no exterior, foi um dos principais apoiadores de Battisti. Em maio de 2008, publicou um texto no qual apresentou sólidos argumentos contra a extradição: ausência do réu no julgamento italiano, falta de advogados e caráter político dos delitos. Foi o primeiro que denunciou a hipocrisia de prometer a impossível comutação da pena de prisão perpétua por vinte e seis anos de reclusão. Dallari desmascarou o presidente do STF por manter Battisti detido ilegalmente e reafirmou o direito do Ministério da Justiça de conceder asilo.

Nilo Batista, defensor de presos políticos durante a ditadura, crítico agudo do uso do judiciário para a repressão popular, proclamou a aplicabilidade a Cesare da Lei de Anistia brasileira (Lei 6.683). Os quatro homicídios ocorreram antes da sanção dessa lei, em agosto de 1979. Batista é um jurista que percebe a clara necessidade do suporte sociológico para o direito: sua afirmação de que *todo crime é político* é uma das mais felizes expressões de uma filosofia humanitária e antimaniqueísta.

O jurista acadêmico Celso Antônio Bandeira de Mello elaborou em setembro de 2009 um parecer detalhado e extenso, cujo conteúdo pode se resumir na frase: "O refúgio é ato exclusivo do executivo e não pode ser discutido pelo judiciário".

Em abril de 2009, José Afonso da Silva, uma autoridade em direito constitucional, escreveu um parecer sobre o caso, no qual demonstrou a inviabilidade legal das pretensões italianas. O jurista sublinhou que "[cada estado fica] com o direito de fixar suas regras sobre o [refúgio]". "O estado ao qual é pedida a concessão do refúgio [...] deve fazer a qualificação jurídica dos fatos [...]."

De maneira similar se pronunciou, em janeiro de 2010, o professor e pesquisador Afrânio da Silva Jardim, mostrando que o parecer do STF não pode obrigar o chefe de estado a extraditar. Em setembro de 2009, o jurista Paulo Bonavides redigiu um extenso relatório que recriava os aspectos políticos, sociais e humanitários do problema, enfatizando as grandes fraudes dos julgamentos italianos. Ele fez notar que Battisti foi acusado em 1981 por delitos políticos, mas, em 1988, foi condenado por quatro homicídios *sem ter sido formalmente acusado*. Indicou que a exacerbação dos italianos para linchar Battisti *já era uma prova* de perseguição.

Algumas instituições jurídicas se somaram à defesa. Em 4 de fevereiro de 2009, o Instituto dos Advogados Brasileiros (IAB) divulgou uma nota de apoio ao refúgio, sublinhando que o governo brasileiro não está *obrigado a obedecer* a tribunais de outras nações. Em abril de 2007, o Conselho Nacional da Ordem dos Advogados do Brasil (OAB) ofereceu um de seus conselheiros como integrante da equipe de defesa. Em janeiro de 2009, a seção da OAB de São Paulo se pronunciou a favor do refúgio por meio de sua Comissão de Direito Internacional. Em novembro de 2009, o presidente da seção de Rio de Janeiro assinou a petição ao presidente Lula para o asilo de Battisti.

Em 2011, os juristas voltaram à luta quando o presidente do STF, que agora era Cezar Peluso, ignorou a recusa da extradição pelo presidente Lula da Silva (decretada em 31 de dezembro de 2010), e manteve Battisti ilegalmente preso. Os trinta e dois mais prestigiosos juristas do Brasil redigiram um forte manifesto, que colocaram na internet na forma de petição. O magistrado e cientista político João Batista Damasceno, membro do grupo Juízes para a Democracia, publicou um artigo que desmascarava as falácias contra a soltura, e o juiz Mario Semer, que fora presidente do mesmo grupo, denunciou a briga pelo poder que escondiam as decisões do STF naquele caso.[147]

## Movimentos e grupos organizados

Várias organizações prestaram solidariedade ao refúgio e repudiaram as manipulações judiciais. O Movimento dos Trabalhadores Rurais sem Terra (MST) foi um dos primeiros movimentos sociais que pediram o refúgio de Cesare Battisti, mas sua mobilização posterior foi inexpressiva. As centrais de trabalhadores e alguns sindicatos também tomaram posição a favor do refúgio.

O líder do Sindicato de Trabalhadores da Universidade de São Paulo (SINTUSP) e membro do grupo de lutas populares Conlutas Magno de Carvalho esteve em todos os atos de apoio a Cesare e liderou várias mobilizações.

Em fevereiro de 2009, o estudante Juliano Medeiros, diretor de Movimentos Sociais da União Nacional de Estudantes

(UNE), visitou Battisti na prisão e comunicou-lhe o apoio de sua comunidade.[148] Em Brasília, um dos membros mais ativos do movimento de solidariedade, o antropólogo Paíque Duques Lima, foi o principal contato entre a militância jovem e as instituições federais.

Durante suas crises de depressão, agravadas pelas ameaças da cúpula judicial, Cesare recebeu o auxílio emocional da Comissão de Direitos Humanos do Conselho Federal de Psicologia, que divulgou sua causa em seus órgãos de difusão.[149]

Relevantes na campanha pelo asilo foram os partidos políticos de esquerda e centro-esquerda. O Partido Comunista Brasileiro (PCB) apoiou imediatamente Battisti. O Partido Socialista dos Trabalhadores Unificado (PSTU) e o Partido da Causa Operária (PCO) aderiram em seguida à causa do refúgio.

Em 18 de dezembro de 2008, logo que o Conare negou o refúgio, foi inaugurada em Brasília a XI Conferência Nacional de Direitos *Humanos*, que deliberou...

> ...encaminhar ao presidente da República, Luiz Inácio Lula da Silva, ao ministro da Justiça, Tarso Genro, e ao presidente do STF, ministro Gilmar Mendes, moção de solidariedade a Cesare Battisti por sua imediata libertação e garantia de refúgio político para aqui viver com sua família, negando-se sua extradição.

A moção enumera os principais motivos para sua solidariedade: a Declaração Universal dos Direitos Humanos; as relações internacionais; o Artigo 5 da Constituição; as opiniões dos melhores juristas brasileiros; o nítido caráter político dos delitos; as irregularidades do julgamento de Milão etc.

Esse documento foi o *único* que sublinhou com energia a tortuosa atitude do Conare. O texto manifesta *imensa es-*

*tranheza* pelo parecer do misterioso organismo, que a Conferência entende como primeiro passo para levar Cesare a uma morte como a de Olga Benário. Lembra a condição de ex-perseguidos e ex-refugiados de alguns quadros do governo, e a maciça proteção dada a refugiados brasileiros por governos de outros países. Joga na cara a contradição entre a insensibilidade para com Battisti e a tolerância para com os crimes da ditadura. A moção é a mais completa e precisa sobre o caso.

Após a outorga de refúgio em 20 de janeiro de 2009, um grupo de docentes, artistas e intelectuais publicou um manifesto apoiando todas as ações do Ministério da Justiça. O documento salientava a proibição de prisão perpétua no Brasil, a existência de jurisprudência favorável a refugiados italianos nas mesmas condições e a demanda de movimentos e cidadãos que aprovavam o asilo. Também criticava a duplicidade da mídia que defendia os assassinos da ditadura, mas ajudava a vingança italiana. Esse manifesto foi o germe de um dos abaixo-assinados posteriores.

Em 27 de agosto de 2009 foi lançado outro manifesto, agora dirigido ao STF, exigindo a rejeição da extradição. Após o julgamento, em novembro de 2009, quando o STF já havia reconhecido o direito do chefe de estado de decidir, foi publicado um novo documento. Nele, deputados, senadores, a Comissão de Justiça e Paz, a seção do Rio de Janeiro da OAB e a Central Única de Trabalhadores pediam uma audiência com Lula para demandar-lhe a recusa de extradição.

Em 20 de novembro de 2009 foram divulgadas duas declarações similares em São Paulo. Uma provinha da Associação de Professores da Universidade Católica e outra das Mães de Maio, um grupo de senhoras cujos filhos foram assassinados pela polícia em maio de 2006, e que fez um enlace comovente entre a situação de Battisti e o clima de terror policial vivido no Brasil.

## Espártaco e as legiões

O confronto entre as legiões de linchadores e os defensores do asilo foi desproporcional, mas a parte principal da resistência foi feita pela internet e a pequena mídia impressa de grupos esclarecidos e partidos de esquerda.

Das publicações de grande porte, a mais objetiva foi o magazine *ISTOÉ*.[150] A jornalista Luiza Villaméa fez uma longa entrevista com o prisioneiro em 28 de janeiro de 2009, cheia de calor humano. Ela começa seu texto com uma frase de notável beleza: "Mesmo sob [uma] forte escolta policial e algemado, ao descer da parte de trás do camburão, o italiano Cesare Battisti passava uma imagem de dignidade".

No *Jornal do Brasil*, Dalmo de Abreu Dallari tinha um espaço semanal, e em agosto de 2009 acusou o presidente do STF, Gilmar Mendes, de *manter Battisti na prisão como castigo por não o poder extraditar*.

Na imprensa de cidades menores houve alguns casos de objetividade e até de simpatia. Isso aconteceu com a entrevista de Cesare ao jornal *A Tribuna*, da cidade portuária de Santos. A *Gazeta do Povo*, o maior jornal do estado do Paraná (na região Sul do país), publicou várias matérias bastante imparciais, e até enviou uma repórter para entrevistar um irmão de Cesare na Itália.

Dos principais magazines brasileiros menores, a maioria defendeu o asilo e tornou públicos os bastidores do conflito.

O primeiro exame foi feito pela revista *Piauí*, um magazine que publica matérias sociais, políticas, artísticas e de comportamento. Duas matérias magistrais foram escritas por Mário Sérgio Conti e publicadas em 2007 e 2009. Elas são relatos vivos da saga de Battisti e do desígnio dos inquisidores. Os textos têm informações e comentários originais, desvendando fatos que poucos conheciam.

*Brasil de Fato* é um semanário de esquerda independente lançado em janeiro de 2003 por movimentos populares, jornalistas e intelectuais progressistas. Atualmente, possui uma rede internacional e mantém suas publicações num alto nível. Desde 2008, publicou mais de trinta matérias sobre o caso Battisti, incluindo a carta de Cesare a Lula e ao povo brasileiro.

*Caros Amigos* é uma revista mensal publicada no Brasil desde 1997, dedicada a entrevistas, artigos e investigações, numa linha de esquerda ampla e autônoma. Sua versão eletrônica publicou meu artigo "Direito ou *Omertà*?" junto à carta de Battisti a Lula. Tanto na versão virtual como na impressa, publicou uma matéria da jornalista Deborah Prado, baseada numa entrevista comigo feita em fevereiro de 2011.

*Causa Operária* é o órgão semanal do partido do mesmo nome, que publicou na internet, desde a captura de Battisti, mais de cento e trinta textos sobre o caso, abrangendo todos os aspectos da vida prisional, o julgamento e a repercussão pública.

Muito cedo, em março 2007, Rui Pereira Martins, jornalista e escritor brasileiro radicado na Suíça, explicou a necessidade de refugiar Battisti num brilhante manifesto intitulado "Não à Extradição de Cesare Battisti",[151] no qual previa que as forças mais sórdidas da sociedade brasileira se uniriam numa ofensiva conjunta para o linchamento do escritor. Martins foi o primeiro que fez conhecer o caso no Brasil, por meio dos jornais virtuais em português *Direito da Redação* e *Correio do Brasil*.

Martins encontrou um excelente sucessor no escritor, jornalista e ex-preso político Celso Lungaretti. Ele foi militante da Vanguarda Popular Revolucionária ainda na adolescência e, capturado pela ditadura, sofreu prisão e tormentos. Após sua libertação, estudou jornalismo e adquiriu uma vasta experiência em comunicação. No Brasil, tem dedicado maior tempo que qualquer outro escritor a divulgar o processo de Cesare em todas as suas etapas, mesmo sem diminuir seu esclarecedor trabalho sobre assuntos políticos, humanitários e culturais. Ele postou cerca de trezentos artigos próprios sobre o caso Battisti e prestigiou os redigidos por outros. Seu *blog*, com o belo nome de Náufrago da Utopia, é um dos mais frequentados pelo público progressista.

Nádia Stábile, uma blogueira criativa e dinâmica, em seu eclético *blog* Sarau para Todos publicou todos os textos que lhe foram enviados sobre o caso de Cesare e construiu totalmente um de meus *blogs*, chamado O Caso de Cesare Battisti.[152]

O site ConsciênciaNet, que publica matérias de interesse social e humanista de alta qualidade, abriu-se para os artigos que defendem a causa de Cesare. O Coletivo Passa Palavra, um grupo de esquerda independente[153] baseado no papel educativo da informação e na mobilização no estilo da tradição anarquista,[154] transmitiu eventos via internet e postou mais de cem matérias sobre o caso Battisti nos anos 2009 e 2010.

Também lutaram contra a extradição os sites de jornais e revistas de grupos progressistas e os portais e *blogs* de partidos reais ou percebidamente marxistas ou socialistas. Até setembro de 2009, o site Vermelho[155] tinha cerca de cento e sessenta matérias publicadas sobre o caso. O PSOL também publicou vários *posts* em seu site central e nos sites estaduais.

Na batalha da internet, os linchadores enfraqueceram. Em novembro de 2009, a campanha de ódio virtual diminuiu, reduzindo-se a repetições monótonas. Não é simples a avaliação da eficiência da internet, pois, apesar de ser um meio rápido, ubíquo e quase gratuito, sofre da falta de tradição.

No Brasil, os sites contra Battisti dispararam sua munição durante um tempo curto, pois o ódio exige um desgaste emocional intenso, e só poderia ser mantido se os algozes fossem gratificados periodicamente com vítimas tangíveis, como acontecia com a antiga Inquisição.

Mas, apesar da propaganda contra o escritor, também na Itália há muitos inimigos do linchamento.

A Rifondazione Comunista apoiou o refúgio de Cesare. Além disso, propôs uma anistia geral para frear a corrida de ódio, mas essa singela proposta foi brutalmente criticada.

Um dos intelectuais mais indigestos para os linchadores é o premiado escritor Erri de Luca, um dos fundadores da Lotta Continua. O panfleteiro Giuseppe Cruciani dedica a difamá-lo um capítulo completo de seu livro, enquanto os outros amigos de Cesare são obrigados a compartilhar o ódio do autor em pequenas doses que disputam o resto das páginas.

A revista virtual *Carmilla*[156] incomoda por seu espírito internacional e sua fina ironia sobre o que um dia foi a brilhante cultura itálica. É uma fonte de informação permanente, que acompanhou a *vendetta* inquisitorial desde o primeiro momento e cobriu todos os detalhes. *O editor, Valerio Evangelisti, é um escritor de ficção científica formado em ciências políticas. Escreveu deliciosos romances que ganharam prêmios na França e fazem sucesso na Europa. Publicou textos, proferiu palestras e respondeu a inúmeras indagações jornalísticas sobre Cesare.*

Muitos italianos se envolveram individualmente. *Paolo Persichetti é um jornalista com um histórico semelhante ao de Battisti. Refugiado na França, onde era professor, o governo Chirac facilitou seu sequestro por um comando italiano em 2002. É um dos que propõem uma anistia geral como caminho para a pacificação nacional. Também* Gianfranco Manfredi, uma figura múltipla, romancista, cineasta e compositor musical, assinou um dos primeiros manifestos.

Um papel de relevo teve a Fundação Wu Ming, um original grupo de cinco escritores italianos que assinam com esse apelido. Eles recusam entrevistas e aparições públicas, mas são perfeitamente conhecidos e seus apelidos não têm por finalidade o anonimato. O mais ativo no caso de Cesare foi Wu Ming 1, cujo nome verdadeiro é Roberto Bui. Em seu artigo "Aquilo que a mídia não diz" tem denunciado com vigor as distorções da mídia italiana. Bui detalha erros, mentiras e contradições sobre a perseguição contra Cesare que os jornais difundiram sem o menor senso ético.

> O ódio dos linchadores contra os intelectuais teve sua apoteose numa medida adotada por algumas comunas do Vêneto em janeiro de 2011. Conselheiros e secretários de Cultura, de filiação neofascista ou católica, exigiram que todos os escritores que haviam assinado, seis anos antes, uma declaração de apoio a Battisti *fossem proibidos na região*.

Não se tratava apenas de censurar seus escritos, porque a maioria deles escrevia romances, aventuras ou livros para crianças. Tratava-se de uma *punição* contra as obras e os autores. Os que estivessem na Itália não poderiam ter seus livros em bibliotecas públicas, nem vendidos na região, nem poderiam, eles próprios, ocupar cargos docentes ou ser convidados para palestras. Mais modernos e menos ignorantes, os membros do Partido Democrático entenderam que essa medida absurda favorecia os amigos de Battisti.

## CAPÍTULO 17
## ACENDENDO A FOGUEIRA

*[...] é de ilegalidade ruidosa e redobrada, por não poucas nem leves razões, das quais a primeira, conquanto não menos incisiva e manifesta que as outras, está em que a autoridade administrativa [refere-se ao ministro Tarso Genro] carece de toda competência na matéria. [Grifos e interpolação meus.]*

Cezar Peluso, trecho do voto sobre a extradição de Battisti, em que critica Tarso Genro por afirmar que os delitos atribuídos seriam políticos. O ministro quer dizer: *"Quando deu refúgio a Battisti, Genro interferiu em nosso feudo, que é o único capaz de entender qualquer causa".*

*A criminalidade está aí visível ou subterrânea. Favorecida pela internet ignora fronteiras, especialmente nas operações de tráfico, lavagem de dinheiro, clonagens, fraudes, propagação de vírus e de ofensas à honra das pessoas. [Grifo meu.]*

Cezar Peluso, relator do caso Battisti, no discurso de posse como presidente do STF em 2010, mostrando o ressentimento pela eficiência da internet no confronto com o judiciário.

A extradição é um processo pelo qual, desde o começo da história, as classes dominantes trocam ou traficam seus inimigos, para fazer possível sua perseguição até o último recanto da Terra. Nos tempos modernos, esse comércio humano foi fantasiado com termos "nobres" como *cooperação internacional*, *fim da impunidade*, *castigo justo*, e outras baboseiras. Se realmente a punição visasse à segurança da sociedade, nenhum país estaria mais seguro que aquele que tem seus inimigos longe, salvo nos casos em que os réus são criminosos de lesa-humanidade, que podem atacar de qualquer ângulo, e cujos crimes deixam uma síndrome de repetição. Mas são justamente esses os que poucas vezes sofrem perseguição. Na América Latina, colonizada pelas culturas mais atrasadas da Europa, os juízes foram durante gerações filhos das famílias tradicionais, com irmãos militares, latifundiários e bispos. O cenário do julgamento da extradição é algo parecido a um tribunal do Santo Ofício.

### O pretoriano chefe

Ao começar o julgamento da extradição de Battisti em 2009, o presidente do STF era Gilmar Ferreira Mendes, recrutado para o "pretório" pelo presidente brasileiro Fernando Henrique Cardoso em 2002. Sua indicação sofreu resistência por parte dos juristas mais prestigiosos e sua presença na Corte foi motivo de permanente inquietação, por causa de atos de favorecimento e de notórias intenções golpistas contra o governo Lula. Em julho de 2008, um amplo movimento tentou lançar um *impeachment* contra ele, mas foi abortado pela cumplicidade dos colegas.

Gilmar Mendes pertence a um clã de fazendeiros do estado de Mato Grosso, e seu irmão, Francisco Mendes, foi prefeito de sua cidade de 2000 a 2008. Em setembro de 2000, Andréa Paula Pedroso Wonsoski, de dezenove anos, trabalhava na campanha de Francisco. Este concorria para prefeito pelo Partido Popular Socialista, uma das divisões do antigo Partido Comunista, aliado com o Partido Social Democrata Brasileiro (PSDB).

Segundo a revista *Carta Capital*,[157] que na época era crítica de Gilmar Mendes, o candidato Francisco teria ameaçado Andréa por causa de denúncias feitas por sua irmã, que o acusava de comprar votos. Andréa registrou boletim de ocorrência na delegacia para se proteger das ameaças, mas, pouco depois, em 17 de outubro de 2000, *desapareceu sem deixar rastros.*

> Em outubro de 2003, sua ossada foi encontrada a 5 km do centro da cidade. Após intensa pressão durante dois anos, a polícia aceitou fazer a autópsia, que revelou um tiro na nuca e rastos de um possível estupro.

Mendes ficou conhecido por sua perseguição contra os movimentos sociais e o seu estímulo aos grupos "defensivos" dos fazendeiros.

## O inquisidor mestre

No fim de 2007, o caso Battisti ganhou um novo relator: Antonio Cezar Peluso. Ele havia servido por dezoito anos (1985-2003) como juiz do Tribunal de Justiça de São Paulo (TJSP), uma corte internacionalmente célebre por suas atrocidades, e por encobrir os autores dos piores crimes de genocídio e tortura.

## O currículo do mestre

Peluso se formou em instituições paulistas, fazendo especialização em 1967 e doutorado em 1975. Na especialização em filosofia do direito foi orientado por Miguel Reale, um filósofo do direito cujas especulações jurídicas se fundamentavam no louvor a um estado "integralista" (totalitário), e no que ele chamava de "teoria tridimensional do direito", que não era, como alguns podem supor, uma visionária antecipação da técnica cinematográfica 3D.

Ele foi um dos três fundadores, em 1932, da Ação Brasileira Integralista (ABI), um movimento de ultradireita que misturava o populismo repressivo fascista com o obscurantismo católico do falangismo espanhol. Reale foi considerado pelo diplomata italiano Menzinger[158] o integralista mais próximo do fascismo.

Após a falida tentativa integralista de matar o presidente brasileiro Getúlio Vargas, em 11 de maio de 1938, Reale foi a Gênova com nome falso e se estabeleceu na Itália, onde fez sucesso dedicando alguns livros a Mussolini.[159] Sobre seu antissemitismo existem controvérsias, possivelmente geradas como cortina de fumaça.[160] Após o golpe de 1964 no Brasil, Reale foi o civil com maior influência intelectual e jurídica na ditadura, especialmente no governo Médici (1969-1974).

O orientador de doutorado de Peluso foi outro integralista, Alfredo Buzaid, ministro da Justiça do ditador Médici. O jurista teve influência na aplicação da censura e na elaboração dos planos de repressão. Também foi juiz do STF entre 1982 e 1991. Apesar de seus louros políticos, Buzaid ficou mais famoso como pai de família. Com efeito, ele teria acobertado seu filho e seus amigos durante o chamado "Caso Ana Lídia", uma criança de sete anos estuprada, torturada e assassinada em Brasília em 1973 por um grupo de jovens de famílias ricas.[161]

Todavia, ninguém deve ser julgado por seus mestres, e Peluso também tem esse direito. Aliás, ele possui méritos próprios.

## A INQUISIÇÃO TROPICAL

Em setembro de 2004, o procurador-geral Cláudio Fonteles, outro fundamentalista místico, questionou uma liminar concedida pelo juiz liberal Marco Aurélio de Mello, membro do STF, para permitir o aborto de uma mulher grávida de um feto sem cérebro. A liminar foi atacada pela Igreja, o Opus Dei e grupos fascistas, e defendida por setores progressistas, cujo líder jurídico era Luís Roberto Barroso, futuro advogado de Battisti. Marco Aurélio outorgou liminar para realizar o aborto e ordenou a suspensão dos processos vinculados ao caso.

Sete juízes votaram *contra* a liminar para realizar o aborto. Peluso, além de votar também contra essa parte da liminar, foi o único que votou contra a liminar integral. Alguém o interrogou sobre a crueldade de exigir gerar um filho destinado a morrer imediatamente, e ainda punir a mãe que tentou salvar a criança dessa tortura. O juiz foi muito claro: "Todos [nós] nascemos para morrer [...] O *sofrimento* não degrada a *dignidade* humana. É, ao contrário, essencial para a vida humana." [Grifo meu.]

Peluso criticou os que procuram decisões jurídicas compatíveis com a ciência,[162] afirmando que isso era impossível.

Em 2005, o mesmo procurador Fonteles moveu uma ação contra a lei que permitia a pesquisa de células-tronco embrionárias, apoiado novamente pela mesma caterva. Por causa das obstruções sistemáticas do ministro Menezes Direito (um fundamentalista católico ainda mais primitivo, falecido em 2009), o debate se prolongou até 2008, quando os inquisidores sofreram uma derrota parcial.

Segundo a mídia, Peluso, pressionado por colegas no meio de uma grande confusão, teria demorado em se decidir, e seu voto foi computado inicialmente *contra* a pesquisa sobre células-tronco. Ele protestou dizendo que sua posição havia sido distorcida, pois seu voto teria sido *a favor* da lei.

Em setembro de 2005, Peluso concedeu *habeas corpus* ao coronel Mário Pantoja, da polícia militar do Pará, condenado a duzentos e vinte e oito anos de prisão pelo massacre de dezenove camponeses pacíficos e indefesos, na famigerada chacina de Eldorado dos Carajás, no estado do Pará, no norte do Brasil.

Outros detalhes contribuem para formar o perfil de Peluso, entre eles, seu desconforto com a publicidade das deliberações da corte, sua proposta de que os processos de dignitários transcorram em sigilo e sua vocação pelas sentenças obscuras. Também merece destaque sua oposição à ciência e ao conhecimento social, e sua aliança com Menezes Direito na decisão de manter crucifixos nos ambientes do tribunal num país que, segundo todos dizem, mas ninguém crê, é secular.

## A voz do amo

Quase todas as decisões do relator Peluso anteriores ao julgamento da extradição foram submetidas à autoridade italiana. Em 13 de janeiro de 2009, a defesa de Battisti entrou com uma ação para obter sua liberdade, mas a Itália ficou furiosa e chamou seu embaixador "para consultas".

Daí em diante, a defesa apresentou vários pedidos de liberdade, mas sempre o relator consultava a Itália, esta se manifestava contra, e o pedido era negado. O quinto pedido levou os italianos à histeria. Nele, de 13 de março de 2009, os advogados argumentaram que o processo estava *prescrito*, pois já haviam transcorrido vinte anos desde a data da condenação.[163]

Dessa vez, Peluso foi mais obediente com os mestres e mais severo com os díscolos súditos. Advertiu aos advogados que, se insistissem em suas exigências, o pleito se atrasaria de maneira *indefinida*. Mas ele fez a caridade de dar uma explicação: "O estado requerente é parte neste processo, que, instaurado ao seu pedido, não pode deixar de atender, em certos limites, às exigências do contraditório". Mas a Itália não era apenas uma parte daquela lide; na realidade, era a dona do circo. Só carecia de direito de voto, mas não precisava.

## A preparação do julgamento

Michele Valensise foi nomeado embaixador da Itália em novembro de 2004, e, nessa função, cumpriu discretamente sua campanha de "sedução" do STF e outros agentes públicos, mas quase nunca fez declarações sobre o caso.[164] Sua atuação mais destacada foi um encontro com Gilmar Mendes, em 20 de janeiro de 2009, sobre cujo conteúdo nada pôde ser apurado nem pelos melhores jornalistas, embora todos suspeitem que nessa reunião se fixaram os termos de uma negociação.

Enquanto isso, Battisti não se deixava apavorar, e várias vezes deu a conhecer cartas que contavam os fatos acontecidos na Itália e proclamava sua inocência. Apesar das pressões de todos os setores solidários, o STF não lhe deu a possibilidade de se expressar oficialmente, contrariando o Artigo 8 da Convenção Americana Sobre Direitos Humanos.[165]

A primeira carta pública de Cesare[166] foi lida na tribuna do Senado em 18 de fevereiro de 2009 por José Nery, representante do PSOL, fortemente engajado na defesa do escritor. Algumas frases descreviam a situação que intelectuais como Evangelisti e Erri de Luca já tinham denunciado:

Eu fico amedrontado, desarmado frente à *hostilidade e ao ódio rancoroso* que manifestam meus adversários. Eu sei que deveria lutar contra a avalanche de mentiras de falsificação histórica, mas o que me faz falta para lançar-me à luta é o desejo de ganhar. [Grifo meu.]

Seu sentimento é frequente em pessoas perseguidas por longo tempo com sanha patológica: a batalha não valia a pena e, portanto, tampouco a vitória. Então, faltava o desejo de ganhar.

Outros trechos tornam mais forte sua denúncia. Ele disse não ser "tão inteligente para criar tantos inimigos [importantes]", e que isso [a aparição de tantos inimigos] só se deve ao fato de ser inocente. Também se pergunta se é sua atividade de escritor que o torna perigoso para a "Itália governada pela máfia".

Quando Cesare disse que a imprensa marrom fez uma cobertura que criou o ódio social, e que "as movimentações de massa são sempre contra alguém", estava denunciando a incubação de uma *praga emocional*, como Wilhelm Reich relatou no caso do nazismo. Na parte final da carta, Battisti reconhece que sua atitude pode parecer suicida (um indício de que estaria disposto a morrer antes que voltar à Itália). A mensagem se encerra com um distanciamento de suas origens. "Se sou considerado inimigo da Itália, até os inimigos fazem trégua e se perdoam."

Em 26 de fevereiro de 2009, Cesare dirigiu uma longa carta aberta aos onze juízes do STF, entregue a eles por Eduardo Suplicy, na qual relata os fatos principais relativos a sua atividade nos PAC, sua captura, as ações dos *pentiti*, as acusações contra ele, e assim por diante. Suas afirmações conferem com as investigações desses eventos na Itália, na França e no Brasil. Esse é o primeiro documento público que denuncia a *falsificação* das procurações.

Vejamos alguns detalhes que haviam acontecido, de maneira paralela, algum tempo antes.

Os amigos de Battisti contrataram como advogado Luiz Eduardo Greenhalgh, membro fundador do PT. Ele manteve contato com Cesare até o fim e ainda após ser solto, em 2011, e o representou junto ao Tribunal Federal do Rio de Janeiro, onde era acusado de usar um passaporte irregular. Mas a condução da defesa perante o STF se modificou em abril de 2009. Nessa data, a equipe de Luís Roberto Barroso e Renata Saraiva, conhecidos por sua atuação em causas progressistas e de direitos humanos, assumiu a defesa.

Barroso forneceu numerosos argumentos sobre a inocência do réu e, além de produzir material jurídico, publicou vários trabalhos sobre a repressão italiana e sua difícil "democracia". Consciente de que uma batalha jurídica não se ganha apenas com a lei, especialmente quando a maioria dos juízes viola essa lei sem nenhum freio, Barroso esclareceu a opinião pública com diversos artigos históricos e sociológicos. Sua defesa foi uma das mais ousadas já feitas na América Latina. Sua alegação final de junho de 2011 foi uma apaixonada proclamação da superioridade da ética sobre as tecnicidades jurídicas e os bacharelismos.[167] Como toque final, doou seus honorários a causas filantrópicas.[168]

## O processo inquisitorial

Desde a formalização do pedido de extradição pela Itália, em abril de 2007, a cúpula do STF demorou trinta meses para marcar a primeira sessão de julgamento. Finalmente, sob a extrema pressão dos juristas democráticos, que denunciaram o intuito do presidente da Corte de prolongar o máximo possível a prisão do perseguido, Gilmar Mendes abriu o julgamento da extradição de Battisti (número 1.085 do STF) no dia 9 de setembro de 2009, com um total de nove juízes, a presidência de Mendes e a relatoria de Peluso.

## Anulação do refúgio

O Artigo 33 da Lei de Refúgio 9.474 manda anular qualquer extradição quando o refém é declarado refugiado. Portanto, quando o STF decidiu julgar a extradição 1.085 esta *já não existia*. Mas o relator Peluso não se preocupou com essa minúcia; como bom católico e possivelmente leitor de são Tomás, sabia que Deus havia criado o ser do nada e, portanto, ele poderia criar a extradição da *não extradição*.

Começou a primeira fase do processo proclamando que o refúgio de Battisti era *ilegal* e propôs sua *anulação*. Se o refúgio fosse anulado, o refém voltaria a sua condição anterior de *não refugiado*. Agora, a extradição morta pelo refúgio "ressuscitaria", e o tribunal poderia julgá-la. A segunda fase era: *permitir ou recusar a extradição 1.085?*

O refúgio é, em qualquer sociedade civilizada, uma proteção que só pode ser recusada pelo poder executivo. Mas, nesse caso, o candidato rejeitado tem o direito de recorrer à justiça, que pode obrigar o governo a protegê-lo.

Mas a intromissão do judiciário para *impedir* refúgio é um ato anormal e fraudulento. A anulação de um refúgio só é possível se sua concessão se baseia em atos criminosos, como falsificação de documentos, usurpação de identidade, substituição de provas etc. Nada disso havia acontecido com o refúgio dado por Tarso a Battisti nem os próprios pretorianos cogitaram essa acusação. Eles preferiram o caminho mais ilegal: desqualificar o mérito, os motivos de conteúdo que o ministro Genro teria aduzido para refugiar Battisti.

Afinal, tinham a força, e cometer uma grande ilegalidade demonstrava essa força.

| Refúgio e extradição | | |
|---|---|---|
| | Executivo | Magistratura |
| Refúgio | Pode *conceder* ou *negar* | Pode *obrigar* o executivo a conceder, mas *não* pode obrigar a negar |
| Extradição | Pode *executar* ou *recusar* | Pode *proibir* o executivo de aplicar, mas não pode proibir de recusar |
| O judiciário age, em todos os casos, para proteger o indivíduo contra o estado | | |

Na sessão de 9 de setembro de 2009, o relator Cezar Peluso leu sua longa justificativa de voto (vide Capítulo 18), em que se manifestava *contra* a concessão do refúgio e *a favor* da extradição. Os quatro juízes opositores se indignaram por causa dos pretextos do relator para dissolver o refúgio e proclamaram o direito do ministro da Justiça para decidir a condição de refugiado. A visão geral desses magistrados era que, efetivamente, a extradição já não existia, e o julgamento era uma farsa.

Peluso tinha dois votos certíssimos (o de Mendes e o da juíza sulista Ellen Gracie), e, com alguma probabilidade, o de Ayres Britto e Ricardo Lewandowski. Britto havia sido candidato a deputado pelo PT. Lewandowski era professor, e parecia ter alguma conexão com o mundo político e militar.

O relator chamou de "ilegal" a visão que tinha o ministro da Justiça sobre o conceito de crime político e de risco de perseguição. Sua retórica hiperbólica para expressar seu desconforto para com Genro está na primeira epígrafe deste capítulo.

Na primeira parte da sessão, Peluso obteve os votos complacentes, derrubando o refúgio por cinco a quatro. Agora, o tribunal passava a votar a própria extradição, e o clima perceptível garantia que aquele resultado se repetiria, e que a extradição seria *autorizada*.

No meio da votação, o ministro Marco Aurélio de Mello decidiu adiar seu voto, ganhando dois meses de tempo, durantes os quais estudou os autos de maneira exaustiva. Ele não conseguiu influir nos votos dos aliados do relator, mas conseguiu algo muito importante. Em sua detalhada e rigorosa apresentação *colocou em máxima evidência o caráter absurdo da petição italiana*. Isso não convenceria seus colegas, mas serviu de grande estímulo aos defensores de Battisti e estimulou a maior atividade dos militantes solidários.

## Votando a extradição

No dia 12 de novembro de 2009 o julgamento teve sua segunda fase. Os opostos à extradição eram a juíza Carmen Lúcia, uma magistrada com histórico de votações progressistas, o juiz Eros Grau, antigo preso político, Joaquim Barbosa, o único afrodescendente na história recente da Corte, e Marco Aurélio de Mello.

Barbosa enfatizou a falta de sentido daquele julgamento, a incorreção de anular o refúgio e a necessidade de soltar o refém imediatamente. Ele argumentou que o juiz deve atuar em prol do extraditando, e "não em seu detrimento", e mostrou que no caso Battisti se fazia o oposto.

Marco Aurélio de Mello apresentou seu voto contra a extradição após uma leitura que cobria todos os detalhes. Seu documento talvez seja um dos melhores na história do tribunal, pois mostrava que era possível um discurso jurídico

A INQUISIÇÃO TROPICAL

de estilo científico e com carga humanista, sem divagações nem opiniões subjetivas. Ele sublinhou a impossibilidade de submeter aos juízes um ato privativo do presidente da nação. Manifestou sua perplexidade pela forma abrupta em que a Corte mudava de critério para esse caso específico. Enquanto o relator Peluso enlameava a figura de Genro, Marco Aurélio convidou o plenário a mostrar respeito pela qualidade jurídica do ministro da Justiça.

No miolo de sua alegação, aprofundou-se nos assuntos de conteúdo. Observou a inconsistência do *pentitismo*. Descreveu a repressão italiana com precisão, usando os minuciosos relatórios da Anistia Internacional. Mostrou conhecimento das fontes internacionais sobre a aplicação de tortura na Itália. Ao elencar trinta e quatro condenações de membros dos PAC pelo Tribunal de Milão, mostrou a qualificação de *crime político* dada pelos mesmos magistrados italianos que agora "viravam a mesa" e diziam que os delitos eram comuns. Sob essa ótica humanitária, Marco Aurélio entendeu que não era possível continuar com o pleito. Finalmente, colocou esta questão: "Se os crimes fossem comuns e não políticos, a Itália *atacaria* o Brasil com *tanto afinco*? Se não fossem realmente crimes políticos, será que o embaixador da Itália estaria vigiando tudo que se falava no plenário?"

Após este último comentário, Mello fitou o soturno rosto do diplomata italiano ali presente, que, desde o começo, cercado de um cortejo de engomados bacharéis, havia dirigido seu olhar desdenhoso aos "hereges". Marco Aurélio acenou para ele com um largo sorriso: "Bem-vindo, embaixador La Francesca".

A votação estava empatada: quatro a quatro, e o advogado Luís Roberto Barroso pediu a Gilmar Mendes que honrasse a tradição de que os presidentes não votam quando o assunto tem caráter penal. Mas, na semana seguinte, na sessão de 18 de novembro, Mendes votou, e a extradição ficou *autorizada* por cinco a quatro.

## Quem decide extraditar?

No fim da sessão de 18 de novembro, foi colocado outro assunto em votação. Uma vez que o STF havia *autorizado* o chefe de estado a extraditar, alguns juízes se perguntavam se Lula deveria entender a sentença como uma *ordem*, ou apenas como uma *permissão*. Poderia o presidente recusar a extradição?

A simples colocação desse problema é um assustador indício despudorado de fraude. Com efeito: a constituição, as leis, a jurisprudência e o direito internacional mostram claramente que o chefe de estado *não pode desobedecer à proibição de extraditar*, quando ela existe, mas *pode recusar a extradição*, mesmo se esta for autorizada. Como é possível votar algo que já está decidido?

Quando o STF assume a decisão de *aceitar* a extradição, ele só reconhece que a extradição *poderá ser executada*, pois sua aplicação é legal, porém, isso *não* significa que "se a tradição for legal, *então*, *deve* ser aplicada".

O único caso em que o próprio judiciário pode *executar* uma extradição é aquele em que os estados são, ambos, signatários da convenção de Laeken de dezembro de 2001. Mas só vale para os procurados dentro da União Europeia por meio de um Mandato Europeu de Captura (*European Arrest Warrant*, EAW).

Os ministros que haviam recusado a extradição fizeram observações indignadas, denunciando que votar algo já decidido era uma redundância, que só serviria para criar confusão. Mas a posição da mídia foi oposta: *os linchadores midiáticos achavam que não se devia nem pensar em deixar Lula decidir!*

Os linchadores tiveram, porém, uma feia surpresa. O ministro Ayres Britto, que havia votado *a favor* da extradição, com uma justificativa confusa, quis agora votar *a favor* do direito do presidente a decidir. Era compreensível. O STF estava experimentando rápidas mudanças e o bando dos linchadores ficaria reduzido pouco tempo depois. Ninguém aposta em quem será perdedor. A moção de que o chefe de estado tinha direito de decidir ganhou por cinco a quatro, pois Britto votou agora *contra* a subordinação de Lula ao tribunal.[169]

Os inquisidores ficaram desesperados, mas nada podiam fazer pois a sessão era televisionada para milhares de cidadãos. O presidente e o relator estavam próximos do paroxismo, e tentaram intimidar seus adversários. Peluso, como guardião do extraditando, fez uma ameaça: *se a entrega à Itália fosse indeferida, Battisti ficaria na prisão por tempo indeterminado.* E perguntou: *quem vai assinar o alvará de soltura dele?* Uma vez mais se mostrava a absoluta arbitrariedade daquela farsa jurídica: quem devia assinar era o relator, ou seja, ele mesmo!

# CAPÍTULO 18
## O FRANKENSTEIN JURÍDICO

*Noi siam venuti al loco ov'i' t' ho detto / che tu vedrai le genti dolorose / c' hanno perduto il ben de l'intelletto.* [Nós temos chegado ao lugar onde eu te disse que tu verás as pessoas doloridas que têm perdido o bem da inteligência.]

DANTE ALIGHIERI, *Divina Commedia,* Canto III
Advertência de Virgílio a seu discípulo Dante ao entrar no inferno.

*Battisti, no interior do estabelecimento comercial de propriedade da vítima,* desfechou-lhe diversos tiros a queima-roupa. [Grifo meu.]

CEZAR PELUSO, ministro do STF do Brasil, em voto no caso Battisti, p. 53, lin. 14 e 15, acusando Cesare de ter atirado em Lino Sabbadin.

*[...] Cesare Battisti e Diego Giacomini,* este último tinha aberto fogo [contra Sabbadin] com uma pistola semiautomática calibre 7,65. [Grifo meu.]

CEZAR PELUSO, Ministro do STF do Brasil, em voto no caso Battisti, p. 108, lin. 11 e 12, reproduzindo a declaração da Procuradoria-Geral da República junto ao Tribunal de Recursos de Milão, onde se atribuem os disparos a Giacomini, e *não* a Battisti.

Os crimes são fatos anômalos. Não é natural pensar que quase todos cometem crime, e que os não criminosos são obrigados a mostrar sua inocência. Pelo contrário, o *benefício da dúvi-*

*da* estabelece que o ônus da prova é do acusador. Perceba-se, porém, a forte conexão entre a justiça usual retributiva e a vingança teológica. Na maior parte das seitas, o ser humano *sempre* tem algum *pecado*, que é equivalente teológico do delito. Os *ordálios* medievais eram processos em que o acusado devia provar sua inocência com algum ato de autoagressão, como colocar as mãos em água fervente. É o método que aplicou a cúpula do STF no caso Battisti. Antes do cristianismo, os estados seculares adotaram o postulado *In dubio pro reo* ("em caso de dúvida, a favor do réu"). Mas o relator do caso Battisti é adepto de um princípio oposto: In *dubio* contra *reum*. Isto significa defender *o malefício da dúvida*.

Vimos que na votação no STF a proposta *a favor* da extradição foi aprovada por cinco votos a quatro. Isso aconteceu depois da leitura do voto do relator; mas, deixamos a análise desse voto para o fim, porque ele merece especial atenção. Então, convidamos o leitor para um novo *flashback*.

## O Sermão geral

Antes de começar a queima de um herege, a Inquisição mandava ler o *Sermão geral*, no qual o bispo inquisidor conclamava o povo a assistir ao linchamento, amaldiçoava os pecadores e enchia de impropérios os simpatizantes do réu. O voto de Peluso não foi, na realidade, uma justificativa de sua decisão, mas um simples cerimonial para apresentar uma opção já tomada; era um *sermão geral*.

O longo voto de Peluso (138 páginas),[170] rico em citações gigantescas e comentários redundantes (às vezes bilíngues), parece uma catarse do próprio relator. Sinto dificuldade para conjecturar qual era o motivo dos impropérios contra o ministro Genro, os sarcasmos contra os defensores e as numerosas afirmações falsas, ambíguas ou contraditórias. Possivelmente, os leitores daquele documento sejam menos de uma dúzia. Então, para que aquela encenação? Ou seria apenas um desabafo? Não sabemos, mas é fácil imaginar que os patrocinadores do documento foram muito exigentes: o tamanho do panfleto e a intensidade dos impropérios deveriam justificar o esforço.

Começando seu voto, Peluso parece lamentar que a Lei de Refúgio (9.474/97) não tenha sido declarada inconstitucional:

"Assim, não obstante haja este Plenário declarado [...] a constitucionalidade dessa norma [refere-se à Lei de Refúgio] [...] mas independentemente da estima de *acerto* ou *desacerto* de tal decisão [...]" (p. 2, § 3). [Grifos meus.]

Ele cita com frequência os nomes dos personagens dos processos contra os PAC, mas às vezes parece perdido em sua própria trama, como acontecia com a folhetinista italiana de século XIX Carolina Invernizio. Aliás, o documento do relator apresenta um divertido contraponto entre a linguagem jurídica exageradamente tortuosa e o simplismo de seus conteúdos. O autor não se acanha de proferir o chavão tão desprezado: "Aquele que foge é porque é culpado".

Todavia, o voto do relator também tem seus méritos. Um deles é o involuntário senso de humor. Num trecho, ele faz uma observação que divertirá muito o leitor: "*Revelia* não deve se confundir com *rebeldia*". (!)

## As teses incompatíveis

A escritora Fred Vargas, numa carta com treze perguntas dirigidas a Peluso, indica uma incoerência no voto do relator. A justiça da Itália sempre disse que o açougueiro Lino Sabbadin do Vêneto havia sido alvo de disparos de um *único* atirador. Na primeira referência a esse homicídio (VOTO, p. 53), Peluso afirma:

> Battisti, no interior do estabelecimento comercial de propriedade da vítima, *desfechou-lhe diversos tiros à queima-roupa*. [Linhas 14 e 15. Grifo meu.]

Num trecho posterior, o relator cita, sem nenhuma ressalva, uma passagem da SENT88, na qual se afirma o *oposto* (VOTO, p. 108, lin. 10-12).

> [...] que entraram na loja de Sabbadin eram *Cessare* [*sic*] Battisti e Diego Giacomini, *este último tinha aberto fogo*. [Grifo meu.]

Imagino que o atirador e o escolta têm responsabilidades criminais similares, mas afirmar que o matador foi Battisti, e não Giacomini, reforça a imagem violenta e sanguinária que os linchadores querem vender do escritor.

As invencionices sobre o caso Battisti foram tão exageradas que nem linchadores do mesmo perfil dizem as mesmas coisas. Em 2011, foi publicado no Brasil um livro contra Battisti, no qual o autor, ao falar da morte de Sabbadin, inventa sua própria versão. Battisti não teria sido o atirador, tampouco o escolta; segundo o magistrado que escreveu essa coisa, era o motorista.

Na página 104, o relator qualifica os delitos atribuídos a Battisti como comuns, e não políticos. Para essa conclusão, a premissa essencial é a Itália ser um estado democrático, o que Peluso "prova" com uma longa citação de uma fonte tão autorizada na área de história e ciências políticas como um jornalista da *Folha de S.Paulo*. Feita a "prova", infere que não se pode falar de crime político num cenário onde existiam eleições regulares, até com um partido comunista forte.

O inquisidor parece não lembrar sua própria presença numa das sessões do STF onde se recusaram extradições pedidas pela Itália, e muito menos questiona se a Itália de 2005 era não democrática.

## As afirmações distorcidas

Quando descreve a confusão no restaurante onde Torregiani provocou um tiroteio, Peluso isenta o ourives de qualquer "pecado" (p. 108, linhas finais). "No curso do qual [do assalto] um dos delinquentes morreu por causa dos tiros *não* de Torregiani, mas de *outro* comensal que se encontrava no local."

Essa versão é contrária a toda a imprensa séria de Milão e de outras cidades, que escutou relatos dos comensais. Aliás, mesmo a polícia de Milão não ousou colocar a culpa em outros comensais e deixou a situação indefinida, apesar de Torregiani ser colaborador da polícia.

Por que Peluso tinha tanto interesse em mostrar a "bondade" de Torregiani? Parece claro que, além de querer incriminar Battisti, queria *evitar qualquer mácula* contra os parapoliciais a serviço da Itália.

O magistrado *nega* a existência de "fundamentado medo de perseguição" (pp. 16-21), condição essencial para conceder o refúgio. Ele despreza sem remorso as mais autorizadas vozes internacionais. Em 2008, a Anistia Internacional denunciou prisões violentas, *bullying* policial e casos de tortura por infrações triviais, como falta de documentos e andar na rua a pé durante a noite, especialmente em Gênova, Turim, Treviso, Velletri, Florença, Forli, Frosinone, Lecce, Livorno, Milão, Padua e Peruggia.

As ONGs de direitos humanos denunciam superlotação, falta de medicamentos, indução ao suicídio e à loucura nas prisões peninsulares. É óbvio que os perigos são *muito maiores* para alguém que foi ameaçado pelos carcereiros e que é alvo do ódio da direita tanto fascista quanto stalinista. Senão, vejamos:

- A Associação de Vítimas do Terrorismo da Itália dedicou a primeira página de seu site a Cesare durante meses, difundindo mensagens de ódio também contra o Brasil e a França.
- Em 20 de janeiro de 2009, o sindicato de carcereiros da Itália (OSAPP) exigiu a imediata extradição do escritor; o secretário-geral, Leo Beneduci, explicou que o motivo da indignação dos carcereiros era a morte do carcereiro Santoro.[171] Qual seria a segurança de um preso vigiado por guardas que esperam sua volta após trinta anos para um ajuste de contas?
- O secretário-geral do COISP, sindicato da polícia, Franco Maccari, disse: "Deveríamos entrar em guerra com os países que consentem que os assassinos fiquem neles",[172] numa referência ao caso Battisti.
- Já houve um ensaio de capturar Battisti e outros dois refugiados italianos no exterior. O Dipartimento Studi Strategici Antiterrorismo (DSSA) é uma empresa particular dedicada a sequestros e mortes por encomenda. Seu diretor era, em 2004, Gaetano Saya, um ex-policial de cinquenta e três anos, líder do grupo fascista Direita Nacional e membro ativo da Operação Gladio.

Nesse ano, o promotor de Gênova pediu o indiciamento de Saya por propaganda racista e conseguiu prendê-lo em 2005, mas pouco depois ele foi absolvido. Em maio de 2006, Saya foi entrevistado pelo jornal *La Repubblica*, ao qual contou que em julho de 2004 o SISMI havia contratado o DSSA

## A INQUISIÇÃO TROPICAL

para localizar e capturar três exilados: um na Nicarágua, outro na Suíça, e Cesare Battisti na própria França. O plano foi chamado *Porco Rosso* (Porco Vermelho). Disse também que Marco Mancini, o segundo comandante do SISMI, negociara com o DSSA um pagamento de 2 milhões de euros, mas o negócio desandara por razões obscuras.[173]

O relator Peluso elogia a Itália por conter a resistência armada com métodos legais (p. 29), enquanto outros países *"assediados por movimentos análogos, até de muito menor calibre* [sic] *e virulência, sacrificaram os direitos individuais"* (p. 30). Maior violência política que na Itália dos anos 1970 só se encontra nas ditaduras da América Latina, e *nem em todas elas*. Nem a Grã-Bretanha, nem a Alemanha nem a França, tomadas em conjunto, aplicaram uma política tão extrema. Tampouco as ditaduras do Peru e do Equador produziram tantas mortes. Só os mortos pelo estado italiano são quase a metade dos assassinados pela ditadura brasileira, sempre tida como paradigma de violência.

Para explicar o estado de terror e perseguição que existia na Itália, o ministro Genro, num estilo preciso, porém moderado, descreveu os atentados praticados pela direita que produziram centenas de mortos (*stragi*). Essa informação é consensual em mais de 3 mil documentos publicados em cinco línguas, mas o relator do STF faz mais um sarcasmo.

Ridiculariza a importância atribuída à *strage di Piazza Fontana*, como se fosse um fato pitoresco inventado por uma mente excêntrica. Lembremos o que já foi mencionado no Capítulo 2: o ataque à *Piazza Fontana* custou dezesseis mortos e oitenta e oito feridos, e a culpa fascista foi claramente demonstrada.[174]

O relator chega a dizer que o caso acabou em 2005, "sem condenação de nenhum dos suspeitos de pertencerem à organização internacional de extrema direta" (p. 43, lin.

4-6, contando de baixo). Ele não disse que Carlo Digilio, militante fascista da Ordine Nuovo, confessou em 2000 ser o preparador do massacre, e que os juízes o liberaram por ter *prescrito* (!) seu delito (assassinato em massa). Delfo Zorzi, também da ON, reconheceu ter colocado a bomba no banco, mas, por uma "distração" dos juízes, escapou para o Japão e sua extradição *jamais* foi pedida.

Se ninguém foi condenado em última instância foi porque, apesar das sólidas denúncias, o alto tribunal, simpatizante dos fascistas, extinguiu a causa. Quem quiser se aprofundar pode ler uma matéria de Paolo Biondani,[175] um respeitado especialista em terrorismo.

Peluso vai além, fazendo sarcasmo da referência de Tarso a esse massacre que havia acontecido dez anos antes do começo do caso Battisti, mas esqueceu enormes estragos acontecidos depois. *O de Bolonha, com quase trezentas vítimas, aconteceu em 1980, quando o julgamento dos PAC estava em seu auge.*

O magistrado explica o homicídio de Sabbadin como uma retaliação por causa do "assassinato de um *amigo de Battisti* pela vítima" (p. 53; grifo meu). Nem os colegas do morto no partido fascista MSI, nem os magistrados e policiais italianos, nem a imprensa mais marrom da península insinuaram qualquer relação entre membros da esquerda e o assaltante Elio Grigoletto. A disparatada invenção do relator surpreendeu até magistrados da direita italiana.

O relator insiste em que Cesare *tinha* advogados defensores na Itália, arguindo que estes foram muito combativos e "intimoratos" (ele quer dizer "corajosos"). Como exemplo (p. 61, § 3), elogia o empenho da defesa, que "percorreu o Tribunal de Recursos de Paris (*sic*)" (pp. 61 ss.). Peluso poderia ter se informado um pouco melhor, para *não confundir os advogados italianos com os advogados franceses.*

A INQUISIÇÃO TROPICAL

Os advogados manipulados pelo tribunal italiano (Pelazza e Fuga) intervieram no processo dos PAC entre 1982 e 1990. Já os "intimoratos" que defenderam Battisti no Tribunal de Recursos de Paris (Jean-Jacques de Félice e Irène Terrel) eram verdadeiros advogados franceses, defensores oficiais de Battisti, nomeados pelo extraditando, e atuaram a partir de 2002.

O relator não se acanha de dizer que *Battisti não foi prejudicado em seu direito de defesa*, considerando irrelevante que as audiências aconteceram sem a presença de Battisti, que não teve uma segunda chance, que a única fonte de informação foram delatores, que seus advogados foram "fabricados" pelos juízes, que as testemunhas foram fantasmas e que as provas estavam ocultas.

Até em governos autoritários existia repulsa contra julgamentos em ausência. Na França, foram proibidos pelo monarca absolutista Luis XIII. Os EUA respeitaram, com poucas exceções, a norma de *não* julgamento de ausentes. Ela foi enunciada em março de 1884 no caso Hopt contra Utah, e confirmada em 2004 no caso State contra Whitley, explicando que não se deve entender a ausência do réu como *renúncia* a seu direito de defesa. O acórdão do caso Hopt da Suprema Corte dos EUA (110-US-574) diz: "O julgamento [...] deve realizar-se em presença tanto da Corte como do acusado, e a presença do acusado *não pode ser dispensada*".[176] [Grifo meu.]

Os países da *Common Law* consideram a presença do réu imprescindível, porque isso é uma exigência do segundo dos oito princípios do direito natural (*natural justice*). Nas compilações clássicas desse direito, esse princípio diz:

Uma pessoa acusada de um crime [...] deve receber adequada informação sobre os procedimentos de julgamento (incluindo as acusações que lhe são feitas). [Vide o quase exaustivo estudo de Ken Binmore, *Natural justice*, Oxford University Press, 2005.]

Os países menos avançados permitem, sim, o julgamento em ausência, mas exigem, porém, que os condenados tenham direito a um *novo julgamento em presença*. A única exceção é a Itália, onde esse princípio não se aplica, apesar dos protestos internacionais.

O Sistema de Justiça Penal do Reino Unido publicou em 4 de junho de 2008 o documento Enhancing procedural right and judicial co-operation in EU,[177] no qual analisa os graves perigos dos julgamentos "cegos". Nesse documento se formula uma consulta a onze entidades europeias. Vejamos a resposta (pág. 8):

> "Todos os que responderam concordaram em que deve existir o direito de *novo julgamento*, quando um estado-membro [da União Europeia] procura a rendição de uma pessoa, e não *apenas* o direito a *solicitar* o novo julgamento [...] O governo concorda plenamente com essa posição e, em particular, adverte que os novos julgamentos devem permitir a *presença da pessoa afetada, um novo exame dos méritos do caso, incluindo evidência recente, sendo que o efeito da decisão original deva, possivelmente, ser revertido*. Estes pontos de vista são compartilhados por outros estados-membros, e esperamos que o texto seja emendado desta maneira." [Grifos meus.]

Durante seu voto, o relator Peluso quis fazer acreditar (a quem?) que a entrega de Battisti à Itália não era totalmente arbitrária, e advertiu solenemente que era preciso que "o governo da Itália assuma formal compromisso de comutar a pena de prisão perpétua [...] por pena privativa da liberdade não superior a trinta anos [...]" (p. 129). Não obstante, o ex-ministro da Justiça da Itália Clemente Mastella já havia prometido publicamente aos familiares das vítimas que a Itália aplicaria a penalidade totalmente (Vide o Capítulo 13, *passim*). Obviamente, o STF conhecia essa provocação que saiu em toda a mídia.

O relator sabia, é claro, que o processo penal italiano *impedia* reformar uma condenação transitada em julgado. O fato é bem conhecido, mas Dalmo Dallari foi o primeiro que o tornou totalmente público, mostrando que essa proposta de diminuir a prisão era uma simples farsa.

## Falácias e sofismas

Para o Brasil, a pretensão executória de uma pena prescreve, no máximo, em vinte anos. Como o processo de Battisti acabou seu trânsito em julgado em 1993, a pretensão deveria prescrever em 2013. Mas a sentença em primeira instância foi de 1988, e o processo continuou *por causa do recurso do próprio réu*. A interpretação de Peluso implica que, quando um réu usa o direito de recurso, na realidade está *piorando* sua situação. Se Battisti não houvesse recorrido, a sentença teria acabado seu trânsito em 1988 e a pretensão executória estaria prescrita em 2008!

Enfim, *os réus sofrem prejuízo por utilizar o direito de defesa*. Isso é um absurdo repudiado por todos os sistemas jurídicos sérios, chamado *reformatio in pejus* (modificação para pior)! Um dos princípios básicos do direito é evitar que o réu se prejudique *pelo simples fato de se defender*.

Em diversos países, os tribunais apreciam os pedidos de extradição sem indagar se as razões da perseguição são justas. Entretanto, em sistemas mais democráticos, a justiça tende a reconstruir os fatos até onde seja possível. A crença sustentada pelos cinco juízes pró-extradição, e apoiada pela mídia e alguns políticos, de que a justiça do país "caçador" é sagrada, gera um paradoxo. Se a palavra do estado requerente é sagrada, o estado requerido não deveria deliberar sobre aspecto algum da extradição. Simplesmente deveria prender o extraditando, conferir sua identidade e enfiá-lo logo num avião, dizendo: "Meu filho, você é um mau patriota. Acredite na justiça de seu país!".

Peluso acusa Cesare de ter sido preso com "grande quantidade de armas". O conceito de "grande quantidade" faz pensar num pequeno arsenal para equipar um comando de guerrilha urbana. Mas o inquisidor não menciona sequer o número dado pelo tribunal italiano. Já descrevemos aquelas armas e explicamos seu caráter alheio aos homicídios no Capítulo 9, na seção *A Gestapo Spaghetti*.

Os delitos dos PAC foram considerados *políticos* pelos mais qualificados magistrados brasileiros, por quatro juízes do STF, por centenas de especialistas e pela própria Itália, que formula trinta e quatro acusações de *subversão* na sentença 1988. Até o principal mentor do terrorismo de estado italiano, o ex-presidente Cossiga, admitiu que os delitos atribuídos a Battisti eram *políticos* (Vide a carta de Cossiga a Battisti no começo do Capítulo 5). Mas Peluso e seus parceiros, naquele simulacro de julgamento, consideram todos estes crimes *assassinatos comuns*.

Peluso invoca (p. 46, lin. 9 ss) o Artigo 102, I, g da Constituição, e o Art. 77 § 2.º da Lei Federal 6.815 (Estatuto do Estrangeiro), onde se diz de maneira explícita que é *exclusividade* do STF qualificar esses delitos. Todavia, sob o Título IX, intitulado "Extradição", fica claríssimo que essa exclusividade é aplicável quando a qualificação do delito é feita para *extradição*. Peluso considera que o STF tem o direito de qualificar o crime *mesmo para o caso de refúgio*.

O Estatuto do Estrangeiro contém três vezes a palavra "asilo", e nenhum dos três contextos outorga qualquer incumbência ao STF. A Lei de Refugiados (9.474, Art. 1) reconhece refúgio aos possíveis perseguidos e atribui a decisão ao Ministério da Justiça, sem nenhuma referência ao judiciário.

Se um estrangeiro é requerido como extraditando, o STF poderá dizer se os delitos do réu são políticos ou comuns, porque o objetivo é a *extradição*. Mas a Corte não julga um *refúgio* concedido, embora possa obrigar o executivo a concedê-lo, se o houver negado de maneira injusta a um perseguido.

Peluso não poupa apreciações subjetivas sobre o foro íntimo de sua presa e seus "cúmplices". Battisti é apresentado como sanguinário, cruel, violento, sem escrúpulos, uma espécie de monstro. Nem os juízes italianos atingem essa exacerbação. Similar ódio só se encontra em textos teológicos. Ao se referir à morte de Santoro, Peluso exibe sua afinidade com a dramaturgia dantesca: "ditado por *mera aversão* às atividades profissionais da vítima" (pág. 53, § 2; grifo meu). Peluso se refere à condição de torturador atribuída a Santoro.

No caso de Sabbadin e Torregiani (*ibid.*, última linha), ele se entusiasma: "O motivo apurado para o delito consistira em *vingança*" (Grifo meu), e no caso de Torregiani (p. 54, linha 5), "*também por vingança*" (Grifo meu). "Os homicídios [...] revelam, antes, *puro intuito de vingança*" (p. 114, § 2).

Peluso transcreve a parte da decisão de Genro em favor do refúgio (pp. 21-27 do VOTO), e disseca de novo os pensamentos do ministro. Sugere que Tarso insinua que na Itália haveria leis de exceção, mas que é medroso demais para dizer isso de maneira explícita. O relator também atinge, obliquamente, o advogado Luís Roberto Barroso (uma pessoa de índole e competência ilibadas), ironizando sobre seus argumentos e até sobre suas intenções (p. 67, § 3).

Peluso diz que "ninguém tem hoje, nem aqui nem *alhures,* dúvida sobre a legitimidade constitucional da delação premiada" (p. 74, § 3). Não sabemos quais são esses "alhures", pois os delatores são desprezados em todas as sociedades seculares. Mesmo nos EUA, onde a justiça está eivada de preconceitos raciais, sociais, políticos e religiosos, em 17 de julho de 2007 o Congresso norte-americano celebrou uma sessão para considerar a restrição da delação premiada, pois esta era a *segunda* maior causa de erro judicial, significando 31% dos casos.[178]

Num rigoroso estudo[179], Alexandra Natapoff, professora de direito na Universidade Loyola de Los Angeles, especialista em delação premiada (*criminal snitching*), analisa erros judiciais, corrupção e atitudes perversas favorecidas pela alcaguetagem. Para alguns detentos, mesmo aqueles com alto senso ético, um desconto em penas draconianas pode ser uma grande tentação. Eles se convencem de que a pessoa que delataram não será encontrada e, se for, que poderá provar sua inocência. Além desses argumentos, está a atroz eficiência da tortura.

## O desenlace

Nas páginas 135 a 138 de seu voto, o inquisidor brasileiro faz uma advertência ao presidente da República: sendo que a corte autorizou a extradição, Lula não poderá optar entre seguir a autorização e desconhecê-la; ele deve *obedecer sem hesitar.* Gilmar Mendes, que votou na terceira sessão do julgamento, deixou uma sequência de ameaças antes e depois do ritual (fazendo inclusive pré-julgamento do resultado), in-

A INQUISIÇÃO TROPICAL

sistindo de maneira agressiva na obrigação do presidente de se submeter.

Em dezembro de 2009, o relator e o chefe do pretório, em conluio com o defensor da Itália, permitiram ao estado italiano apresentar uma moção de ordem, *relativa a um assunto já votado*. Apesar da grande indignação de Marco Aurélio de Mello e outros, foi autorizada uma proposta que pretendia abrir uma brecha para forçar a extradição. Segundo isso, o presidente Lula, que já havia "recebido" o direito a decidir, devia cingir-se ao Tratado de Extradição entre o Brasil e a Itália, o que era uma obviedade que não precisava ser votada. Mas a proposta tinha outro sentido: ao criar uma nova confusão entre os juízes, a cúpula do STF tinha a esperança de poder derrogar o resultado da sessão de novembro, onde foi reconhecido o direito de Lula. A manobra, porém, não vingou.

Finalmente, no último dia de 2010, a AGU entregou ao presidente Lula um despacho contendo um parecer favorável à recusa de extradição.[180] O parecer e o despacho são muito precisos e fundamentam suas conclusões no Artigo I, 1, f do Tratado de Extradição Brasil-Itália,[181] que indefere a entrega do estrangeiro quando a situação deste possa ser agravada no país requerente. Com base nisso, Lula assinou nesse mesmo dia a recusa da extradição.

Mas, apesar da própria decisão da Corte, que reconhecia o direito de Lula de escolher ou recusar, o ministro Peluso, agora como novo presidente do STF, *negou-se* a soltar Battisti. Uma ação tão iníqua gerou uma onda de protestos, que começou por alguns membros do próprio STF, e incluiu os altos juristas, os advogados da defesa, todas as forças progressistas e o próprio ex-ministro da Justiça Tarso Genro, agora governador do Rio Grande do Sul.

Dalmo Dallari explicou a atitude de Peluso e Gilmar Mendes como um ato de *vingança*. Como a legitimidade do decreto do presidente era indubitável, a cúpula que dominava o tribunal se vingava estendendo ao máximo o sofrimento do prisioneiro.

Em 8 de junho de 2011, o STF se reuniu para julgar algo já encerrado: a aceitação ou recusa do pedido de extradição. Pelo jeito, os *capi* da corte tinham um verdadeiro prazer em submeter a julgamento coisas já julgadas ou inexistentes, uma espécie de deleite metafísico mais que jurídico.

Finalmente, a soltura de Battisti foi decidida por seis votos a três. Essa foi a primeira vez que votou o novo ministro, Luiz Fux, de tendência progressista. A deliberação, apesar da dramaticidade do assunto, não careceu de certos momentos histriônicos. O relator (agora Gilmar Mendes) caiu numa espécie de "transe de divagação" e repetiu alguns *slogans* sete vezes. A *socialite* Ellen Gracie deu um toque de *finesse* à farsa contando com grande solenidade sua visita à embaixada do Reino Unido para celebrar o aniversário da rainha. Finalmente, Peluso, totalmente fora de si, muito mais descontrolado que durante os anos precedentes, parecia próximo a um ataque de nervos. Acabou dizendo que o presidente Lula havia violado a lei.

O mais alto ponto da sessão foi a belíssima e emocionante alegação do advogado Luís Barroso, que invocou o caráter ético do direito acima das convenções leguleias e advertiu sobre a indignidade que seria colocar a sociedade brasileira "de cócoras" frente ao estado italiano que atuava como amo.

Acabada a sessão, Barroso pulou no estrado e pediu ao relator o alvará de soltura do refém. Com o rosto sulcado por uma máscara de desprezo e desconforto, o tétrico inquisidor disse que logo o entregaria. Esse foi o penúltimo ano de Peluso, pois se aposentou em 2012. *Sem dúvida, sua ausência preencheu um grande vazio.*

A INQUISIÇÃO TROPICAL

Battisti foi liberado essa mesma noite e saiu de Brasília em companhia do advogado Eduardo Greenhalgh. No dia seguinte à soltura, o ministro Marco Aurélio de Mello, fiel a sua trajetória de sinceridade, informou o que muitos queriam ocultar: disse que Battisti teria direito a ser *indenizado* pelo estado brasileiro, por ter sido *ilegal* uma parte de sua prisão no país.[182]

Entretanto, o ódio dos inquisidores peninsulares e a mistura de ressentimento e cobiça de seus acólitos na direita brasileira não lhe deram sossego mesmo após a soltura, fazendo jus ao obscuro instinto retaliatório dos linchadores. No primeiro ano de liberdade, foram geradas várias provocações.

Um procurador do Distrito Federal, Hélio Heringer, que ficou conhecido por seu empenho em perseguir os parentes do presidente Lula com pretextos de corrupção, pediu na justiça o cancelamento da imigração de Battisti e sua deportação à França ou ao México.[183] A proposta era tão descabida que nem Walter Maierovitch, inimigo visceral de Cesare, conseguiu evitar qualificá-la de impossível. Entretanto, ainda hoje a justiça *não julgou* aquele teratoma. Em agosto de 2012, dez meses após a soltura, um juiz do Distrito Federal, Alexandre Vidigal, autorizou a polícia a "procurar" Battisti, aduzindo que estava desaparecido ou foragido. Nesses mesmos dias, o escritor lançava seu livro em várias cidades e era visto por milhares de pessoas. O golpe foi aproveitado em seguida pela Itália: no dia seguinte, 7.400 *blogs*, revistas e jornais da península bradavam em suas manchetes: *Battisti fugiu de novo*! A vigília, portanto, deve continuar com toda a intensidade.

| Etapas gerais do caso Battisti | | |
|---|---|---|
| Data | Fato principal | Circunstâncias |
| 18/03/2007 | Sequestro e prisão | Fica preso |
| 04/05/2007 | Pedido de extradição | Continua preso |
| 13/01/2009 | Concessão de refúgio | Continua preso |
| 09/09/2009 | Primeira sessão do julgamento | Refúgio anulado por cinco votos a quatro. Começa a ser votada a extradição. Pedido de vistas de Marco Aurélio |
| 12/11/2009 | Segunda sessão | Ampla análise do processo e voto contra extradição por Marco Aurélio de Mello |
| 18/11/2009 | Terceira sessão | Extradição aprovada por cinco votos a quatro. O presidente Lula fica "autorizado" a decidir sobre a extradição também por cinco votos a quatro |
| 16/12/2009 | Quarta sessão | Moção de Ordem da Itália. Ficou determinado que a decisão de Lula deveria ser compatível com o tratado de extradição Brasil-Itália |
| 31/12/2010 | Lula recusa a extradição | Battisti continua preso |
| 08/06/2011 | Quinta sessão | Soltura aprovada por seis votos a três |

# CAPÍTULO 19
## OUTRA VEZ AS PROCURAÇÕES

No Capítulo 11 falamos das procurações falsificadas para ser usadas no caso Battisti, apenas descrevendo um fato óbvio: duas dessas procurações são decalques quase reprográficos, que pessoa nenhuma poderia produzir por métodos naturais. O livro de Giuliano Turone, publicado em julho de 2011, dedica seu Capítulo 16 a uma tentativa de refutar as afirmações que mostram a fraude das procurações.

MINHA FONTE É GIULIANO TURONE: *Il Caso Battisti –*
*Un terrorista omicida o un perseguitato politico?*
(Garzanti Libri, Milano, 2011), pp. 117-121

## Os fatos preliminares

A denúncia da falsificação das procurações descrita no Capítulo 11 foi quase totalmente ignorada pela mídia oficial no Brasil e na Itália. *O Globo*, de 26 de fevereiro de 2009, diz apenas que "Os documentos [aos que se refere Battisti] *comprovariam* a falsificação de procurações". [Grifo meu.] Outra menção breve se encontra no *La Repubblica*, de 27 de fevereiro de 2009.

Entretanto, a fraude foi denunciada em cartas abertas do próprio Battisti, em manifestações públicas feitas por Fred Vargas, nas alegações do jurista Luís Barroso, em discursos

OS CENÁRIOS OCULTOS DO CASO BATTISTI

do senador Suplicy, em vários artigos meus e em inúmeros *blogs* independentes, especialmente no de Celso Lungaretti.

Vale a pena observar que os linchadores, embora defendessem outros aspectos absurdos do processo na Itália (como a existência de delatores premiados, a falta de testemunhas e de provas etc.), *se abstiveram de fazer qualquer referência* à fraude das procurações. Nunca ousaram dizer que a denúncia era falsa, e preferiram fingir que o problema não interessava.

O relator do STF em 2009, apesar de suas múltiplas e nada refinadas falácias, não ousou tocar no problema das procurações. Ele fingou não saber da existência das treze perguntas de Fred Vargas,[184] a primeira das quais diz: **As procurações que teriam sido assinadas por Cesare Battisti para os advogados são falsas, como demonstrado em perícia que está nos autos. Por que esse elemento não foi mencionado?**

Em 3 de fevereiro de 2011, o jornalista brasileiro Andrei Netto,[185] correspondente de *O Estado de S. Paulo* em Paris, publicou um longo comentário sobre esse achado, produzindo a primeira aparição da denúncia na grande imprensa.

> [...] Nas cópias dos documentos obtidas pela escritora [Fred Vargas...] Battisti dá direitos a Pelazza e a Fuga para representá-lo. *O que surpreende é a semelhança dos textos e das letra*s. Em oito linhas, *sempre terminadas pelas mesmas palavras*, as cartas mostram termos e escritas *quase idênticos*, apenas com espaços maiores ou menores. A sobreposição dos documentos mostra palavras em posições distintas, mas grafias que, segundo Fred Vargas, foram copiadas uma a uma no intuito de imitar a letra de Battisti. Contratada pela escritora, a grafologista Evelyne Marganne, perita do Tribunal de Recursos de Paris, analisou as assinaturas de Battisti nos documentos e também levantou dúvidas sobre a autenticidade dos documentos. Segundo seu laudo, a mesma pessoa

assinou todos os documentos, mas os números das datas que constam nas cartas *não são* originais. "Sobrepondo os dois documentos e observando-os a contraluz, qualquer pessoa vê que são o *mesmo* documento. Seria até divertido, se não fosse grave", diz Fred Vargas. Além disso, as assinaturas seriam autênticas, mas feitas no mesmo momento, e não com o intervalo de oito anos [...] Guiseppe Pelazza não respondeu aos pedidos de entrevistas. [Grifos meus.]

Armando Spataro bradou quando foi interrogado:
[As denúncias] são absolutamente falsas. É uma história antiga que surge de tempos em tempos, sempre que aparecem discussões públicas sobre Battisti. [Citado no artigo de Andrei Neto.]

## O magistrado fala

Em seu livro sobre Battisti, o jurista Giuliano Turone dedica o Capítulo 16, de cinco páginas, ao que ele intitula "As assim chamadas falsas procurações".

Na nota 7 desse capítulo, Turone interpreta a denúncia da falsidade das procurações como uma atitude lesiva contra o advogado Pelazza, e ilustra sua opinião com a transcrição de uma queixa do advogado. A queixa é ambígua, mas Turone sugere que seria uma reclamação contra a "ingratidão" de Battisti.

As primeiras três páginas e meia do Capítulo 16 do livro de Turone são apenas históricas, mas a última página e meia contém algumas divagações. Ele se espanta de que Cesare possa acusar alguém de falsificação, sendo que as três folhas em branco foram entregues a um velho amigo dele, e este as entregara a seus advogados (p. 121, nota 6). Observemos que todos os "velhos amigos" foram capturados, e, depois, de submetidos a torturas; não tinham como evitar que os magistrados lhes exigissem o que quisessem.

O advogado Gabriele Fuga, que foi preso por ordem da magistratura, esteve na defesa de Cesare só até 1984. Comenta-se que teria ficado abalado pela prisão, pelas torturas pessoais e pelas ameaças contra sua família.

Por sua vez, Giuseppe Pelazza parece ter sido sincero em algumas intervenções. Em maio de 2004, quando colaborava com os advogados franceses em Paris, disse não ter tido contato com seu "defendido" em todo esse tempo.

As considerações moralistas de Turone não têm nenhuma relação com as denúncias que nós fizemos. O assunto não é se os advogados eram bandidos ou mocinhos, se Cesare estava ou não paranoico, se seus amigos eram leais a ele ou não. Os problemas são muito claros e precisos:

As cópias das procurações que nós acusamos de fraudulentas *eram ou não documentos italianos*? Se não eram, a falsificação *seria nossa*, e deveríamos *ser investigados* por essa fraude.

Se *eram realmente* documentos italianos, como se explicam todos os detalhes irregulares e adulterados das duas "procurações" e do envelope? (Para esses detalhes, vide Capítulo 11.)

# CAPÍTULO 20
## O DIAGNÓSTICO DO CASO BATTISTI

[...] *Gustav Wagner* [...] *carrasco e carcereiro na persegui-ção aos judeus, chegava* [...] *a arrancar crianças do colo das mães e espatifava a cabeça delas num poste. Até ele o Brasil acolheu!* [...] Os maiores crimes que se possa cometer, como os de Battisti, *são perdoados pela bondade paterna de Deus quando há verdadeiro e profundo arrependimento* [...] *Não temos como avaliar se o assassino em questão* [Battisti] *é realmente um convertido.* [Grifos meus.]

BENEDICTO DE ULHÔA VIEIRA, bispo brasileiro, vice-presidente da Conferência Nacional dos Bispos do Brasil de 1983 a 1987.

[...] *a intensa emoção suscitada na Itália pela possível re-jeição da extradição na França* [de Cesare Battisti], *emoção caracterizada por* um ódio violento, que parece esquisito...

DELUERMOZ, Q.: De Cesare Battisti a "Cesare Battisti", em Vargas, F: *La verité sur Cesare Battisti, p. 34.*

Houve vários fatores que confluíram para fazer do caso Battisti uma perseguição insólita. Os fatores concretos, como o ataque contra a esquerda, os interesses financeiros e certas vantagens sociais determinaram uma parte do linchamento, mas não a totalidade. Ainda, o motor imprescindível daquele fenômeno, tanto na Itália como no Brasil, foi uma causa emocional: a *vingança*. A histeria em torno de Battisti se explica pela noção de *inimigo*, pois, a despeito das leis criadas nos séculos XIX e XX para humanizar o militarismo e a figura do inimigo, as guerras coloniais, raciais e religiosas primaram pela aniquilação do *outro* e tiveram seu clímax nos fascismos. Ademais, no fim do século XX, a destruição dos *outros* encontrou expressão teórica numa doutrina baseada em divagações filosóficas: *O direito penal do inimigo*.

## Os motivos práticos

A perseguição contra Battisti não teve equivalente entre os casos célebres de perseguição política e jurídica. Vejamos:

Foi acusado sem provas, num processo sem testemunhas e sem sua presença. Não houve advogados reais nem perícias, e os documentos que a Itália não tinha foram falsificados. Foi perseguido ao longo de trinta anos, durante os quais os caçadores percorreram vários países. Os perseguidores ameaçaram autoridades estrangeiras, tentaram sequestro, ameaçaram com boicotes. Torturaram membros de sua família, tornando-os culpados apenas por causa do parentesco. Tendo só uma vida, Battisti foi condenado a várias prisões perpétuas. Houve um acúmulo de irracionalidade, superstições e fetiches sangrentos.

É verdade que, em quase todo o mundo (ou, talvez, em todo mesmo), a justiça é apenas um mecanismo para garantir a segurança das classes altas criando terror nas classes populares. Mesmo assim, o caso Battisti é esquisito. Mas quais foram os motivos?

A cruzada contra Battisti teve motivos práticos importantes, mas não suficientes para explicar a obsessão de seus perseguidores. O ministro Tarso Genro disse várias vezes: "A reação da Itália é intensa e *estranha*". As causas mais concretas dessa

## A INQUISIÇÃO TROPICAL

campanha contra Battisti são de ordem política, econômica e social, mas elas se complementam com um fator emocional e um fator jurídico: a *vingança* e o *direito penal do inimigo*.

## Causas políticas na Itália

Na vida concreta, Battisti não representava perigo, pois nunca havia voltado à luta política e não tinha nem partido nem seguidores. Mas a direita italiana o transformou num símbolo para amedrontar os dissidentes, a oposição real, a verdadeira esquerda, que, mesmo pequena, ainda existia.

Apesar da contínua ladainha em louvor das vítimas e da fingida proposta de "reparação", a verdadeira razão para a perseguição ficou visível graças a políticos truculentos. Eles mostraram o perfil da política italiana, mesmo ao se referir a outros fatos. Um dos mais impressionantes, embora desconhecido, foi o deputado Mario Borghezio, da Liga do Norte. Ele ficou fascinado pela tragédia que o norueguês Anders Breivik provocou com sua megachacina de 22 de julho de 2011. Afirmou que as ótimas[186] ideias de Breivik eram a reação à mistura racial.

Hoje, a Itália não tem uma esquerda expressiva, seja armada ou pacífica, nem movimentos sociais sólidos, nem verdadeiro sindicalismo. Há apenas grupos dispersos de intelectuais e alguns resilientes da repressão dos anos 1970. Mas eles fazem contínuas denúncias e se misturam com as organizações de direitos humanos. Despem o racismo peninsular, a chacina de ciganos, africanos, islâmicos e imigrantes pobres em geral. É necessário assustar essas pessoas que usam seus cérebros. Para a teocracia, a máfia e a barbárie fascista, a inteligência é a arma mais perigosa de seus inimigos, a mais ubíqua e eficiente.

## Causas políticas brasileiras

No Brasil, onde os massacres de pobres são apoiados por magistrados, empresários e políticos, o caso Battisti pode ser manipulado pela direita com tanto proveito como na Itália. Mesmo na América Latina, o Brasil se destaca por um terror de estado intenso que atinge maciçamente as classes pobres, embora não exista o crime de tipo mafioso, como na Itália.

Nessa faxina social em grande escala, o linchamento de Battisti poderia infundir temor nos movimentos sociais. Muitos podem pensar que isso não é necessário, porque esses movimentos não conseguem avançar. Mas a derrota de uma figura simbólica seria um forte triunfo da direita e serviria como ameaça contra qualquer tentativa de reviver os movimentos populares. É por isso que a direita brasileira ajuda a Itália a exagerar o mito de Battisti. Quanto maior for o mito, maior será o benefício de derrubá-lo.

O refúgio de Cesare atiçou os parlamentares ruralistas, escravistas, militaristas e clericais para aumentar a filtragem e a repressão sobre estrangeiros e tentar abortar os minúsculos progressos sociais recentes, acontecidos com décadas de atraso. Os que pedem igualdade racial, direitos reprodutivos, neutralidade confessional etc. podem "ler" uma advertência não escrita: "Mantivemos preso ilegalmente durante anos um homem defendido por milhares de celebridades mundiais. Imaginem o que podemos fazer com vocês, pobres marginais".

Para a mídia e para a direita política, militar e jurídica do Brasil, o caso Battisti foi bandeira para um golpe branco, para denigrir o governo Lula e agitar a desinformação e o denuncismo na cúspide do judiciário.

## Causas econômicas

Apesar das muitas conjecturas, ninguém conhece o tamanho da generosidade peninsular, mas é possível raciocinar por comparação. Em 2004, quando Battisti estava na França e a "cotação" de sua cabeça era muito menor, o exército italiano ofereceu 2 milhões de euros ao mercenário Gaetano Saya pelo sequestro do escritor e mais outros dois.

Outro exemplo é a tática do exército italiano de gratificar com quantias enormes os brutais caciques do Talibã[187] para não atacar suas tropas em Sarobi, um bairro de Cabul. Se isso foi feito com ferozes guerreiros, o estado italiano poderia ser mais generoso ainda com refinadas figuras de um país amigo.

Também houve, em ambos os países, pequenos linchadores "intelectuais": apresentadores, advogados, sociólogos, "cientistas" políticos, escritores, jornalistas e blogueiros, nem todos vocacionais. Para parte da mídia, além do benefício "à vista", houve vantagens indiretas. Se simples assaltos, assassinatos ou até acidentes com muito sangue rendem horas de tevê e páginas de jornal, quanta publicidade renderia um "superterrorista"?

## Causas sociais

A emergência social, a fama e o "prestígio" são valores que alguns reverenciam muito mais que o dinheiro. Para promotores e policiais, encher as prisões pode ser um prazer supremo, um verdadeiro orgasmo, superior a qualquer fortuna. Quando Battisti ficou célebre, sua captura se tornou uma obsessão para esse tipo de figura, algo como o sonho do capitão Acab de caçar Moby Dick, a baleia-branca que mutilara sua perna no romance de Herman Melville.

Uma legião de comunicadores e leguleios encontrou espaço na abundante mídia de ódio. Houve até prêmios literários para livros contra Battisti, outorgados quando a primeira edição acabava de entrar no prelo. Mas os objetivos práticos, embora necessários, são insuficientes para explicar a dimensão do linchamento coletivo.

## Vingança e linchamento

A *vendetta*\* isolada não explica os grandes fenômenos, e deve ser analisada no contexto da agitação social. Para sustentar o ódio em cenários enormes durante muito tempo é preciso dispor de uma estrutura organizada e de muitos "vingadores secundários". Estes são os que não foram prejudicados pelos linchados, mas acompanham a vingança alheia, porque a condição de ajudantes faz que se sintam relevantes.

O ódio coletivo se transforma no que o psicólogo alemão Wilhelm Reich\*\* (1897-1957) chamou de "praga emocional" *(Emotionale Pest)*: um estado de alienação que favorece o surto maciço de rancores, orientados por objetivos como racismo, imperialismo, genocídio, homofobia, misoginia etc. Esses estados são deflagrados por deficiências psicossociais, especialmente na *vida sexual*. Tendo rompido com a psicanálise, Reich eliminou os mitos da teoria de Freud sobre o sexo e deu a primeira explicação da psicopatia das massas com base na *real* repressão.[188]

---

\* Filme brasileiro em duas partes que enaltece o policiamento violento e a tortura. Foi o maior sucesso da história do cinema nacional, um fato que não precisa de comentários.

\*\* *Vendetta* é a palavra italiana para "vingança". Na Itália, ela representa uma instituição quase sagrada, e, por causa disso, mesmo em outras línguas, o conceito de vingança se expressa com esse termo. Daí, por exemplo, o título do filme britânico *V for Vendetta* (*V de vingança*, no Brasil).

Pesquisas posteriores têm mostrado que torturadores e genocidas compensam sua dificuldade de obter prazer normal por meio da imposição de sofrimentos aos outros.[189] Muitos, quando não encontram nenhum alvo para sua patologia, impõem sofrimentos a si mesmos, como os membros do Opus Dei.

Mas essa explicação também é incompleta. Salvo numa minoria de casos patológicos, os humanos e outros animais primam pela tendência à solidariedade e ao afeto, e não à destruição. Como acontece que milhões desses seres sejam transformados em linchadores por uma "praga emocional"? A pesquisa desse problema foi sempre censurada por exércitos e igrejas, que ocultam os segredos "industriais" de sua engenharia do ódio. Mas existe a impressão de que a alienação em massa consegue criar uma "mística coletiva".

Entre os diversos "escapes" para os afetados por uma praga emocional está o linchamento, que pode ser uma forma de *vendetta*, deflagrada por um detonador externo. No sul dos EUA, o detonador comum era um negro correndo, perseguido por brancos que o acusavam de roubo e se acalmavam só quando o enforcavam ou queimavam. Essa massa linchadora precisa de um pretexto para saciar sua sede de violência, que substitui sua carência de afeto: pode ser um jogo de futebol, um roubo insignificante, uma discussão no trânsito ou um episódio de ciúme, no qual o marido se atribui direito de propriedade sobre sua mulher.

O linchador não precisa de grandes causas para externar sua violência, mas são necessários *objetivos importantes* para reforçar a *intensidade* e a *duração* da vingança. Um padeiro que vende com ágio não seria suficiente para provocar uma campanha de vingança durante anos. Um pretenso crime contra quatro ídolos do fascismo (como no caso Battisti) *sim pode*.

Para sustentar uma *vendetta* poderosa e duradoura, os detonadores devem ser valores "sagrados" e, por isso, a massa linchadora é messiânica e supersticiosa. Defende a ordem estabelecida e combate o progresso, pois, embora essa ordem favoreça as elites, o prazer dos linchadores é uma realização masoquista: a de se sentirem usados por amos poderosos.

Em qualquer estilo, o linchador odeia e inveja a autoconfiança e o espírito crítico do linchado. O vingador não acha relevante saber se seu alvo é inocente ou culpado, porque apenas precisa da convicção de que sua presa *deve* ser linchada.[190] O motivo para sua vingança é, no começo, a compensação pelo dano feito pelo linchado, mas, no final, o alvo será qualquer pessoa que sintetize as causas de seu ódio, mesmo que seja alheia aos danos sofridos pelo vingador. Para o lúmpen pequeno-burguês, o linchamento é uma compensação pela dose de agruras de sua vida de permanente "emergente", de descartável rolamento do sistema capitalista a cuja adulação dedica sua vida.

A "calma" produzida pela *vendetta* é efêmera, pois a vingança gerará retaliação, e assim indefinidamente. Então, o linchador precisará de pretextos para ter certa paz e não ser criticado por pessoas mais civilizadas; deve mostrar que seu ódio é respeitável. Nesse sentido, o caso Battisti resolveu uma necessidade do linchador qualificado: ter uma presa acusada de quatro crimes, pouco importando se são ou não reais.

Ao assumir o linchamento cegamente, a ralé de classe média tem uma vantagem adicional: estará mostrando sua confiança cega no sistema que lhe permite saciar seu ódio. Porque, acima de tudo, o linchador é obediente e jamais duvida da palavra de juízes, padres, policiais e torturadores, embora desconfie de políticos democráticos, de intelectuais progressistas e de mentes livres.

## Vingança e vitimismo

O advogado francês Henri Leclerc, presidente da Ligue des Droits de l'Homme, fez uma lúcida análise em 2006, do chamado direito das vítimas. Sua explicação foi longa e detalhada, mas podemos sintetizar seu pensamento numa frase: *A pena pelo crime é assunto da sociedade e* não *das vítimas.*[191]

A irrupção das vítimas de crimes colocadas no local dos magistrados é também uma consequência das *vendettas*. A *vendetta* está relacionada com o *vitimismo* e o *martírio*. A vítima morre por causa do Mal Absoluto, que o vingador tenta extirpar para dar descanso à alma da vítima (e à própria); entretanto, sendo o Mal uma criação do diabo, o portador dessa maldade não tem direito de defesa, não precisa de provas, leis, nem advogados, pois Deus perdoa os pecadores arrependidos, *mas não os demônios*.

Com efeito, o Apocalipse (20:10) é muito claro sobre a necessidade de se vingar dos demônios sem piedade: "O diabo, que os enganava, foi lançado no lago de fogo e enxofre, onde estão a besta e o falso profeta; e de dia e de noite serão atormentados para *todo o sempre*". [Grifo meu.]

O *mártir* é o tipo mais "nobre" de vítima, que morre, como o carcereiro de Udine ou como o ourives-xerife de Milão, para dar testemunho de sua fé no fascismo. Pietro Mutti, que dizia ser marxista, não escapa desse delírio místico. Se a pretensa "entrevista" para a *Panorama* fosse verdadeira, Mutti ter-se-ia referido a Battisti assim:

> Ele [...] vai curtir sua vida sem nunca ter pagado por seus *pecados*" [Grifo meu.]. O marxista que passou anos numa dura fuga e sofreu tortura e perseguição... acredita no "pecado"!

A vingança dos mártires tem como alvo final o demônio, que deve ser aniquilado, mesmo que esteja isolado, enfraquecido e acorrentado. Isso não é covardia, mas "justa retribuição".

Assim o entende, entre muitos outros, o site italiano das vítimas do terrorismo, Aiviter, quando repudia os críticos da sangrenta ditadura argentina de 1976. Eles não repudiam uma tirania terrorista que mutilou e assassinou mais de 30 mil pessoas e provocou uma guerra internacional. Eles têm outra definição de "vítima". *As vítimas foram os duzentos e cinquenta e nove torturadores e genocidas que os guerrilheiros mataram em combate.* Embora os outros fossem milhares, eles eram filhos do diabo; esses duzentos e cinquenta e nove, pelo contrário, são os portadores da justiça divina.

Como a *vendetta* é geralmente mais cruel que o crime vingado, o vingador sempre diz atuar sob o mandato divino. Mas a vingança divina tem seu próprio conceito de *prova*. No capítulo II.E do *Manual dos Inquisidores*, Nicolau Eymerich disse que uma prova de culpa é *a teimosia do réu em se declarar inocente*. O mesmo aconteceu com Battisti, a quem Peluso considera culpado de se defender.

Nem os que acreditam que Cesare é culpado o odeiam por causa dos crimes, cujos autores foram outros PAC, como *todos* sabem e hipocritamente negam. Odeiam-no pelos sonhos igualitários que acabariam com as castas de ranços mafiosos togados e fardados, pois, como disse Sartre, ao se referir à Itália: "A liberdade e o poder não andam juntos".

Sendo que valorizam a submissão como virtude máxima, as "vítimas" toleram e até pajeiam os delatores (que *realmente* mataram seus parentes), pois eles não aspiram a nenhuma igualdade, e aceitam, quando já estão fora da prisão, o dever de sócios do silêncio. É por isso que, para os atuais inquisidores italianos, as vítimas têm um papel tão importante. Justiça e vingança são a mesma coisa, e a vingança deve ser cobrada pelas vítimas.

A INQUISIÇÃO TROPICAL

Para completar sua psicose mística, os linchadores acreditam em *milagres*, e, seguindo Lucas (4:6), admitem também os milagres do diabo. Alguns exemplos são surpreendentes:

Paulo Bolognesi, presidente da associação Dois de Agosto, chama Cesare de "assassino sórdido". Sua ONG reúne as vítimas do estrago de Bolonha, feito por fascistas que usaram explosivos dos militares. Ainda mais esquisito é que, em 2 de agosto de 1980, *Battisti estava preso*. Mas o diabo fez um milagre para que ele pudesse agir a distância.

O escritor católico Andrea Camaiora, membro da Forza Italia, reprova que Battisti se chame "Cesare", pois isso o torna homônimo do geógrafo Cesare Battisti (1975-1916), prócer da unidade italiana. Novamente, o diabo fez o milagre de que Battisti decidisse seu próprio nome quando era recém-nascido.

No Brasil, *blogs* e matérias de jornal sobre Battisti contêm comentários de leitores que o culpam de suas desgraças pessoais. Um leitor se queixa de que sua mãe, que trabalhou quarenta e cinco anos como bioquímica, receba 750 reais de aposentadoria, enquanto o Estado gasta dinheiro com Battisti.[192]

Apesar de a obsessão pela *vendetta* e pelo *martírio* ser típica de fascistas e de místicos, é notável a coincidência desses sentimentos com os que professam os stalinistas. No fim do Capítulo 20 de seu livro, o juiz Turone escreve esta incrível divagação (p. 160):[193]

Se [Battisti] decidisse se reconciliar com o país, mudar sua resposta [*atteggiamento*], assumir sua responsabilidade, voltar à Itália voluntariamente e aceitar a pena [...] então poderia tornar-se *ele* o catalisador da sonhada superação daqueles anos. [Grifo de Turone.]

Ou seja, os "seculares" também têm sua ideia de martírio, mas agora o mártir vai para o Gulag, em vezes de subir à cruz.

## O direito penal do inimigo

A vingança é um eficiente meio de linchamento, mas as sociedades democráticas exigem um disfarce legal. Os italianos aplicaram suas leis de exceção, oriundas do código fascista. No Brasil, a cúpula do STF foi além, porque, não tendo como apoio o rancor popular, como na Itália, precisava de um direito *muito mais cruel* que o italiano. Mas, para sua felicidade, vinte e quatro anos antes, um alemão havia criado a ferramenta "jurídica" adequada.

O direito penal do inimigo (*Feindstrafrecht*) é a forma oficial da ausência do direito, da lei do mais forte e da aniquilação do *outro*, formulada pelo pós-nazista alemão Günther Jakobs, em 1985, que se baseou em divagações filosóficas. Alguns pesquisadores interpretam esse direito penal como a afirmação da *banalidade* da vida do inimigo, na mesma forma em que Hanna Arendt atribuiu ao nazista Adolf Eichmann a banalidade da vida de seus prisioneiros.[194]

Esse *não direito* se caracteriza por várias peculiaridades do castigo: (1) pode impor-se antes do crime, (2) pode ser enormemente superproporcional, e (3) carece de limites tanto para ser decidido como para ser aplicado. Aliás, o castigo não depende do potencial nocivo do crime, mas de *como foi definido o inimigo*. Um ser "alheio", de outra raça, outra ideologia, outra religião, pode ser o pior inimigo, mesmo que não tenha produzido nenhum dano.

A repressão italiana não fez alarde público de crueldade. Em harmonia com o hermetismo peninsular, ocultou os atos mais truculentos, negou a aplicação de tortura e procurou pretextos para seus abusos. Simulou não ter ódio contra seus inimigos e até perdoou alguns "terroristas" que se humilharam. Os algozes se fizeram sempre de vítimas. Mas não foi assim no Brasil.

A INQUISIÇÃO TROPICAL

No julgamento da extradição no Brasil, o espírito inquisitorial está concentrado em menos pessoas, tem menor emoção que na Itália, mas nutre um desprezo muito maior pelos julgados. Enquanto a crueldade dos italianos fingiu atender à "dor" das vítimas, a crueldade da cúpula do STF foi ostentosa.

No Brasil, a ideia de vingança é mais difusa e menos dominante que a mentalidade do escravocrata, para o qual o *inimigo* tem uma vida banal, sem valor, que pode ser ceifada a qualquer momento, sem nenhuma explicação.

Na vingança inquisitorial no estilo italiano, os réus são pecadores, que Deus castiga, mas eventualmente pode perdoar. Para o direito penal do inimigo, o castigo ou o perdão humilhante são insuficientes porque os criminosos, além de pecadores, são infra-humanos, aliás, *infrabiológicos*. O *inimigo* vale menos que a energia elétrica que se gasta para torturá-lo.

Esse "direito" define primeiro quem é o *inimigo*, dividindo a humanidade em dois: os *cidadãos*, que gozam do direito normal, e os *inimigos*, que são "não pessoas" (*Unpersonen*, palavra usada por Jakobs para se referir aos inimigos). Estes podem ser presos "comuns" ou políticos, e recebem o tratamento que seus juízes desejam. Não há lei que coloque barreiras: terroristas, subversivos, opositores, pensadores, dissidentes podem ser punidos sem pretextos, sem prazos, sem advogados.

Na epígrafe deste capítulo, vemos que o bispo Ulhôa compara Battisti ao nazista Gustav Wagner, autor de 300 mil assassinatos em Sobibor (Polônia), que sai favorecido na comparação, pois o piedoso sacerdote duvida do "arrependimento" de Cesare. O padre Steri, chefe da Cáritas, vai além: ele não duvida e se manifesta *contra* o escritor. Ele é julgado pelo *direito canônico do inimigo*.

Para a cúpula do STF, Battisti é um ser banal cuja liberdade e vida podem ser ceifadas, mas também um inimigo, apoiado por marxistas, ateus, ativistas. Enquanto a Itália inventa pretextos, a cúpula do STF faz ruidosa ostentação do lema: *"Fazemos o que queremos"*. E fizeram:

Gilmar Mendes orgulhou-se dos quatro anos de prisão ilegal de Battisti. A contagem da prescrição foi interrompida arbitrariamente. Ignorou-se que os delitos atribuídos a Battisti teriam sido anistiados em 1979. O relator considerou "irrelevantes" todos os argumentos do ministro Genro. Ninguém explicou a transformação de prisão legal em sequestro indefinido. O STF deu à Itália o direito de tomar decisões. Os linchadores violaram todo o direito humanitário internacional.

Foi ignorada até a própria lógica ao julgar situações extintas, como a extradição anulada pela lei de refúgio e a soltura que já havia sido decretada. Até as contradições explícitas que aparecem no relato de Peluso parecem orgulhar os carrascos, que repetem sem paixão e com extrema frieza: "Fazemos o que queremos".

Há várias expressões que poderiam condensar a vocação de eternidade dos fascistas e stalinistas e seu repúdio pela naturalidade da vida, destinada a nascer, crescer e extinguir-se como qualquer processo físico organizado. Entretanto, penso que esta é uma adequada interpretação dessa pretensão de vingança infinita:

Não importa o que você fez. Não importa se você fez algo. Se não conseguirmos pegar você hoje, pegaremos dentro de trinta, quarenta, cinquenta anos. Se nós estivermos mortos, nossas instituições eternas punirão você. Se você morrer, pegaremos seus descendentes.

## A fabricação de um superinimigo

Tornar Battisti um superinimigo foi um processo que começou discretamente em 1981 e atingiu o êxtase em 2009. Em junho de 1979, quando foi capturado, ele era considerado apenas autor de delitos exclusivamente políticos. Mesmo na truculenta Itália, os mais de doze anos de prisão eram excessivos, mas esse exagero é o começo da criação do *superinimigo*. Muito cedo (SENT81, 414), os juízes criticaram o réu por seu estilo irônico, "desrespeitoso" e insubmisso: *"Sua conduta processual – marcada [...] pela sistemática arrogância, sarcasmo contra o tribunal [...]*

Os juízes, incansáveis, fazem ainda uma nova referência ao temperamento de Battisti vinte e sete meses depois (quando ele já não estava na Itália!), durante o recurso de 1983 (SENT83, p. 508, linhas 11-14), e evidenciam que a pesada pena tinha como uma das causas a defesa que o prisioneiro fazia de sua dignidade: "Battisti tem também confirmado ser aquele sujeito insolente [*tracotante*], irredutível e temperamental que teve bem merecida a proibição de entrar novamente na sala de audiência [...]".

Essa declaração não podia ser mais eloquente. O réu é um rebelde que não se dobra, que zomba daquelas togas sacralizadas. Contudo, é necessário fazer uma advertência. Os jovens militantes italianos queriam deixar claro o abismo que os separava da atitude servil dos "arrependidos". Por isso, os que se mantiverem fiéis a sua ética fizeram uma escolha conjunta: *recusar-se* a ouvir os juízes, negar subserviência a eles, mostrar seu desprezo pelos procedimentos inquisitoriais, fascistas e stalinistas, fantasiados como uma justiça fraudada e hipócrita.

O comentário de 1983 mostrava que o rancor dos linchadores havia ficado em sua memória mais de dois anos, e *permaneceria durante décadas*. Nada enfurece mais o inquisidor que a serenidade de suas presas, porque a chave de seu poder é o terror. Mas, também, a alegria do réu é um grave insulto.

Muitas vezes, anos depois, a ralé linchadora fez referências iradas ao sorriso frequente do escritor, mesmo nas fotos em que aparece algemado. Como os monges de O *Nome da Rosa*, o linchador não tolera o sorriso, porque o direito do inimigo só permite sofrimento. Também os enfurece seu apreço pelos gostos simples, pela simpatia e sensualidade dos populares brasileiros.

Battisti seguiu crescendo como inimigo quando fugiu do país. Os magistrados entenderam: recusava a "honra" de ser delator, queria assumir o controle de sua vida e trocava sua nação por outra. Aliás, a fuga é um *desafio*, pois os inquisidores não reconhecem a liberdade como direito natural.

Quando voltou à França nos anos 1990, o estado peninsular apresentou um pedido de extradição. Ele não foi o único procurado, mas os magistrados não haviam esquecido aquela pessoa cuja autoestima tentaram punir duramente. Aliás, havia algo pior: Cesare havia formado uma família, jamais cometera um delito, tornara-se conhecido como intelectual no México e na América Central, tinha uma filha... Isso agredia os delírios chauvinistas dos linchadores. Era possível viver e ser feliz fora da Itália, era possível integrar-se à sociedade mesmo sem delatar ninguém. *A "teoria" dos linchadores sofria uma refutação*.

Apesar do rancor, os algozes talvez houvessem aceitado que Battisti fosse um silencioso zelador de prédio em Paris, mas ele escreveu sobre perseguidos, exilados, políticos, mafiosos, policiais, sociedades secretas e fascistas. Seus livros chegaram ao leitor comum e se tornaram muito conhecidos e respeitados.

O espírito linchador encontrou estímulo na personalidade íntima do escritor, que entrou em conflito com a mente amarga de seus algozes. Só após conhecer pessoalmente Battisti, em 2009, eu pude entender isso. Ele faz amigos com facilidade; seu espírito generoso e simples, sua atitude macia diante dos dissabores da vida, sua crença na solidariedade e na dignidade pessoal devem ser, não tenho dúvida, um involuntário insulto contra uma aliança de supersticiosos e covardes, de arrependidos e alcaguetes, de sádicos e puritanos.

## Entrevista exclusiva com Cesare Battisti

Quando escrevi meu primeiro trabalho sobre Battisti, não o conhecia pessoalmente. A primeira vez que o vi foi em minha visita ao presídio de Papuda em Brasília. Posteriormente, continuei visitando-o, mas evitamos sempre os temas políticos. Tanto durante sua prisão como depois de sua soltura, nossas conversas percorreram diversos assuntos, mas evitei sempre perguntar por aspectos específicos de sua vida política passada. Decidi interpretar sua história por meio de documentos e de outras pessoas, e não submeter minha pesquisa a qualquer lance subjetivo, de Cesare ou meu.

Surgiu naturalmente a ideia de que este livro poderia incluir uma entrevista com ele. Essa seria uma das poucas vezes que Cesare poderia falar publicamente para outras pessoas e ver suas palavras reproduzidas, mesmo que não seja por uma fonte oficial. E seria a *primeira* vez que poderia responder a perguntas fundamentais para sua história jurídica. Seria a maneira de sepultar trinta anos de calúnia e infâmia.

Esta entrevista encerra qualquer polêmica sobre o compromisso de Battisti com a luta armada e sua pretensa responsabilidade em homicídios. Qualquer um que acredite que isto não é verdade pode tentar refutar.

**Pergunta (Lungarzo): Você já declarou que, quando era membro dos PAC, sempre foi contrário a qualquer derramamento de sangue ou a qualquer assassinato. Por quê?**

**Resposta (Battisti):** Eu sempre fui contrário. Nunca pensei que mortes pudessem ajudar de maneira nenhuma. Muito pelo contrário, sempre achei que recorrer ao assassinato (prática comum das forças da repressão) contribuiria de maneira drástica para a criminalização do movimento e um inevitável suicídio político. Essas foram as razões primárias de minha afiliação aos PAC, já que o próprio documento de fundação diferenciava esse grupo dos outros por tomar posição clara ao limitar o uso das armas exclusivamente a casos extremos de legitima defesa.

**P: O que você pensou após a morte de Aldo Moro?**
**R:** Fiquei muito abalado, e no começo não acreditei. Como todos, pensei que sua morte era uma nova provocação do governo. Moro colaborou totalmente com seus sequestradores, o povo sabia disso; nada justificava a execução desse homem que, abandonado por essas mesmas autoridades que ele defendia, se revelou duma humanidade e inteligência incomuns.

**P: Após essa morte, todos os grupos armados entraram em discussão. O que aconteceu com os PAC?**
**R:** Tivemos uma discussão longa e pesada, inesquecível. Ao final, a decisão coletiva foi seguir nossa linha tradicional: não promover ações com mortes. E escrevi isso em *Minha fuga sem fim*. Eu era inexperiente e otimista: acreditava firmemente que todos iriam obedecer a essa ordem.

**P: E o que aconteceu depois?**
**R:** No começo de junho ocorreu a morte do chefe da prisão [de Udine], Antonio Santoro, decidida por uma parte do grupo que não aceitava as posições da velha liderança. Eles consideravam que essas posições eram "fracas" diante da truculência do aparato repressivo. Foi assim que os PAC

declararam sua a autoria do primeiro homicídio, e isso provocou a explosão do grupo. Junto com a maioria, eu abandonei os PAC; mas alguns permaneceram. Contando com nossa amizade, tentei convencer Mutti que o melhor era dissolver os PAC e reintegrar-se à Frente Ampla da Autonomia Operária. Talvez, se estivéssemos sozinhos, olho no olho, eu até conseguisse fazê-lo me ouvir e me atender. Mas [quando falamos] estava presente a linha mais dura do grupo, e ele resolveu me tratar como traidor. Foi o início de um longo conflito entre nós.

**P: Você disse que tentou evitar a morte de Pierluigi Torregiani.**
**R:** Eu não sabia os nomes das futuras vítimas, nem quando seriam os ataques. Soube que o que havia sobrado dos PAC estava reunido no apartamento de Mutti e que alguma ação pesada estava sendo preparada. Essa noite fui lá sozinho. A repressão estava atacando de maneira indiscriminada, e não era o momento de ficar indiferente quando outros estavam preparando besteiras. Quando soube que queriam atacar Torregiani, tentei convencê-los de que estavam com uma posição errada e absurda. A resposta foi categórica: eu já não era parte dos PAC e não tinha nada a fazer ali.

**P: Muito tempo depois, você escreveu a Alberto Torregiani [o filho, atingido por uma bala de seu pai durante a ação do PAC], não foi?**
**R:** Sim, muitos anos depois tive essa chance, e ele me respondeu. Foi no começo de minha detenção em Papuda [2007]. Essa troca de mensagens para mim foi forte e comovente. Eu contei a ele todos os detalhes que conhecia, expliquei a ele que nunca havia tocado em seu pai, e que nunca havia matado ninguém, nunca! Ele disse que já sabia disso e até pediu minha ajuda para escrever um livro. Lamentavelmente,

quando me tornei refugiado, ele deixou de me escrever. Até hoje lamento isso.

**P: Durante o segundo julgamento, como você explica que Mutti tenha escolhido você como bode expiatório?**
**R:** O papel de Mutti no caso foi tão importante que gostaria de contar como era nossa relação inicialmente. Logo depois de minha afiliação aos PAC criou-se entre nós uma relação de amizade; ele precisava de amigos descontraídos e informais, e me aceitava porque tínhamos uma origem social comum. Também, sem deixar de usar certa autoridade, escolheu-me como o sujeito ideal, inócuo, a quem podia confessar suas frustrações. Mutti tinha o dom da simplicidade e da franqueza, que ele não ousava expressar nos encontros com os outros companheiros. Acredito que isso era por se sentir em inferioridade intelectual. Quem mais senão esse jovem simples, que era eu, podia assumir esse papel de receptor de intimidade e cúmplice na luta, sem incomodá-lo com interpretações políticas?

Hoje, posso dizer, com certeza, que o fato de tê-lo abandonado foi para ele um insulto imperdoável. Anos depois, os presos políticos se contavam por milhares, e Mutti, cansado, mas incapaz de tomar decisões de grande porte, foi reconhecido líder natural do resíduo das organizações ainda em armas. Foi nesse contexto que, dentre um monte de companheiros importantes, ele decidiu assaltar a prisão de Frosinone para resgatar daí um Battisti desconhecido. Mutti não imaginava que eu tinha a missão de entregar a ele um documento assinado por representantes de todas as organizações que estavam em Frosinone, no qual se pedia uma retirada consciente e ordenada da luta armada de todos os militantes em armas para construir uma frente única de defesa nacional. Mutti, nessa ocasião, aproveitou para me tratar publicamente de desertor, em vez de dar crédito a esse documento, que, talvez, houvesse evitado posteriores tragédias.

Depois desse rápido relato do teor político de nossa breve relação, acredito ser mais fácil falar de Mutti como delator premiado.

Primeiramente, é importante lembrar que eu nem sabia que estava sendo julgado pela segunda vez. Na época, encontrava-me refugiado no México, ainda que sem proteção oficial, e, por isso, cortara toda relação com a Itália, inclusive com a minha família. Existem diversas versões contraditórias das numerosas e sucessivas declarações de Mutti. A primeira foi obtida sob tortura, e, talvez, em algum momento de lucidez, no início, ele pode ter seguido a norma, que era acusar os exilados ou os mortos para proteger os militantes ativos. Mas, com a continuidade das pressões, inevitavelmente, acabou entregando todo o mundo, e (como acontecia em casos similares em que o essencial era salvar a vida) teve que aceitar proteção em troca de colaboração ativa e incondicional. Ou seja, seguir à risca as indicações do "Superprocurador" (assim eram conhecidos os magistrados protegidos pelo Ministério da Defesa).

Eu não tenho ressentimentos contra Mutti. Apenas tenho pena, pois *não* sofremos os mesmos horrores e não tenho autoridade moral para julgá-lo. Seus atos não vieram de uma livre escolha, mas da falta total de alternativas.

**P: Você sofreu uma perseguição intensa e doentia durante décadas, algo que vai muito além de outras perseguições famosas, como a de Dreyfus, por exemplo. Acredita que poderá superar todo o sofrimento e a dor que esses fatos produzem?**
**R:** Toda experiência na vida deixa marcas, boas ou ruins. Não é possível ignorá-las, só nos cabe assumir e negociar com elas novas perspectivas de vida, que podem assustar

mais ou menos; isso dependendo da ousadia e da consciência de cada um no momento de apostar no que acredita ser o certo. Por minha parte, eu apostei muito mais do que podia, mas pretendo dividir com todos a responsabilidade de ter vivido uma época fascinante e provocadora, que parecia permitir os sonhos de liberdade.

Aquela época encantou a todos, a música que se tocava era irresistível, expressava a rebeldia e a esperança de um novo mundo, que contagiava a todos e aos poucos uniu povos e espalhou consciência. Finalmente, todo o mundo viu que aqueles que nos impediam de viver eram um punhado de homens sem talento, tristes continuadores da tarefa de proteger os privilégios privados e administrar a ignorância pública. Os anos 1970 não passaram disso, existiram porque, bem ou mal, era o tempo dessas transformações, e eu os acompanhei com o frescor de minha juventude e sem obrigações.

Paguei um preço alto, muito alto, mas, ainda assim, e apesar das atrocidades geradas pela doentia sede de vingança que não poupou meus familiares, nem amigos, eu, junto com todos os que amo e que nunca me deixaram sozinho nessa luta, penso na viagem sem destino que me ofereceu a década de 1970. Acredito que foi a coisa mais bela e enriquecedora que pode acontecer a um rapaz que, animado pela curiosidade sobre um monte de coisas que sente, toma consciência de que são valiosas e dão significado à vida.

P: **Você foi preso em Milão em outubro de 1979. Nessa época, a polícia e o Digos procuravam os matadores de Torregiani por todos os cantos. Todas as testemunhas já haviam sido interrogadas. Algumas foram torturadas. Se alguém tivesse alguma suspeita sobre você, já teria falado. Você foi interrogado sobre a morte de Torregiani? Naquele momento, algum magistrado mostrou alguma suspeita sobre você?**

*Entrevista exclusiva com Cesare Battisti*

**R:** Nenhum. Eles me consideravam um preso político, um subversivo. Só isso. Jamais foi insinuada a suspeita de que eu pudesse ter relação com qualquer morte.

**P: Em todos os filmes jurídicos americanos, a primeira pergunta do juiz ao réu é se ele ou ela se considera *guilty* ou *non-guilty*. Alguém perguntou a você, *alguma vez,* se era culpado ou não desses crimes? Algum juiz, promotor, policial, enfim, qualquer um que estivesse em função oficial?**
**R:** Fiquei quase oito anos preso pela mesma acusação, três dos quais na Itália, nas temidas prisões onde até o sadismo científico tem lugar. Fiquei três anos à completa disposição dessas mesmas autoridades que já haviam investigado os quatros homicídios e até condenado os responsáveis por um deles. Isso tudo, sem que meu nome fosse citado, mesmo pelos que foram torturados. Foram três anos preso e condenado por associação subversiva, e nenhuma autoridade judiciária, policial ou magistrado veio me perguntar algo sobre esses crimes.

**P: Então, quer dizer que você foi condenado sem ter sido previamente indiciado pela polícia, nem denunciado pelo promotor, nem acusado pelo juiz?**
**R:** Sim. Ninguém jamais me fez saber que pesava sobre mim uma acusação de homicídio. Só quando voltei à França tomei conhecimento.

**P: Na sentença de 1988, os magistrados mencionam várias testemunhas, mas nenhuma diz ter visto você, nenhuma reconheceu sua foto. Essas são as testemunhas de acusação. Você teve testemunhas de defesa?**
**R:** Não, e por diferentes rações. A mais óbvia é que não fui informado sobre esse novo processo. Mas a razão mais importante é que as eventuais testemunhas de defesa não pode-

riam ser protegidas das pressões: elas correriam risco e poderiam ser transformadas em acusados. Havia casos em que as ameaças eram anônimas, porém assustadoras. A situação era essa, os advogados, todos juntos, assinaram um documento no qual declararam a impossibilidade da defesa.

**P: A professora Maria Cecília Barbetta também colaborou com sua libertação. Todavia, alguns anos depois, ela espalhou um boato contra você, algo que era uma fórmula inventada do estilo daquelas que inventa a polícia ou a magistratura. As razões dela para enlamear você foram as mesmas que as de Mutti?**
R: Possivelmente. Todos tínhamos, além de camaradagem, amizade pessoal. Eles podem ter interpretado meu abandono da luta armada como um desprezo pela relação pessoal.

**P: Você fez muitos amigos no Brasil, que, além de formar um grande grupo de defensores seus, são também admiradores de sua obra literária e de suas atividades culturais. Sabemos que você pretende desenvolver projetos educativos e culturais como fez no México e na França. Já tem alguma ideia sobre isso?**
R: Há mais de trinta anos sou escritor e acredito que a literatura é fundamental para o desenvolvimento do ser humano. Já estou fazendo uma oficina de escrita literária com jovens de famílias carentes e tenho projetos similares em algumas favelas. Conto com um grande amigo brasileiro na França com quem já trabalhei em projetos anteriores, e estamos para criar aqui uma associação que atue em comunidades carentes, para desenvolver atividades culturais.

# REFERÊNCIAS

Nas notas de final aparecem indicações sobre *links* da internet ou de livros e artigos impressos que fundamentam as afirmações feitas dentro do texto. Já nesta lista incluo os principais recursos que abrangem o Caso Battisti de maneira global.

## Dissertações e artigos

Esta é uma dissertação rigorosa e original, que será um documento clássico para os futuros estudos do Caso Battisti.
**TOLEDO SOUZA, FABRÍCIO: "O caso Battisti: relação entre mídia e justiça" (Dissertação de mestrado, Escola da Comunicação da Universidade Federal do Rio de Janeiro, 2011).**

## Livros e coletâneas

**CENTO BULL, ANNA:** *Italian Neofascism*: *The Strategy of Tension and the Politics of Nonreconciliation* (Berghahan Books, 2007)
Sólido e autorizado estudo dos assuntos jurídicos da repressão italiana, o papel dos juízes, a impunidade, a manipulação etc. Altamente documentado e com muitas citações de fontes.
**EVANGELISTI e GIUSSEPE GENNA:** *Il Caso Battisti*: *l'emergenza infinita e i fantasmi del passato* (NDA PRESS, 2004)

Análise sobre as distorções do julgamento de Battisti, as ilegalidades cometidas, a campanha de ódio e temas correlatos.

FRATTINI, ERIC: *A Santa Aliança* (Boitempo, 2009)
Explica com rigor e documentação irretocáveis o papel do Vaticano em ações políticas, assassinatos e repressão.

GANSER, DANIELE: *Nato's Secret Armies* (Frank Cass Publishers, 2005)
Clássico no assunto, contém valiosa pesquisa sobre o terrorismo estimulado pela OTAN e sua influência nos massacres dos fascistas. É obra indispensável para entender o processo.

GRIMALDI, LAURA: *Processo all'Instruttoria* (Milani Libri, 1981)
A mãe de um dos membros dos PAC descreve a violência dos promotores italianos e as torturas impostas aos militantes, numa época em que era difícil publicar denúncias.

RAO, NICOLA: *Colpo al Cuore* (Sperling & Kupfer, 2011)
É um dos primeiros livros publicados na Itália, de circulação ampla, onde se começa a reconhecer que as denúncias sobre a prática da tortura por policiais e militares eram verdadeiras.

SENSIBILI ALLE FOGLIE
Este é o nome de uma cooperativa editorial que tem publicado pelo menos cinco livros sobre a repressão policial, o neofascismo, as atrocidades prisionais e temas correlatos. Veja o site: http://www.sensibiliallefoglie.it

SILVI, ROBERTO: *La memoria e l'oblio* (Colibri, 2009)
O autor foi um membro dos PAC, já mencionado. Esta obra é autobiográfica, mas parte de seu conteúdo refere-se aos fatos políticos e sociais dos anos 1970.

VARGAS, FRED (compiladora): *La Verité Sur Cesare Battisti* (V. Hemy)
É uma coletânea que reúne textos dos mais esclarecidos autores franceses e italianos, em que descrevem sob diversos

ângulos a realidade repressiva na Itália, incluindo torturas, mortes, fraudes jurídicos etc. Foi de grande inspiração para a redação de meu livro.

WILLAN, PHILIP: *Puppetmasters: The Political Use of Terrorism in Italy* (Constable, 1991)

Willan, experiente e rigoroso jornalista especializado em parapolítica italiana, traça de maneira enérgica e documentada a trajetória do terrorismo de estado, analisando todos os atores sociais com grande seriedade: EUA, OTAN, fascismo, máfias etc. Sua leitura despe a truculência e os métodos sanguinários do estado. São especialmente importantes seus capítulos sobre a Operação Gladio, a Loja Propaganda 2 e o assassinato do papa João Paulo I.

## Fontes documentais

A parte de documentos que temos foi inserida em meu site (vide abaixo) e é acessível a todos. Os documentos não têm restrição e podem ser baixados, distribuídos, reproduzidos etc.

Meus próprios sites são:

http://sites.google.com/site/lungarbattisti

http://ocasodecesarebattisti.blogspot.com

# NOTAS

1   Reich foi inicialmente psicanalista e membro da Escola de Frankfurt, mas se afastou dela. Sua obra foi quase proscrita nas Américas, e seus livros foram queimados nos EUA. Foi preso e morreu no cárcere durante o macartismo, mas nos setores esclarecidos da Europa seu prestígio é enorme. Sua teoria sobre a *praga emocional*, da qual deriva sua explicação do fascismo, encontra-se no texto *Listen, Little Man!*.
Um dos mais completos estudos sobre Joe Hill é ainda o de Foner, Philip S.: *The case of Joe Hill* (International Publishers, 1965).

2   Há muitas fontes sobre o caso de Sacco e Vanzetti; uma das mais criativas e instigantes é: Avrich, Paul: *Sacco and Vanzetti: The Anarchist Background* (Princeton University Press, 1996).

3   Morais, Fernando: *Olga* (Omega, 1985).

4   Neville, John F.: *The Press, the Rosenbergs, and the Cold War* (Praeger Publishers, 1995). Este livro coloca de maneira bastante objetiva o problema da existência de justiça nos Estados Unidos, quando os suspeitos são membros da esquerda.

5   O caso de Wilson, apesar de ser muito comentado nos jornais da época, é analisado em poucas obras de pesquisa. A mais importante é a de Dudziak, Mary L.: *Cold War Civil Rights: Race and the Image Of American Democracy*. (Princeton: Princeton University Press, 2000.)

6   http://books.google.com.br/books/about/Cell_2455_Death_Row.html?id=Z5ZjGcUHBzoC&redir_esc=y

7   Um livro ainda plenamente vigente sobre o assunto é: Judt, Tony: *Resistance and revolution in Mediterranean Europe, 1939-1948* (Routledge, 1989).

8   Vide www.funzioniobiettivo.it/medie_file/badoglio.htm

9   Veja o rico arquivo da Resistência Italiana em www.archivi-dellaresistenza.it/cms

10  Cortesi, Luigi: *Ivanoe Bonomi e la socialdemocrazia italiana: profilo biografico* (Salerno, Libreria Internazionale, 1971.)

11 Este livro está baseado numa profunda e rigorosa investigação sobre a proteção dada os nazistas na Argentina: Goñi, Uki, *A Verdadeira Odessa* (São Paulo & R. de Janeiro, Record, 2004)

12 FOOT, M. R. D. (1999). *The Special Operations Executive 1940–1946*. Pimlico. ISBN 0-7126-6585-4.
É considerado o melhor livro sobre o SOE e seus métodos. Seu autor, que foi um eficiente agente operacional do Reino Unido, tornou-se professor de história moderna na Universidade de Manchester.

13 Greek Resistance Organisations and Connected Political Parties, Appendix A, WO204/8897.
Este relatório inclui todos os grupos ativos e suas ações de resistência.

14 AUGUSTIN: JEAN-MARIE: *Le plan bleu : 1947, un complot contre la République*. La Crèche : Geste éditions, 2007. ISBN 978-2-84561-273-0.

15 Encontre aqui uma lista das principais fontes sobre a ação da CIA e seus similares durante a Guerra Fria: http://www.pink-noiz.com/covert/ciabooks.html.

16 Alguns dos principais textos sobre o terrorismo criado pela OTAN: Belgian parliamentary report concerning the stay-behind network, named "Enquête parlementaire sur l'existence en Belgique d'un réseau de renseignements clandestin international" pg. 17-22.
Este é um artigo do excelente especialista Ganser: Ganser, Daniele. "Terrorism in Western Europe: An Approach to NATO's Secret Stay-Behind Armies" in *Whitehead Journal of Diplomacy and International Relations*, South Orange NJ, Winter/Spring 2005, Vol. 6, N. 1.
VULLIAMY, ED (1990-12-05). "Secret agents, freemasons, fascists... and a top-level campaign of political 'destabilisation'". *The Guardian.* www.cambridgeclarion.org/press_cuttings/vinciguerra.p2.etc_graun_5dec1990.html.

17 Genser, Daniele: *Exércitos Secretos da OTAN*. Este é um livro fundamental, que aparece numa tradução não corrigida no seguinte *link*:
http://sann1970.webng.com/ex%C3%A9rcitos%20secretos%20da%20nato.txt

18 Piola Caselli, Carlo: *Il taccuino di Ferruccio Parri sull'Europa (1948-1954)*, 2012. Vide: http://museoeuropeo.altervista.org/taccuino-ferruccio-parri/index.html

Notas

19  Sobre a ambígua "bondade" de Togliatti, veja o livro Stauber, Ron (editor): *Collaboration With the Nazis: Public Discourse After the Holocaust*. Veja o texto de Manuela Consonni, p. 218 (Routledge, 2011). E também o texto de Internet: http://independent.academia.edu/PaulOBrien/Papers/415422/On_the_limits_of_the_purge_of_the_fascist_state_apparatus_1943-1948

20  Ronald Radosh, Mary R. Habeck & Grigory Sevostianov> *Spain Betrayed: The Soviet Union in the Spanish Civil War*, Yale University Press, New Haven 2001, pp. 537.

21  Este é um excelente artigo do site Garmsci e o Brasil, no qual se analisa com todo detalhe a relação da cúpula do PCI com o stalinismo durante a guerra e sua diferença com o PC francês. www.acessa.com/gramsci/?page=visualizar&id=805 Veja também o *Dossiê Togliatti*. www.acessa.com/gramsci/?page=visualizar&id=780

22  Veja um estudo de Silvio Pons da Universidade de Harvard sobre as negociações de Togliatti com os fascistas: www.fas.harvard.edu/~hpcws/3.2pons.pdf

23  O primeiro livro que descreve a transição da Itália entre o fascismo e a democracia, por meio das eleições de 1948. Ventresca, Robert: *From fascism to democracy* (University of Toronto Press, 2004).

24  Vide uma notícia de 2011 em: http://qn.quotidiano.net/politica/2011/04/05/485527-eliminare_divieto.shtml

25  Cento Bull, Anna & Giorgio, Adalgisa (dir.) *Speaking Out and Silencing: Culture, Society and Politics in Italy in the 1970s* (2006) ISBN 978-1-904350-72-9 É um livro com dezessete artigos que analisam os *Anos de Chumbo* de perspectivas variadas.

26  Vide alguns documentos sobre a estratégia da tensão neste site italiano: http://www.misteriditalia.it/strategiatensione

27  Existe, atualmente, abundante informação sobre a Operação Gladio, em forma de livros, artigos, revistas, vídeos e filmes, produzidos em países sérios como a Suíça e a Grã-Bretanha. Para começar, uma excelente visão de conjunto pode ser obtida nesse vídeo britânico, de quarenta e sete minutos de duração: http://www.911truth.org/article.php?story=20100714111345487

28  Uma dúzia de importantes documentos obtidos com o maior rigor e seriedade científica sobre aspectos sigilosos da OTAN

e da Gladio pode ser encontrada no site Cambridge Clarion, neste *link*:
http://www.cambridgeclarion.org/gladio.html

29 Sobre *Demagnetize* e outros aspectos do terrorismo da OTAN, veja o artigo do veterano jornalista americano Arthur E. Rowse, no IMC da Itália, de 19 de setembro de 2006. Os *link* são: http://miami.indymedia.org/news/2006/09/5759.php e http://www.mega.nu:8080/ampp/gladio.html

30 O significado dessa reunião foi analisado num documento da Commissione Parlamentare sul Terrorismo, atualizado em 24 de fevereiro de 2006. Vide: http://archivio900.globalist.it/it/documenti/doc.aspx?id=27

31 Esta é a versão da internet de um documento desclassificado pela própria CIA, no qual descreve a operação CHAOS e similares: www.aarclibrary.org/publib/church/reports/book3/pdf/ChurchB3_9_CHAOS.pdf

32 Um artigo de Anna Cento Bull, especialista na Itália dos anos 1970, da qual citamos outros trabalhos, trata de *stragismo*: www.soc.unitn.it/sus/attivita_del_dipartimento/convegni/maggio2006/mgabstracts/bull.htm

33 Um excelente estudo sobre *falsas bandeiras* em oito casos de política internacional, dedica o Capítulo 4 à Itália. Veja: http://pt.scribd.com/doc/92604989/4/Chapter-4

34 Bellini, F. & Bellini, G.: *Il segreto della Repubblica. La verità politica sulla strage di Piazza Fontana*, edited by P. Cucchiarelli. (Milan, Selene, 2005).

35 Neste artigo da Comissão Parlamentar italiana sobre terrorismo, no Capítulo 7, Seção 2, reconhece-se a diferença entre o *stragismo* e os atentados produzidos pelo que os autores chamam de "terrorismo de esquerda". http://archivio900.globalist.it/it/documenti/doc.aspx?id=40

36 Este longo e preciso artigo de Thomas Sheehan, publicado em *The New York Review of Books*, de janeiro de 1981, revela os componentes fascistas do atentado de Bolonha, numa data próxima à do *estrago*: www.nybooks.com/articles/archives/1981/jan/22/italy-terror-on-the-right/?pagination=false

37 O jornal *The Guardian* de março de 2001 analisa ataques como o que sofreu Rumor e revela a participação do estado: http://www.guardian.co.uk/world/2001/mar/26/terrorism

Notas

38 Uma resenha do livro de Claudio Celani: *The Sphinx and the Gladiators: How Neo-Fascists Steered the Red Brigades*, que fornece importante informação sobre a manipulação de grupos armados pela operação Gladio, pode ser vista neste *link*: www.larouchepub.com/other/2005/3203_sphinx.html

39 Arcuri, Camilo: *Colpo di stato. Storia vera di una inchiesta censurata* (Milan, BUR Biblioteca Universale Rizzoli, 2004)

40 Vargas, Fred (ed.): *La Vérité sur Cesare Battisti* (V. Hamy, 2004), p. 18

41 Bull, A. C.: *Italian neofascism: the strategy of tension and the politics of Nonreconciliation* (Berghahn Books, 2007), pp. 80 ss.

42 Vários artigos de jornal sobre este fato podem ser lidos aqui: www.lavocedifiore.org/SPIP/article.php3?id_article=4805

43 Um site com ampla informação histórica e sistemática sobre as Brigadas se encontra neste *link*: www.brigaterosse.org/brigaterosse/index.htm

44 Fasanella, G. & C. Sestieri c/ Pellegrino, G.. 2000. *Segreto di Stato: La verità da Gladio al caso Moro*. (Turin.)

45 www.sartre.ch/Liberta%20e%20potere%20non%20 vanno%20in%20coppia.pdf

46 Silvi, R.: *La memoria e l'oblio* (Edizioni Colibrì, 2009), resenha feita por Padula em http://controappunto.splinder.com/post/21946879/la-memoria-e-l%25E2%2580%2599oblio-di-roberto-silvi

47 http://guide.supereva.it/diritto/interventi/2001/11/75503.shtml

48 http://www.wumingfoundation.com/italiano/outtakes/cesare_battisti_2.htm

49 Uma lista desses decretos e leis se encontra nesta síntese dos principais fatos dos *Anos de Chumbo*: www.brigaterosse.org/brigaterosse/Cronologia/cronologia2.htm

50 www.normattiva.it/uri-res/N2Ls?urn:nir:stato:legge:1980-02-06;15@originale

51 Bocca, G: *Il caso 7 Aprile. Toni Negri e la grande inquisizione* (Feltrinelli, 1980)

52 http://artedeomissao.wordpress.com/2011/05/25/5-os-exercitos-secretos-da-nato

53 Brambilla, M: *Interrogatorio alle Destre* (Milan, 1995)

54 www.carmillaonline.com/archives/2004/04/000690.html

55  Fotocópias dos relatórios de Anistia Internacional podem ser encontradas em meu site: http://sites.google.com/site/lungarbattisti
Os que desejem maiores garantias podem enviar mensagens à seção Documentos de Anistia: documents@amnesty.org

56  O documento básico de Panella está em: www.radioradicale.it/exagora/la-logica-schiacciante-della-iii-internazionale

57  O caso de Giorgiana Masi foi um dos crimes da direita italiana de maior repercussão. Vide a matéria de Carlo Rivolta: "Ancora guerra a Roma", *La Repubblica*, 13 de maio de 1977.

58  O site da revista é www.renudo.it

59  Vide, por exemplo, o site de *La Repubblica* de 1984: http://ricerca.repubblica.it/repubblica/archivio/repubblica/1984/06/16/ultimo-killer-di-torregiani-catturato-dopo.html

60  Refiro-me aos *Ökonomisch-philosophische Manuskripte aus dem Jahre 1844* (Manuscritos Econômico-Filosóficos, de 1944). Veja em português: www.4shared.com/office/_P2kXehh/manuscritos_economicos_e_filos.html

61  O mais explícito que encontrei sobre estas sentenças está na página 14 do livro de Giuliano Turone, *Il Caso Battisti* (Garzanti, 2011)

62  http://sites.google.com/site/lungarbattisti/sentenca-de-1981/sentencas-de-1988-90-93-relativas-aos-homicidios. A sentença 76/88 de 13/12/1988 com registro geral 49/84, de *La Corte d'Assise di Milano*, que contém os relatórios preliminares e as sentenças de 23 pessoas (entre as quais Cesare Battisti) por diversos delitos dos PAC.

63  www.vittimeterrorismo.it/archivio/atti/sentenzaPAC1988.pdf
www.vittimeterrorismo.it/archivio/atti/sentenzaPAC1990.pdf
www.vittimeterrorismo.it/archivio/atti/sentenzaPAC1993.pdf
www.vittimeterrorismo.it/archivio/atti/PAC_iter_storico.pdf

64  Neste texto de março de 2004, Evangelisti conta como foi fabricado o mito: www.carmillaonline.com/archives/2004/03/000663print.html

65  www.carmillaonline.com/archives/2004/04/000721print.html

66  A fonte principal sobre a vida nas prisões são as publicações da cooperativa *Sensibili alle foglie*, que foi fundada em 1990 por detentos das Brigadas Vermelhas e outros. Desde essa data, a cooperativa trabalha no *Progetto Memoria* (PM), sobre as vivências dos revolucionários sob a repressão. Deste, foram lançados até agora cinco volumes. *La mappa perduta* (1994),

*Sguardi ritrovati* (1995), *Le parole scritte* (1996), *Le torture affiorate* (1998), *Il carcere speciale* (2006)
As torturas aplicadas sob as ordens de Santoro estão relatadas com detalhe pelas vítimas no PM, vol. 1º, p. 403. Já o clima geral de violência e tormentos é descrito no PM vol. 3º, PP. 364-365. No vol. 3º de PM, p. 364, vítimas denunciam que as prisões de Udine e de Verona foram usadas para testar um método que destruísse a resistência moral do prisioneiro, fosse político ou comum. Transcrevo da página 364. [Interpolações minhas.]

67 Cavallina, Arrigo: *Lager speciale di stato* (Editora Senza Galere, 1971)

68 Corriere della Sera, Arquivio, 5 marzo 2004, Pag. 21, linhas 12-13

69 Corriere della Sera, Arquivio, 5 marzo 2004, Pag. 21, linhas 21-22

70 http://archiviostorico.corriere.it/2006/ottobre/04/Cesare_Battisti_dico_vero_ergastolo_co_9_061004069.shtml

71 www.destralibertaria.it/lucianobuonocore/LAMAGGIO-RANZASILENZIOSA.pdf

72 Cavallina, Arrigo: *La piccola tenda d'azzurro*

73 Este álibi é reconhecido na Sentença de 1981, p. 19, § 2. Veja a referência completa às sentenças e os *links* nas notas do Capítulo 9.

74 http://francovite.com/tag/repressione

75 Spataro. A: *Ne Valeva a Pena* (Laterza, 2010)

76 Um relato específico sobre as torturas aplicadas aos PAC se encontra na versão eletrônica da revista *Insorgenze*:
http://insorgenze.wordpress.com/2009/02/06/le-torture-contro-i-proletari-armati-per-il-comunismo

77 http://blog.panorama.it/italia/2009/01/25/battisti-esclusivo-cosi-uccideva-il-terrorista-dei-salotti-buoni (linha 14-15)

78 A página seguinte de *La Repubblica* contém a notícia sobre Forno: http://ricerca.repubblica.it/repubblica/archivio/repubblica/1984/07/26/milano-giudizio-mandanti-dell-assassinio-di-torreggiani.html

79 Vide a reportagem do *Criminal Magazine*:
http://1922criminalmagazine.info/index.php?option=com_content&task=view&id=29&Itemid=2

80 www.bbc.co.uk/portuguese/noticias/2010/04/100402_igreja_pedofilia_rc.shtm

81 Vide a versão eletrônica de *La Repubblica*

http://ricerca.repubblica.it/repubblica/archivio/repubblica/1985/05/18/milano-per-proletari-armati-il-pm-chiede.html

82  Turone, Giuliano: *Il Caso Battisti* (Garzanti, 2011)

83  Nesta cronologia, se encontra uma referência à investigação sobre Fuga: www.fondazionecipriani.it/Kronologia/prova.php?DAANNO=1980&AANNO=1981&id=&start=240&id=&start=360

84  A fonte para esta parte do capítulo é SENT81-83 http://sites.google.com/site/lungarbattisti/sentenca-de-1981

85  O livro de Turone *O Caso Battisti*, editado pela editora Garzanti em 1911, será citado simplesmente pelo nome do autor.

86  *Corriere della Sera*, Arquivio, 5 marzo 2004, Pag. 21, linhas 59-60.

87  Ver o "retrato falado" atribuído a "testemunhas" da morte de Sabbadin, na segunda lâmina posterior à página 120 do livro de G. Cruciani: *Gli Amici Del Terrorista* (Sperling & Kupfer, 2010)

88  www.facebook.com/group.php?gid=45186383043

89  O site desta revista www.vialibre5.com está ativo atualmente.

90  Vide na revista *Envío* dessa data: www.envio.org.ni/articulo/530

91  www.mitterrand.org/La-France-l-Italie-face-a-la.html

92  Este é um estudo leve, porém interessante, sobre o caráter de bode expiatório de Battisti nos problemas internacionais. http://liberdadepalestina.blogspot.com/2009/03/battisti-de-dissidente-bode-expiatorio.html

93  Estes aspectos judiciais foram publicados num número da *Gazette*: http://cesarebattisti.free.fr/archives/gazette34.html

94  Decisões jurídicas do Conselho de Estado podem ser vistas em: www.conseil-etat.fr/ce/jurispd/index_ac_ld0515.shtml

95  http://justeurope.unblog.fr/european-court-human-rights

96  http://cmiskp.echr.coe.int/tkp197/portal.asp?sessionId=66870070&skin=hudoc-en&action=request

97  Algumas das adesões dos intelectuais franceses podem ser vistas neste *link*: http://cesarebattisti.free.fr/archives/gazette12.html

98  Veja minha prova da falsificação e a explicação sobre ela em meu site: https://sites.google.com/site/lungarbattisti.

99  O resumo do relatório da *Antigone* sobre as prisões italianas está em

www.osservatorioantigone.it/upload/images/6914oltre%20
il%20tollerabile%20stampa.pdf

100 Wu Ming e outros: *Il caso Cesare Battisti: quelli que i media non dicono* (Roma, DeriveApprodi, 2009)

101 www.ristretti.it/areestudio/disagio/ricerca/index.htm

102 Alguns ativistas vítimas da tortura têm escrito artigos esclarecedores. Fazendo abstração do natural desconforto com o assunto, pode-se obter informação confiável. Veja, por exemplo: http://baruda.net/2009/01/31/in-italia-la-tortura-esisteva-ed-esiste

103 No livro *Democracy and Counterterrorism: Lessons from the Past.*

104 Veja um vídeo de Sabina com um monólogo no qual faz críticas políticas muito sérias, matizadas por um humor fino e sem preconceito. http://www.queerblog.it/post/3599/sabina-guzzanti-papa-ratzinger-allinferno

105 *Italy, a Difficult Democracy*

106 Veja no *Corriere* uma nota esclarecedora sobre as torturas aplicadas pelo *Nucleo Operativo Centrale di Sicurezza*: http://archiviostorico.corriere.it/2011/ottobre/10/Quella_squadra_speciale_contro_brigatisti_co_9_111010015.shtml

107 Texto de Marco A. de Mello:
Folha.com de 11/09/2009
www1.folha.uol.com.br/folha/brasil/ult96u622420.shtml

108 Texto de Menezes Direito:
STF, *DJU* 25 abr. 2008, HC 90.688/PR

109 http://piemonte.indymedia.org/article/6205

110 http://loranablog.wordpress.com/2008/02/14/italian-police-killed-federic...

111 www.lettera22.it/showart.php?id=7960&rubrica=219

112 http://virgiliolivorno.myblog.it/archive/2009/09/10/fiaccolata-per-marce.

113 www.amnesty.org/en/annual-report/2011

114 Este é um importante *documento no qual se analisa objetivamente o grau de cumprimento da Itália de suas obrigações internacionais:*
http://www.hrw.org/en/news/2009/09/01/human-rights-watch-upr-submission-italy

115 A *Operação Condor* foi uma organização instituída entre 1973 e 1975 a pedido do governo do Chile, e cujo principal ator foi a ditadura Argentina. Era uma fraternidade das piores

ditaduras do continente (Argentina, Chile, Brasil, Uruguai, Paraguai e Bolívia) para sequestrar, torturar e (se o sequestro não fosse possível) matar opositores de uma dessas ditaduras que se encontrassem no território de qualquer uma das outras. Na prática, a Operação chegou a assassinar opositores das ditaduras nos EUA, na Venezuela e até na França.

116 A versão eletrônica está em www.acnur.org/biblioteca/pdf/5780.pdf

117 http://filipspagnoli.wordpress.com/stats-on-human-rights/statistics-on-xenophobia-immigration-and-asylum/statistics-on-refugees

118 www.conjur.com.br/2007-jul-07/stf_garante_conversa_reservada_entre_advogado_cliente

119 www.usimmigrationsupport.org/asylum_refugee.html

120 Veja, por exemplo, http://jusvi.com/artigos/27879

121 http://noticias.pgr.mpf.gov.br/noticias/noticias-do-site/copy_of_constitucional/adi-3510-a-vida-comeca-no-momento-da-concepcao-diz-pgr

122 Algumas das declarações de Celso de Melo estão nesta página:
www.agenciabrasil.gov.br/noticias/2009/02/04/materia.2009-02-04.8748585577/view

123 O texto de Carlos Velloso está reproduzido em vários sites. Este é o do escritório do próprio autor e as indicações de página se referem a ele:
http://www.anima-opet.com.br/primeira_edicao/artigo_Carlos_Mario_da_Silva_Velloso_extradicao.pdf

124 Veja: www.giovaniemissione.it/pacennmani/amnestybrazil.htm

125 http://noticias.uol.com.br/ultnot/reuters/2009/01/19/ult27u69818.jhtm

126 www.tribunalpopular.org/?q=node/465

127 www1.folha.uol.com.br/folha/brasil/ult96u655186.shtml

128 http://www1.folha.uol.com.br/multimidia/videocasts/969728-livre-battisti-vive-em-cidade-do-litoral-paulista-veja-entrevista.shtml
Uma melhor visão da manobra fica clara na versão impressa do mesmo jornal.

129 http://noticias.terra.com.br/brasil/noticias/0,,OI5316732-EI7896,00-Ze+Dirceu+acusa+Veja+de+invadir+seu+apartamento+em+Brasilia.html

130 http://www.youtube.com/watch?v=8NcSqeH1C-Y
131 http://g1.globo.com/Noticias/Politica/0,,MUL1039861-5601,00-TARSO+DEFENDE+REFUGIO+A+CESARE+BATTISTI+NO+SENADO.html
132 www1.folha.uol.com.br/folha/brasil/ult96u499041.shtml
133 www.youtube.com/watch?v=_tZatdFPivw
134 http://oglobo.globo.com/pais/demostenes-torres
135 www.conjur.com.br/2010-jan-23/autonomia-lula-extraditar-battisti-ainda-motivo-polemica
136 http://refunitebrasil.wordpress.com/2009/01/27/foi-uma-decisao-surpreendente
137 Veja a página:
www.itamaraty.gov.br/search?SearchableText=clipping
138 A emergência de novos grupos fascistas de combate é denunciada neste texto:
www.dailymail.co.uk/news/worldnews/article-1193111/Italy-revives-Blackshirt-vigilantes-fears-Fascism-sparks-investigation.html
139 www.votewatch.eu/cx_mep_votes.php?euro_parlamentar_id=577&luna_start=03&an_start=2012&vers=2&euro_domeniu_id=13
140 http://archive.maltatoday.com.mt/2009/02/25/anna.html
141 www1.folha.uol.com.br/folha/brasil/ult96u499509.shtml
142 http://www.dimmidove.it/dettaglionews.php?id_news=2103
143 http://archiviostorico.corriere.it/2002/marzo/30/rifugiati_contro_Fassino_co_0_02033011109.shtml
144 www.iltempo.it/2009/05/09/1022109-fassino_ammette_rimandarli_indietro_legittimo.shtml
145 O endereço eletrônico é: http://cesarelivre.org.
146 Todos os relatórios publicados pela Anistia Internacional sobre a Itália, entre 1977 e 1990, inclusive os que não tiveram circulação, estão em meu site:
http://sites.google.com/site/lungarbattisti/
147 http://terramagazine.terra.com.br/interna/0,,OI4947248-EI16410,00-Disputa+de+poder+esta+por+tras+do+caso+Battisti.html
148 http://www.une.org.br/home3/opiniao/artigos/m_13889.html
149 www.pol.org.br/pol/cms/pol
150 A reportagem da ISTOÉ foi reproduzida em muitos *blogs*, por exemplo, em

www.istoe.com.br/reportagens/6269_CESARE+BATTISTI+ POR+QUE+TUDO+ISSO+COMIGO+

151 www.diretodaredacao.com/noticia/nao-a-extradicao-de-cesare-battisti

152 Este blog é http://ocasodecesarebattisti.blogspot.com. Ele se complementa com meu site http://sites.com.br/site/lungarbattisti

153 http://passapalavra.info/?p=22335

154 As notícias, reportagens e matérias de análise foram divulgadas por meio de seu site http://passapalavra.info.

155 www.vermelho.org.br

156 www.carmillaonline.com

157 www.cartacapital.com.br/app/materia.jsp?a=2& a2=8&i=2689

158 Comunicação de 19 de outubro de 1936 (AI, dossiê 16, doc 2286/752).

159 Bertonha, João Fábio: *O fascismo e os imigrantes italianos no Brasil* (EDIPUCRS, 2001) p. 373, nota 11.

160 Nóbrega de Jesus, Carlos G.: *Anti-semitismo e nacionalismo, negacionismo e memória* (UNESP, 2006)

161 www.jblog.com.br/hojenahistoria.php?itemid=9988

162 www.mail-archive.com/penal@grupos.com.br/msg02338. html

163 www1.folha.uol.com.br/folha/brasil/ult96u534431.shtml & http://extradicao.blogspot.com/2009/03/extradicao-governo-italiano-contesta.html

164 www.ultimainstancia.uol.com.br/noticia/61278.shtm

165 www.cidh.oas.org/Basicos/Portugues/TOC.Port.htm

166 http://g1.globo.com/Noticias/Politica/0,,MUL1010111-5601,00-EM+CARTA+A+SENADORES+BATTISTI+REAF IRMA+INOCENCIA+E+ACUSA+ITALIA+DE+MANIPUL A.html

167 http://portaldoholanda.com/noticia/41844-barroso-o-advogado-que-garantiu-a-liberdade-de-cesare-battisti

168 Veja a entrevista de Barroso a um jornal do Paraná (região sul do Brasil): www.gazetadopovo.com.br/vidapublica/justica-direito/entrevistas/conteudo.phtml?id=1245656

169 www.conjur.com.br/2009-nov-18/executivo-quem-ultima-palavara-pedidos-extradicao

170 www.stf.jus.br/arquivo/cms/noticiaNoticiaStf/anexo/Ext1085RelatorioVoto.pdf

171 www1.folha.uol.com.br/folha/brasil/ult96u492373.shtml

172 www.coisp.it/ultimissime08/NEGATA%20ESTRADIZIO-
NE%20DI%20BATTISTI,%20PER%20IL%20COISP%20
BISOGNEREBBE%20DICHIARARE%20GUERRA%20
AI%20PAESI%20COME%20IL%20BRASILE%20-%20
COMUNICATO%20STAMPA%20DEL%2014.01.09.pdf
(Boletim do COISP)

173 Para ler o depoimento sobre este caso, veja:
www.privateforces.com/index.php?option=com_content&
task=view&id=694

174 Vide, entre outras muitas, a excelente *La Strage impunita* em
www.archivio900.it/it/documenti/doc.aspx?id=30

175 Vide *Corriere della Sera*, 11 de junho de 2005, p. 16

176 http://supreme.justia.com/us/110/574/

177 Vide a versão eletrônica deste documento:
www.justice.gov.uk/consultations/docs/cpr0408-response.pdf

178 www.truthinjustice.org/database.htm

179 *Snitching: criminal informants and the erosion of American
justice* (NY University Press, 2009, 270 pp.)

180 www.agu.gov.br/sistemas/site/TemplateImagemTexto-
Thumb.aspx?idConteudo=152830&id_site=3

181 www.conjur.com.br/dl/tratado-extradicao-brasil-italia.pdf

182 http://pop-news.jusbrasil.com.br/politica/7137478/segundo-
ministro-do-stf-battisti-pode-cobrar-do-brasil-pelo-tempo-
preso

183 http://blogs.estadao.com.br/radar-politico/2011/10/13/
procurador-do-df-pede-deportacao-de-cesare-battisti/

184 http://cesarelivre.org/node/143

185 www.estadao.com.br/noticias/nacional,francesa-ve-fraude-
em-processo-que-condenou-battisti,675002,0.htm

186 http://incompiutezza.wordpress.com/2011/07/26/mario-
borghezio-pensieri-su-anders-breivik-behring/

187 O jornalista Tom Coghlan, do prestigioso *The Times,* escreveu que o comando militar italiano no Afeganistão subor-
nava com milhares de euros os chefes do Talibã, na área de
Sarobi, ao leste de Cabul, em meados de 2008, para evitar
que atacassem suas tropas. O assunto foi descoberto quando
os italianos foram substituídos pelos franceses, que não sabiam do acordo. De imediato, os resistentes preparam uma
armadilha e mataram dez soldados da França.
www.timesonline.co.uk/tol/news/world/afghanistan/arti-
cle6875376.ece

188 Reich, Wilhelm: *Psicologia de Massas do Fascismo* (São Paulo, Martins Fontes, 2008). Vide especialmente o Capítulo 7.

189 Nos EUA, percebe-se desde os anos 1990 um acúmulo de abusos sexuais por parte de militares, extremamente superproporcional ao que existe entre civis com as mesmas características. Entre os muitos estudos estatísticos, este é um dos mais expressivos, apesar de estar um pouco envelhecido. Marshall L.: The connection between militarism and violence against women. Copyright February 26, 2004.

190 Schulz, William F.: *The phenomenon of torture: readings and commentary* (University of Pennsylvania Press, 2007), *passim.*

191 www.stopextraditions.org/index.htm

192 www.advivo.com.br/blog/luisnassif/agu-emitira-parecer-contra-extradicao-de-battisti

193 Turone, Giuliano: Il caso Battisti (Garzanti, 2011)

194 Uma excelente monografia sobre este assunto é a de Correa, Leonildo: "Hannah Arendt contra Günther Jakobs", em http://leonildoc.orgfree.com/texto30.htm

**GRÁFICA PAYM**
Tel. (11) 4392-3344
paym@terra.com.br